POUR L'AMOUR DE MATHILDE

Du même auteur

CONTES ET POÈMES

L'Illusionniste, suivi de *Le Guetteur*, Écrits des Forges, 1973.

ROMANS

L'Emmitouflé, Robert Laffont, 1977 ; Boréal Compact, 1991.
Le Bonhomme Sept-heures, Robert Laffont, 1978 ; Seuil, 1984.

Les Fils de la liberté

I. *Le Canard de bois*, Boréal/Seuil, 1981-1982 ; «Points-Romans», Seuil, 1982 ;
    Boréal Compact, 1989.
II. *La Corne de brume*, Boréal/Seuil, 1982 ; Boréal Compact, 1989.
III. *Le Coup de poing*, Boréal/Seuil, 1990-1991 ; Boréal Compact, 1998.

Les Chemins du nord

I. *La Tuque et le Béret*, L'Archipel/Édipresse, 1992.
II. *Le Bouleau et l'Épinette*, L'Archipel/Édipresse, 1993.
III. *L'Outarde et la Palombe*, L'Archipel/Édipresse, 1999.

Il n'y a plus d'Amérique, Boréal, 2002 ; L'Archipel, 2002.
Tête heureuse, Boréal, 2005.

Le Temps des bâtisseurs

I. *Le Visionnaire*, L'Archipel/Édipresse, 2015.

RÉCITS

Racontages, Boréal, 1983.
Le Vrai Voyage de Jacques Cartier, Art Global, 1984 (édition d'art à tirage
    limité).

ESSAI

La Vie d'artiste (le cinquantenaire de l'Union des artistes), Boréal, 1987.

LITTÉRATURE JEUNESSE

Au fond des mers, Boréal, 1987.

EN COLLABORATION

Marco Polo. Le Nouveau Livre des merveilles, Boréal/Solin, 1985.
Montréal, un parfum d'îles, photos de François Poche, Stanké, 1994.
Les Inuit: savoirs, vie quotidienne et spirituelle, photos de François Poche,
    PFP Éditions, 2006.

LOUIS CARON

POUR L'AMOUR
DE MATHILDE

roman

l'Archipel

Notre catalogue est consultable à l'adresse suivante :
www.editionsarchipel.com

Éditions de l'Archipel
34, rue des Bourdonnais
75001 Paris.

ISBN 978-2-8098-2110-9

À mon petit-fils Jean-Félix.

Avertissement

Ce roman n'est pas nouveau et il l'est en même temps. Une première version, très différente, en a déjà paru sous la forme d'une trilogie dont les tomes ont été publiés en 1992, 1993 et 1999. Un surtitre les coiffait : *Les Chemins du nord.*

Seize ans plus tard, je réponds à la proposition de mon éditeur qui me suggérait de procéder à une restructuration de ces trois œuvres en un seul volume dont le contenu ne reprendrait que les temps les plus forts de l'édition antérieure. Il me proposait en outre d'enrichir le récit de développements inédits qui lui donneraient un dynamisme accru.

Puissent les lectrices et les lecteurs apprécier que ce travail de réédition ait été accompli dans la ferveur qu'engendre le sentiment de mener une œuvre à son terme.

PREMIÈRE PARTIE

LE FRANÇAIS DE MATHILDE

(1939-1942)

C'était un Français de France sous toutes les couleurs de l'appellation que les Canadiens-français employaient à la fin des années 1930 pour désigner ceux que le temps et la conquête anglaise leur avaient rendus tout à fait étrangers. Aux yeux des Français devenus canadiens dans le Nouveau Monde, les Français de France étaient des gens de petite taille, empêtrés de gestes, le béret sur la tête et qui continuaient de parler pendant que l'on répondait à ce qu'ils venaient d'énoncer. En tout cas, il ne manquait que la baguette sous le bras à celui qui débarquait ce soir-là à Montréal pour incarner en tous points l'image que l'on se faisait de ses compatriotes dans le Nouveau Monde. Le nouveau venu était descendu du train en provenance de New York. Sur le quai de la gare Windsor, Ti-Fesse Lacaille a enfoncé son coude dans le flanc de Johnny.

— Ma grand foi Dieu, regarde donc qui c'est qui débarque là! Un vrai petit poulet pas de plumes!

— Il m'a tout l'air d'être moins pesant que sa valise! a estimé l'autre.

On était au début de mai 1939. La nuit était empreinte d'une lumière tamisée sur la métropole du Canada, vu qu'il tombait une neige molle et collante. La dernière bordée d'un hiver qui s'éternise ou l'éternuement d'un printemps qui n'ose pas encore respirer à pleins poumons? Un grand nègre s'est approché du Français.

— *Porter?*

L'interpellé a sursauté. Il fouillait dans les poches de son paletot en regardant autour de lui.

— *Porter? Taxi? Hotel?* insistait l'autre.

Le tout en anglais. Ces termes résonnent des mêmes sonorités en français que dans la langue dominante en Amérique du Nord. Seul l'accent diffère. Le voyageur a fini par signifier d'un signe de tête qu'il acceptait la proposition. Il a mis ses pas dans ceux du porteur qui avait posé sa valise sur un chariot de bois à roues cerclées de fer.

Montréal faisait le dos rond. Vingt centimètres de flocons recouvraient les rues, les trottoirs, les voitures et les toits. Le bagagiste avait les mains enfoncées dans de grosses mitaines de cuir. Le pompon rouge de sa tuque battait la mesure de sa marche. Du bout de sa mitaine, il a déneigé la poignée de la portière d'un taxi. En guise de pourboire, le Français lui a remis une pièce de vingt-cinq cents qui est tombée entre eux deux dans la neige. Ils se sont penchés en même temps pour la ramasser. Leurs têtes se sont heurtées. La tuque contre le béret. Embarrassé, le Français a souri. Le porteur, pas.

Il ne fallait pas songer à retrouver la pièce. Le Français en a donné une autre et il est monté dans le taxi pendant que le chauffeur et le porteur unissaient leurs efforts pour déposer sa malle dans le coffre.

L'intérieur de la voiture puait la fumée de cigarette. Le Français se secouait les pieds. Ses chaussettes étaient trempées dans ses souliers vernis.

— *Where d'you go?* a demandé le chauffeur.

— Hôtel Windsor, a répondu le Français du fond de la banquette arrière.

— *It's next door!* a grommelé le chauffeur.

— Comment? a demandé le Français.

Le chauffeur n'a pas répondu. Il a engagé le levier de vitesse en soupirant. Le moteur de la Pontiac ronronnait. Le claquement rassurant des essuie-glaces rythmait leur progression. Dans la côte de la rue Peel, les roues ont patiné et la voiture s'est mise en travers. Le chauffeur a continué d'accélérer et la Pontiac a gravi la pente en dérivant d'un trottoir à l'autre. Le Français s'était redressé sur le rebord de la banquette.

— *Hell of a weather!* a encore dit le chauffeur.

Le Français acquiesçait sans savoir à quoi il donnait son assentiment. Quelques minutes plus tard, l'équipage s'immobilisait devant un édifice de quatre ou cinq étages, selon qu'on les dénombrait à la française ou à la nord-américaine.

Sous toute cette neige, l'hôtel Windsor ressemblait à un gâteau de noces. L'écume garnissait les toits et l'appui de chaque fenêtre. Les globes des lampadaires disparaissaient sous une mousse épaisse d'où émanait la lueur atténuée de l'ampoule. Un portier vêtu en soldat d'opérette balayait le grand escalier de pierre dont on avait recouvert les marches de madriers pour les rendre moins glissantes. Le portier planta son balai manche en bas dans la neige pour se porter à la rencontre du client.

— *Fifty cents*, réclama le chauffeur du taxi.

Le Français en versa soixante-quinze pour ne pas être en reste, puis il enfonça de nouveau ses chaussures dans la neige pendant que le portier s'emparait de sa valise pour en traîner une extrémité sur les marches de l'escalier.

À l'intérieur de l'hôtel, un petit contingent de singes en uniforme s'agitait dans le hall éblouissant de lumière.

— *Your name, sir?* demanda le préposé à l'accueil.

— Ramier. Henri.

— *You have a reservation?*

— J'ai câblé de New York.

Le préposé consulta un registre de cuir.

— *Ri-my-her. OK. How many nights?*

— *Nights?* Je ne sais pas. Quelques jours, sans doute.

— *Sign here, please.*

Ramier apposa sa signature sur le registre de l'hôtel.

— *Room three fifteen*, annonça le préposé en tendant à son client une clé attachée à une languette de bakélite.

Le Français se dirigea vers les ascenseurs. Un porteur le suivait en poussant un chariot sur lequel il avait posé la malle.

Les parois du lift étaient recouvertes de boiseries et de cuivres flamboyants. Le *lift-boy* – sa fonction se déclinait sur un écusson cousu sur son uniforme – gouvernait l'appareil à la manière d'un commandant de paquebot. Il engagea la manette à fond à droite pour la ramener vers la gauche au moment d'immobiliser l'ascenseur en douceur, à quelques centimètres du plancher du troisième.

— *Have a good night, sir.*

Le temps de se demander s'il devait verser un pourboire au liftier, le Français était déjà descendu pour permettre au responsable de son bagage d'en faire autant.

Dans la chambre, ce dernier indiqua à son client où se trouvaient les interrupteurs électriques et il lui fit visiter la salle de bains, éclatante de porcelaine et de tuiles noires et blanches. Une autre pièce de vingt-cinq cents changea de mains. Quand il fut enfin seul, Henri Ramier s'approcha de la fenêtre pour écarter la tenture de velours.

La violente chaleur du radiateur faisait onduler un second rideau, de tulle celui-là. En bas, la rue Peel papillonnait. Les flocons s'acharnaient sur la faible lueur des réverbères. Les voitures fonçaient dans la houle de neige en laissant un sillage derrière elles comme des navires. Un marcheur affrontait la tourmente, plié en deux, une main sur le rebord de son chapeau.

Henri Ramier prit son tabac dans la poche de sa veste, un Prince Albert présenté dans une boîte de métal rouge et qui lui piquait la langue depuis qu'il l'avait acheté sur le quai de la gare à New York. Tabac d'Amérique, trop aromatisé au goût du Français. La flamme du briquet se reflétait dans la vitre. Volutes de fumée, petit réconfort au terme d'un voyage dont on se demande soudain pourquoi on l'a entrepris.

En temps normal, Henri serait au Guibourg, sur l'Adour, aux abords de Riscle dans le Gers, dans le sud-ouest de la France, dans la maison ancestrale où le peintre élaborait une œuvre qui l'avait déjà rendu célèbre. Célestine, la servante, poserait la soupière sur la table. Deux tourterelles précéderaient peut-être une carpe. Firmin, le voisin braconnier, aurait arrangé ce gibier avant de l'offrir à M. Ramier. Mais l'heure viendrait vite où Célestine regagnerait sa chambre. Et Henri serait de nouveau seul.

Évelyne, l'épouse dévouée, était décédée après une douzaine d'années de vie commune. Le peintre était demeuré seul et sans enfants dans son Gers natal. Pour l'heure, à Montréal, Ramier songeait que, si la suite du voyage ressemblait à ces premières heures, il n'était pas au bout de ses surprises.

À New York, apprenant que son compatriote avait l'intention de se rendre dans la province de Québec, un Français présent à l'inauguration de l'exposition lui avait suggéré de se mettre en rapport avec un prêtre dont il avait fait la connaissance lors d'un séjour en terre québécoise. Ce curé dont la mission débordait le cadre de la religion se nommait Albert Tessier. Il consacrait la majeure partie de son temps à célébrer les beautés de la nature de son coin de pays. La Mauricie.

*

Deux jours plus tard, une petite voiture de marque inusitée au Canada français, une Nash d'un frais vert pomme, peinait sur une route sinueuse. Un jeune homme réservé, Ignace Tardif, la conduisait. Il n'avait pas dit un mot depuis le départ. À sa droite, un abbé de petite taille à la bedaine rebondie sous la soutane, Albert Tessier, semblait être au comble du bonheur. Il fumait un gros cigare tout en lisant sa tranche quotidienne du bréviaire en bougeant les lèvres, sans cependant en prononcer les mots à voix haute. Le livre tressautait entre ses mains au gré des cahots de la route. N'y tenant plus, il le referma et se mit à chantonner, en faussant sans ménagement, des airs de la vieille France où la fileuse attend un marin qui tarde à rentrer au port.

— Batêche! On se demande où le bon Dieu est allé chercher son inspiration pour faire notre Mauricie! s'exclama-t-il entre deux couplets. Peut-être bien dans un recoin du paradis? Vous trouvez pas?

Et il se tourna vers le passager tassé contre l'une des portières de l'arrière. La grosse malle encombrait le siège, trop imposante pour être placée dans le coffre de la petite voiture.

Lors même de l'arrivée du prestigieux visiteur aux Trois-Rivières, le propagandiste de la ruralité l'avait invité à prendre la parole au cours d'une soirée à saveur patriotique qu'il animerait deux jours plus tard. Pour faire preuve d'amabilité, le Français avait été contraint d'accepter. Avant le moment fatidique, l'abbé l'avait pris à part pour le stimuler.

— Ayez pas peur! Fessez dans le tas! Y sont capables d'en prendre! Ce qui leur manque, c'est de l'idéal! Vous en avez à revendre, vous autres les Français! Brassez-leur le Canayen!

Ramier avait bien fessé dans le tas, comme le lui avait enjoint ce prêtre qui ne doutait de rien. Il avait exalté les origines françaises des premiers arrivants et avivé l'intérêt de leurs descendants pour leur passé. Les propos du visiteur avaient soulevé la foule. On l'avait entouré à sa descente de la tribune. Dès que cette ruée avait commencé à s'apaiser, l'abbé Tessier avait écarté les derniers admirateurs pour saisir l'orateur aux avant-bras et le secouer en braquant ses yeux sur les siens.

— Je pars bientôt en tournée pour quelques semaines aux quatre coins de la province. Des conférences et des petites vues animées sur les gens et les paysages de mon petit pays, pour leur requinquer le Canayen. Je vous embarque! Vous serez logé, nourri et transporté. Croyez-moi, vous découvrirez des endroits où Jacques Cartier n'a jamais mis les pieds. En échange, vous direz quelques mots. Pas des conférences. Juste du remontage de bretelles. Correct?

Et pour bien préparer son nouveau partenaire à se lancer sur les routes de la province, le propagandiste des valeurs canadiennes-françaises s'était mis en tête de lui donner un avant-goût du pays. C'est ainsi qu'Henri Ramier s'était retrouvé sur la banquette arrière de la Nash de l'abbé pour aller à la rencontre du plus important entrepreneur forestier de son coin de pays, sinon du Québec tout entier.

— Batêche! s'exclamait l'abbé Tessier, c'est lui qui m'a donné les clés de mon royaume. Félix Métivier, il connaît la Mauricie comme s'il l'avait lui-même tricotée.

Henri Ramier parvenait à placer quelques mots à l'occasion.

— Depuis que je suis arrivé dans votre province, on ne cesse de me vanter les mérites de Maurice Duplessis, votre Premier ministre du Québec. Mais était-il vraiment pertinent de donner son prénom à votre région?

— Duplessis n'a rien à voir là-dedans! protestait l'abbé Tessier. La Mauricie, c'est moi qui l'ai baptisée, et croyez-moi, je n'ai pas songé un seul instant au Premier ministre en le faisant! Non, la Mauricie doit son nom à la rivière. Elle est plus grande que le fleuve le plus imposant de par chez vous! N'oubliez jamais ça dans vos prières! La preuve? On ne dit jamais *la* Saint-Maurice, mais bien *le* Saint-Maurice. Comme pour un fleuve!

Pour contenir son émotion, l'abbé rallumait son cigare. L'épaisse fumée bleue privait par moments le Français des splendeurs du paysage. Puis le prêtre laissait s'éteindre son barreau de chaise, qu'il déposait dans le cendrier de la voiture, et il s'endormait, la tête sur l'épaule. Sitôt que le propagandiste des valeurs canadiennes-français rouvrait l'œil, le visiteur plaçait la question qu'il avait été contraint de retenir plus tôt.

— Vous me le ferez voir, ce fleuve qui n'en est pas un?

— Chaque chose en son temps, tempérait l'abbé. D'abord, Félix Métivier. Notre royaume, c'est lui qui vous le fera découvrir.

Et c'est ainsi qu'en cette matinée pluvieuse de mai 1939 Henri Ramier s'était laissé entraîner par l'abbé Tessier sur le chemin qui remontait vers les profondeurs de la forêt de la Mauricie, à la rencontre du mythique Félix Métivier. Le chauffeur et l'abbé avaient en tête chaque courbe de la route qui menait au territoire de l'exploitant forestier. Pour sa part, de sa position sur le siège arrière, le Français se tordait le cou pour tenter de ne rien manquer des merveilles que le paysage dévoilait sous ses yeux.

Au beau milieu d'un village égrené le long de la grande rue qui le traversait, la petite voiture s'immobilisa dans une flaque d'eau. On était arrivé aux Piles. L'homme qui les attendait s'était écarté pour ne pas être éclaboussé. Un vent frais ébouriffait les arbustes du parterre, étalés devant une imposante maison de briques rouges. Sous la fine bruine, l'étranger s'avança au-devant des visiteurs, les épaules courbées, soulevant son chapeau d'une main.

— Félix Métivier, annonça-t-il.

Et il recula d'un pas.

Henri Ramier, qui était descendu comme les deux autres occupants de la Nash, songea en serrant la main de celui qui se tenait devant lui qu'il ressemblait à un Yankee. Sa silhouette y était sans doute pour beaucoup. Ce Métivier n'était pas tassé sur lui-même comme la plupart des Canadiens-français. Il obéissait même au réflexe des individus de grande taille de courber le dos en inclinant la tête, comme s'il devait constamment passer sous le linteau d'une porte trop basse.

Cette allure hors du commun tenait également à son chapeau, un feutre gris à larges bords. À son imperméable aussi, l'authentique trench-coat avec ses épaulettes, ses bandes au poignet, sa ceinture garnie d'une grosse boucle métallique, ses boutons recouverts de cuir brun et ses grandes poches pour y fourrer tout l'attirail indispensable à la menée d'une bonne journée.

Pour sa part, Félix Métivier examinait le Français qui venait de se porter à sa rencontre. Cet homme avait des mains d'artiste mais, en même temps, la peau de son visage trahissait une vie menée au grand air. Là-dessus, un regard franc. L'homme d'affaires se promit d'en découvrir davantage au sujet de cet intéressant visiteur avant la fin de la journée.

— Le café, annonça Métivier, ce sera pour un autre tantôt. Il mouille depuis deux jours. Les criques vont déborder. *All aboard.*

Et il se dirigea à grands pas vers sa Packard, un paquebot monté sur roues. C'était une limousine de l'année, modèle Grand Tourism, pouvant accueillir sept passagers. Trois hommes l'occupaient déjà.

— Suivez-nous, lança Métivier en refermant la portière. Je vais essayer de pas aller trop vite, ajouta-t-il dans un sourire malin.

La Packard décolla, auréolée de bruine. Ramier avait rejoint ses compagnons à bord de la Nash. La petite voiture fonça sur la trace de l'entrepreneur forestier. Ce qui se présenta bientôt sous le regard du Français le porta au-delà de l'étonnement.

Des centaines de milliers de billes de bois recouvraient le Saint-Maurice. Le cours d'eau était cinq fois plus large que l'Adour dans ses détours les plus imposants, ce fleuve si cher au cœur de Ramier, serti dans un paysage français ciselé dont chaque parcelle reflétait l'ensemble.

— La drave ! s'exclama l'abbé Tessier en brandissant son cigare.

Il fallut d'abord expliciter le terme. Pendant tout l'hiver, des centaines de bûcherons abattaient des arbres en Haute-Mauricie. On ébranchait les troncs, on les coupait en billes de douze pieds – un peu plus de quatre mètres, précisa l'abbé à l'intention du Français. Des chevaux attelés à de vastes traîneaux transportaient tout ce bois sur des pistes de neige durcie. On l'empilait sur la glace qui recouvrait le cours d'eau voisin. Au printemps, la fonte des neiges et la débâcle qui s'ensuivait provoquaient une importante crue. La rivière se ruait vers son embouchure. Les billes étaient emportées par le courant déchaîné. Les draveurs les escortaient jusqu'à de vastes évasements de la rivière où on les entassait entre des estacades, véritables trottoirs flottants destinés à contenir la mer de grumes. Le moment venu, on laisserait ce bois flotter jusqu'aux usines où on le transformerait en papier.

Trois-Rivières était alors le plus important centre de fabrication de ce produit au monde.

Les Anglais avaient mis le procédé au point. Pour le désigner, ils disaient *«to drive the wood»*. Leurs engagés canadiens-français avaient arrondi l'expression en la roulant dans la fumée de leur tabac fort. De *drive*, ils avaient tiré «drave». Personne parmi eux ne se remémorait l'origine anglaise de cette expression désormais francisée. Cette drave était l'apanage des draveurs et peu d'Anglais se seraient aventurés à pratiquer un métier aussi dangereux.

— Hein! Vous avez jamais vu ça, du bois de même? insista l'abbé. Pas de drave, pas de Mauricie! C'est ça qui fait la prospérité de notre coin de pays.

Henri Ramier convenait de l'évidence. Les Mauriciens s'étaient donné une identité en fonction des tâches qu'y exerçaient les draveurs.

*

Depuis qu'ils avaient quitté le village des Piles en fin de matinée, le cours de la rivière Saint-Maurice suffisait à entretenir l'étonnement du Français. Des collines boisées la bordaient. Une rive escarpée et l'autre douce. La forêt à l'infini. Presque aucune habitation. Tout juste une cabane de loin en loin, au détour d'un méandre de la route, et encore ce n'était généralement que le refuge d'un saisonnier. Henri Ramier pénétrait au cœur de cette nature foisonnante qu'il confrontait avec les images fantastiques ramenées des grands livres illustrés feuilletés au coin du feu dans son enfance.

Passé midi, on atteignit Rabaska. La Packard du patron les attendait là. Un peu moins de cinquante milles avaient été franchis. Soixante-seize kilomètres, selon les calculs de Ramier, qui ne parvenait pas à se réconcilier avec les mesures anglaises en usage au Canada.

Le poste de Rabaska ressemblait à l'un des établissements que les récits des voyageurs avaient popularisés. Rien que de très pratique. Des cabanes de planches brutes, des hangars et un appontement sur la rivière. Quelques familles vivaient ici, des hommes brisés par le labeur, des femmes furtives entre des cordes à linge et des enfants effrontés qui soutenaient le regard du visiteur. La Packard s'engagea sur une passerelle et monta sur un bac qui permettait de traverser la rivière. La voiture de l'abbé Tessier allait s'engager derrière.

— Pas deux automobiles à la fois ! protesta Ramier.

Ignace, le chauffeur, s'autorisa à laisser éclore un sourire entre ses lèvres et rangea la Nash derrière la Packard. Le pare-chocs arrière de la petite voiture était suspendu au-dessus de l'eau. Une barque à moteur remorqua le chaland. La plate-forme de ce dernier était si étroite que l'on ne pouvait ouvrir les portières. Henri Ramier abaissa la glace pour évaluer la précarité de leur situation.

— Vous avez remarqué, hein ! fit observer l'abbé, il n'y a plus de bois sur l'eau.

— J'en ai tant vu, répliqua Ramier, que je ne m'étonne pas qu'il n'y en ait plus !

— C'est pas ça ! renchérit l'abbé. M. Métivier a fait fermer les estacades.

Après un moment, il ajouta :

— C'est pas le premier venu qui peut arrêter la drave ! Empêcher le bois de flotter, ça peut coûter jusqu'à des centaines de piastres de l'heure. Mais Félix Métivier, lui, il n'a qu'à lever le petit doigt.

Déjà, ils abordaient l'autre rive. Le patron fit un grand geste en sortant le bras pour les entraîner à sa suite. L'instant d'après, ils roulaient sur un étroit chemin de terre qui s'enfonçait, aurait-on dit, à l'infini dans la forêt. De mille en mille, un panneau indiquait la distance parcourue. Fait inusité, un câble métallique courait sur les branches basses des arbres.

— Le téléphone ! expliqua l'abbé en désignant l'installation d'un geste du menton. Vous viendrez me dire après ça qu'on vit comme des sauvages dans le bois! Il y a bien des gens dans les villes qui n'ont même pas le téléphone!

Ils pénétraient au cœur de la forêt sans fin. Henri Ramier avait imaginé les ramures du Nouveau Monde après en avoir lu des descriptions fabuleuses dans les pages de Chateaubriand, pins démesurés, chênes séculaires, futaies majestueuses. Rien de tout cela ici. Ils s'enfonçaient plutôt dans un fouillis de bouleaux squelettiques et d'épinettes maigrelettes que le Français s'entêterait, jusqu'à la fin de son séjour, à désigner du nom de sapinettes. Un paysage griffu. Il ne devait pas faire bon s'égarer en ces lieux.

Ramier frissonna. Il venait de s'imaginer, seul, à pied, à la tombée de la nuit, au milieu des milliers de kilomètres de cette forêt teigneuse dans l'infinie solitude d'un monde sauvage. Des dizaines de lacs semblables les uns aux autres et des collines boisées se succédant sur des centaines de milles. Plus on allait vers le nord, plus la taille de la végétation diminuait. Seules subsistaient quelques *sapinettes* rabougries. Plus loin encore, évoquait l'abbé Tessier, la toundra. Le sol gelé en permanence. La banquise éternelle. Et puis, peut-être, le Nord mythique.

La Packard s'engagea brusquement sur un chemin de traverse. Le jour déclinait quand ils arrivèrent au Panier percé.

*

À l'époque de la construction de cet établissement, l'un des comptables de Métivier s'était récrié devant les frais entraînés par l'édification de ce camp dressé au cœur de la forêt: «Ça nous coûte une fortune, cette affaire-là! Un vrai panier percé!» Le nom lui était resté.

Un quadrilatère de baraquements le composait. De grands bâtiments peints en blanc, avec une touche de vert sur les corniches et le tour des fenêtres. Des bardeaux de cèdre sur les toits. Des cheminées de tôle. Et surtout, chose incongrue, des poteaux porteurs de fils électriques. En plus de jouir du téléphone, le Panier percé générait sa propre électricité.

L'endroit semblait plutôt désert mais, se plaisait-on à répéter au visiteur français, à l'orée de l'hiver, mille hommes emplissaient ces baraquements en s'arrêtant ici avant d'être dirigés vers leur chantier respectif. À une extrémité du village, un quartier plus cossu, les bureaux et le camp particulier de Félix Métivier. La voiture s'arrêta devant le bâtiment le plus imposant.

— Si ça vous dérange pas, déclara Félix Métivier, on va passer tout de suite au réfectoire. Le couque aime pas attendre.

Même sans avoir mangé à midi, Ramier s'étonna qu'on pût songer à se mettre à table à cinq heures de l'après-midi. Depuis son arrivée à Montréal, il avait bien constaté que les Canadiens-français prenaient leurs repas tôt. À quelques reprises, il avait été reçu chez des gens qui l'avaient accueilli à six heures pour passer à la salle à manger à sept heures. Comment aurait-il pu savoir que l'on retardait l'heure du souper, comme on disait dans ces contrées, pour ne pas brusquer les habitudes du visiteur? Mais s'attabler à cinq heures, autrement que pour prendre le goûter, cela ne lui était jamais advenu! Il n'était pas au bout de ses surprises.

Le réfectoire pouvait accueillir cinq cents convives à la fois. Des rangées de tables s'alignaient à perte de vue. Sur chacune, une salière et une poivrière de tôle d'un rouge étincelant. Aux murs, des trophées de chasse, biches au regard vitreux, cerfs orgueilleux et orignaux au panache menaçant.

Comme il y avait peu de pensionnaires au Panier percé en cette saison, une partie seulement du réfectoire était éclairée par des ampoules électriques suspendues au-dessus des tables les plus proches de la cuisine. Cela conférait au lieu l'atmosphère des églises désertes qu'on visite à l'improviste.

Il s'y trouvait une vingtaine d'hommes. Ils finissaient de manger. Ils se levèrent en apercevant Félix Métivier mais, contrairement à ce que Ramier anticipait, nul ne s'avança pour lui serrer la main. Personne ne salua le patron non plus. On se contenta de marquer sa déférence en prenant une attitude réservée. Les mangeurs sortirent d'ailleurs bientôt dans un grand bruit de bottes sur le plancher de bois brut.

— Venez voir la couquerie, proposa Félix Métivier à Ramier. Je pense que vous avez jamais rien vu de pareil.

Les cuisines du *Titanic*. Des marmites assez grandes pour y installer un homme. Des plans de travail de sept mètres. Des hottes grosses comme des clochetons d'église. Dans cette cathédrale culinaire officiait un gros cuisinier à toque blanche, suivi de ses trois assistants. Ramier apprendrait plus tard qu'on désignait ces derniers sous le nom de *choboys*. Littéralement, des garçons affectés à des tâches variées.

— Germain, lança Félix Métivier à l'intention du cuisinier, viens que je te présente.

Le gros homme à la peau rosée s'approcha en essuyant ses mains dans son tablier. Le patron désigna Ramier d'un geste de la tête.

— Rencontre donc M. Henri Ramier. C'est un Français qui est en visite par ici.

De rose qu'il était, le cuisinier devint rouge. Ramier fronça les sourcils. Pourquoi cet homme réagissait-il ainsi devant lui?

— Heureux de faire votre connaissance, balbutia Germain. Moi aussi, je suis français, annonça-t-il fièrement, ce que son accent contredisait. Mes ancêtres sont arrivés ici dans les premiers temps. C'était du monde de l'ouest de la France. Vous connaissez?

Ramier sourit en faisant «oui» de la tête, avant de préciser:

— Je suis de Riscle, un peu plus bas que le milieu de la France. On est cousins, comme vous dites par ici!

Et il tendit la main à son compatriote qui essuya vivement la sienne dans son tablier avant de répondre à l'invitation.

— C'est pas *toute* ça, intervint Félix Métivier, faut qu'on se mette quelque chose dans le corps.

Germain, le cuisinier, en profita pour filer derrière ses marmites.

— Le couque, il se monte des bateaux dans sa tête, expliqua Félix Métivier en entraînant son invité vers la salle où les attendaient les autres, mais c'est un maudit bon gars. Comme de raison, c'est pas la place, ici-dedans, pour mettre les petits plats dans les grands, mais des fois, quand on le prévient d'avance, il peut réussir ses chaudronnées comme le couque du Ritz à Montréal.

Ils retrouvèrent le groupe devant une table sur laquelle les *choboys* avaient déposé les assiettes et les couverts. Un regard échangé entre Félix Métivier et l'abbé Tessier, le clignement d'un œil comme pour un signal convenu, et l'abbé fit un grand signe de croix. Tous l'imitèrent.

— Au nom du Père, du Fils et du Saint-Esprit. Bénissez-nous, mon Dieu, ainsi que la nourriture que nous allons prendre.

— Amen.

Ils se signèrent d'un geste unanime. Ramier n'avait pas eu le temps de les imiter. Aurait-il seulement su le faire? Ils enjambèrent tous le banc pour s'y asseoir.

Les *choboys* apportèrent une soupe au chou, puis un grand plat de ragoût de pattes de cochon baignant dans une épaisse sauce où surnageaient des pieds de porc, des boulettes de viande hachée et des pommes de terre. Au dessert, on servit de la tarte à la farlouche, dans laquelle Ramier reconnut des raisins dans une sauce qui lui rappelait la mélasse. Du thé là-dessus, depuis la première cuillerée de soupe jusqu'à la dernière bouchée de dessert. Métivier interpellait Ramier.

— Hein! du thé de même, vous en avez pas bu souvent! Nous autres, par ici, on aime le thé fort. Les gars qui connaissent ça disent que le thé est à leur goût quand il est assez fort pour porter une hache.

Et il laissa éclater un grand rire contagieux qui entraîna celui des autres. Félix Métivier allait se lever. L'arrivée d'une jeune femme toute de blanc vêtue précipita ce geste. Le patron présenta la nouvelle venue à son invité.

— Rencontrez donc Mathilde Bélanger, annonça-t-il. Elle est notre garde-malade, ici au Panier percé. Elle passe son temps à courir d'un camp à l'autre aux alentours.

*

La jeune femme avait de grands yeux verts au regard pénétrant, un large sourire et des gestes francs. Les épaules carrées et des jambes capables de parcourir les forêts par tous les temps et en toute saison. Les cheveux blonds sagement remontés. Plus grande que le Français, elle en imposait dans l'uniforme qui révélait sa profession. Elle tendit la main à Ramier. Étonné de ce geste, celui-ci mit quelques instants avant de répondre à cette forme de salutation pourtant familière chez lui.

— Heureux de faire votre connaissance, prononça-t-il.

— D'après ce qu'on m'a dit, vous venez de loin, répondit la jeune femme. Vous êtes pas trop perdu dans nos forêts ?

Ramier rétorqua :

— En votre compagnie, j'irais jusque dans le Grand Nord. À propos, je me nomme Henri Ramier et je suis peintre.

— Dans nos parages, fit observer la jeune femme, on ne repeint pas les bâtiments très souvent.

— Ce qui ne me concerne en rien, enchaîna le Français, puisque moi, ce sont des tableaux que je peins.

L'infirmière mit son poing devant sa bouche. Au même moment, l'abbé Tessier entreprit de réciter les grâces, ce qui indiquait que, vu la vitesse à laquelle les choses s'étaient déroulées, les convives avaient davantage bouffé que dégusté le repas. Le rituel de la prière de sortie du repas accompli, Henri Ramier allait tirer son tabac de sa poche pour s'adapter au cours des événements quand Félix Métivier éleva la voix.

— Asteure, si vous y voyez pas d'inconvénient, je vais vous fausser compagnie, vu que je dois aller m'enfermer dans le grand bureau avec mon monde pour réparer tout ce qu'ils ont fait de travers pendant mon absence.

Et il éclata d'un grand rire cordial qui réfutait ce qu'il venait d'énoncer. Il allait se diriger vers la sortie. Le patron se retourna encore une fois, sans toutefois s'arrêter, s'adressant cette fois à l'infirmière.

— Mathilde, veux-tu installer notre invité dans le camp trois, à côté du mien. Monsieur Ramier, je vous laisse en bonne compagnie. Vous allez voir que pour une femme, Mlle Bélanger mène sa barque comme pas beaucoup d'hommes savent le faire.

Et il sortit pour de bon cette fois, laissant flotter derrière lui les volutes d'un autre rire. Tous les hommes l'imitèrent, à l'exception de l'infirmière et du Français, qui se regardaient comme s'ils étaient intimidés de se retrouver seuls l'un devant l'autre. Les *choboys* achevaient de desservir les tables. On avait déjà éteint presque toutes les lumières dans la section de la salle où ils avaient mangé.

— Si on reste ici trop longtemps, annonça Mathilde, ils vont nous demander de les aider à laver la vaisselle.

Ils s'en furent dehors comme des enfants qui s'enfuient de l'école. La nuit avait déjà pris possession du Panier percé. Des lampes du genre de celles qu'on voyait au sommet des poteaux porteurs d'électricité dans les villes éclairaient les lieux.

Le Panier percé, où Félix Métivier avait établi ses bureaux et où il logeait tout aussi bien son personnel administratif que ses bûcherons dans leurs déplacements entre le sud et le nord de la Mauricie, était de loin la plus importante installation vouée à l'exploitation forestière dans la région. L'endroit était composé de bâtiments qui le bordaient des quatre côtés. Le centre s'en trouvait dégagé. On y rangeait des véhicules de tous genres, auto et hippomobiles. Des remorques, des charrettes, des plateformes de toutes dimensions. Çà et là des piles de billots. Cette place centrale était assez fréquentée pour qu'aucun brin d'herbe n'y pousse. Le tout sur une aire aussi vaste que le cœur de son village en France, songea Ramier, mais où on aurait ignoré l'usage de la pierre.

Mathilde entraîna le visiteur vers l'autre extrémité de cette place. La nuit faisait le dos rond sous l'humidité laissée par la pluie de la journée.

— Dans mon pays, fit remarquer Ramier, à cette heure de la journée, on prendrait une collation en attendant le dîner – le souper, comme vous dites par ici –, lequel serait servi beaucoup plus tard.

— Vous ne vous levez pas non plus tous les jours vers les cinq-six heures du matin comme nous autres, lui fit observer la jeune femme.

— Vous savez, rectifia le peintre, l'aube est pour moi le moment béni de la journée où je peux laisser les plus belles inspirations m'envahir.

— Nous avons déjà cela en commun, signala la jeune femme.

Ils levèrent tous deux en même temps le regard vers le firmament qui allumait quelques premières étoiles entre les nuages.

— Devant l'immensité de ce paysage, rêvassa Ramier, on est en droit de se demander si on se trouve au bout, ou alors au commencement du monde.

— En tout cas, rétorqua l'infirmière, pour le moment nous sommes arrivés à destination.

Elle désignait de la tête un camp de bois rond, lequel s'ouvrait sur une véranda grillagée en devanture.

— Vous avez de la chance, ajouta-t-elle. M. Métivier vous loge dans le chalet des visiteurs de marque. Vous allez sans doute le partager avec l'abbé Tessier.

Ils se tenaient l'un devant l'autre, au pied des marches de l'escalier donnant accès à la véranda. Il n'y avait aucune lumière à l'intérieur du chalet.

— M. Métivier a dû faire déposer vos bagages dans votre chambre, précisa la jeune femme.

— Vous ne désirez pas entrer? demanda le Français. Vous pourriez m'aider à me familiariser avec les lieux.

— Je suis bien certaine que vous allez y arriver tout seul, rétorqua Mathilde.

— Dans ce cas, lui proposa Ramier, je vous invite à vous asseoir ici, dehors, sur les marches de ce chalet. Le temps de faire plus ample connaissance.

Et il fit comme il avait dit. Mathilde ne tarda pas à prendre place à ses côtés. Les premiers insectes de la saison emplissaient la nuit de leurs voltiges agaçantes. Mathilde et Henri demeuraient muets devant l'effarant répertoire de ces appels à la vie.

— Vous êtes vraiment privilégiée de vivre ici au cœur d'une nature aussi débordante, finit par prononcer le peintre.

— Vous avez bien raison, répondit la jeune femme après un moment de réflexion. La nature est tellement présente ici que, si on n'y fait pas attention, on finit par désapprendre à fréquenter les humains.

Ramier avait entrepris d'allumer sa pipe pour se donner une contenance. La flamme de son briquet lui illuminait le visage au rythme de ses aspirations. La nuit prit une odeur sucrée. Mathilde se leva.

— Ma fumée vous importune ? s'enquit-il.

— Bien au contraire, le rassura-t-elle. Je dirais même que je trouve ça plutôt de mon goût. Dans votre fumée de pipe, c'est comme si je voyais toutes les pensées qui vous trottent dans la tête.

— Votre perspicacité m'impressionne, reconnut-il.

Et il ajouta, après quelques instants de silence :

— Je dois vous avouer que je me trouve privilégié de vivre ce moment en votre compagnie. Vous êtes la plus impressionnante personne que j'aie rencontrée depuis que je suis arrivé dans votre pays.

Sous le coup du compliment, Mathilde rentra la tête dans les épaules.

— Il faut que je m'en aille, annonça-t-elle. Mes malades m'attendent. Je dois passer à l'infirmerie. Les préparer pour la nuit.

Ramier se leva à son tour et rejoignit la jeune femme au pied de l'escalier.

— Nous n'aurons pas eu le temps de nous en dire bien long, commença-t-il, et je ne sais même pas si je serai là demain pour échanger d'autres moments avec vous. Et pourtant, si vous saviez tout ce que j'aurais souhaité partager avec vous!

Il enfonça la main dans la poche de son pantalon, d'où il tira une patte de lièvre qu'il présenta à la jeune femme.

— Quelqu'un m'a donné cela aujourd'hui. Il paraît que c'est porteur de *luck*. Vous imaginez bien que je ne suis pas le maître de mes allées et venues dans ces forêts. Je ne sais vraiment pas combien de temps je dois demeurer dans vos parages. Je vous offre donc cette amulette afin que vous ne puissiez pas douter que notre rencontre a été bien réelle.

Mathilde sourit et finit par laisser le Français déposer la patte de lièvre dans sa main.

— Quelque chose me dit, suggéra-t-elle, que nous nous retrouverons quelque part.

Ramier déposa alors une bise sur chacune des joues de la jeune femme. Pour lui, le geste relevait bien davantage de la démonstration d'affection que du respect du protocole. Chez elle, cette forme inhabituelle de rapprochement entre personnes qui ne se connaissent pas engendrait un flot de sentiments échevelés.

*

Mathilde ne s'était pas sitôt éloignée que le peintre vit surgir de l'ombre la silhouette de l'abbé Tessier. Le prêtre avait-il été témoin du tête-à-tête qui venait de prendre fin entre lui-même et la jeune infirmière? L'ecclésiastique s'était-il tenu à l'écart pour leur laisser le temps de bien s'apprécier l'un et l'autre? Surtout, avait-il vu Ramier faire la bise à la jeune personne qui lui avait tenu compagnie?

— Le bon Dieu nous donne encore une *saprée* belle soirée! lança le prêtre en approchant. On dirait qu'il veut vous faire comprendre qu'il y a pas rien qu'en France qu'il peut y avoir des beaux moments dans la vie.

— Vous qui connaissez l'adresse du bon Dieu, lui répondit le visiteur sur un ton amusé, vous ne pourriez pas lui transmettre un message de ma part? Le féliciter pour toutes les beautés qu'il a faites dans le monde.

— Pourquoi ne lui adresseriez-vous pas vous-même vos commentaires? s'enquit l'abbé en enrobant à son tour son propos d'accents amicaux. Notre Père des cieux voit bien tout ce que vous avez dans le cœur. Je ne doute pas un instant qu'il ait déjà remarqué que vous avez une très belle âme.

Et le prêtre posa la main sur le bras du peintre en passant à côté de lui pour gravir l'escalier.

— Asteure, on a plus rien qu'une chose à faire, enchaîna l'ecclésiastique. Se coucher puis dormir parce qu'on doit être sur le pont à la première lueur du jour demain matin. M. Métivier veut vous montrer quelque chose de pas ordinaire. J'ai promis de pas vous dire ce que c'est, mais je peux déjà vous annoncer que vous êtes pas près d'oublier ce que vous allez découvrir.

Le chalet réservé aux visiteurs de marque n'était constitué que d'une grande pièce où quatre lits superposés étaient disposés le long des murs. Un seul de ces lits à étage était garni de draps et de couvertures. Ramier se détourna pour laisser le prêtre se dévêtir en toute intimité.

— Donnez-vous pas la peine de vous revirer de bord de même, s'amusa l'abbé Tessier. Dans le bois, on se déshabille pas. Pour ma part, j'ôte juste ma soutane puis mes bottines.

Et il fit un grand signe de croix avant de grimper vers le lit du haut, où il s'allongea sous la couverture grise barrée d'une rayure noire en son centre. Ramier était debout, à côté de la couchette du bas, la tête dans les épaules.

— Je dois reconnaître, commença-t-il sur le ton qu'on adopte pour échanger des confidences avant de s'endormir, que je n'ai jamais rien vu de tel en France. Autant le Créateur s'est surpassé en composant la nature canadienne, autant M. Métivier a mis sur pied une entreprise qui dépasse, à ce qu'on me dit, la taille des exploitations habituelles. Il est vraiment le roi de la Mauricie !

L'abbé Tessier mit quelques instants avant de répondre.

— Ça prenait bien un étranger pour forger une expression aussi juste que celle-là ! Roi de la Mauricie ! Si vous y voyez pas d'objection, je me permettrai de l'utiliser. En mentionnant le nom de son auteur, bien entendu.

— Ce qui m'étonne encore davantage, enchaîna Ramier, et c'est M. Métivier qui m'a fait part de ce phénomène au dîner…

— Vous voulez dire au souper, rectifia l'abbé.

Le Français opina de la tête, tout en poursuivant :

— Ce n'est pas tant le nombre de travailleurs forestiers déployés dans ce bout du monde, mais bien plutôt la durée de leur séjour dans ces solitudes. À ce que j'ai compris, des centaines et des centaines de bûcherons «montent dans le bois», comme vous le dites par ici, dès l'apparition des premiers froids, pour n'en redescendre qu'après la fonte des neiges. On se croirait aux premiers temps de la colonie française en Amérique !

— Avec cette différence que nos bûcherons sont nourris comme des princes et qu'ils remmènent une petite pile de dollars à leurs épouses au printemps. Du moins ceux qui s'enfargent pas dans leurs lacets de bottines pour tout dépenser à boire dans les auberges de La Tuque, de Grand-Mère ou de Shawinigan !

— Je peux vous assurer en tout cas que si je m'étais comporté comme ces gens-là, fit observer Ramier, ma Célestine m'aurait reçu à coups de bâton. Et je les aurais bien mérités.

— C'est donc là le prénom de votre épouse ?

— Pas vraiment, lui opposa le Français. C'est plutôt celui de ma domestique. Pour ce qui est de ma compagne de vie, la maladie l'a déjà emportée il y a plusieurs années.

Le visage de l'abbé Tessier se rembrunit.

— J'aurais donc dû me taire! se reprocha-t-il. Que voulez-vous? C'est le bon Dieu qui m'a fait de même. Une chose est certaine en tout cas, c'est Lui qui a donné aux Canayens les femmes qu'il leur fallait pour passer au travers de toute la misère que la vie leur met dans les pattes!

— Je suis bien de votre avis, annonça Ramier, si j'en juge du moins par celle qui m'a raccompagné ici après le dîner. À ce que j'ai pu constater, les jeunes femmes de votre pays ont le vent dans les voiles et le gouvernail bien en main.

— Il n'y a qu'une seule créature dans les parages pour faire une telle impression, commenta l'abbé.

— L'infirmière, confirma Ramier. J'ai tout de suite constaté qu'elle était au-dessus du lot.

— Ah! celle-là! laissa échapper l'abbé en soupirant. Vous allez pas me dire qu'elle vous a déjà mis le grappin dessus!

— Je peux vous assurer, intervint le Français, que je ne me suis nullement senti en danger en sa présence.

— Je vous recommande pourtant de demeurer sur vos gardes, fit observer l'abbé.

— Si vous voulez me dire quelque chose… enchaîna le visiteur.

— Elle vous a joué son air de violon, proposa le prêtre. Il passe pas des Français tous les jours par ici. En vous apercevant, elle a dû se mettre à parler pointu et à marcher sur la pointe des pieds.

Ramier était trop déconcerté pour riposter.

— Je sais vraiment pas ce que le bon Dieu pouvait bien avoir dans la tête le jour où il a fabriqué une créature de même! continua l'abbé. Si vous voulez que je vous donne un conseil, tenez-vous loin de Mathilde Bélanger.

— Je suis veuf depuis déjà très longtemps, signala le Français.

— Raison de plus, renchérit le prêtre. Vous y avez déjà goûté! Restez donc tranquille maintenant que la démangeaison vous a passé!

Et l'abbé ajouta après un moment de silence:

— Ce n'est pas par hasard qu'elle vous a harponné! Rendez-vous compte! Pour elle, vous êtes un grand de ce monde! Que vous preniez la peine de l'écouter, ça la porte à parler comme un oiseau! Mettez-vous bien ça dans la tête avant de vous endormir, finit par prononcer l'abbé Tessier. Et bonne nuit.

Le peintre s'était mis à retracer les traits de cette Mathilde dans les replis de sa conscience. Sur le lit du dessus, l'abbé allongeait maintenant le souffle. Assis sur celui du bas, le dos courbé pour éviter que sa tête ne heurte le sommier du haut, les mains entre les cuisses, Ramier sentait le besoin de savourer la bouffée d'émotion qu'il avait éprouvée devant le fort tempérament de l'infirmière. Il resta quelque temps à se sentir vivre, petit homme frêle de constitution mais géant de caractère, émoustillé par les remarques de l'homme d'Église, éprouvant soudain le besoin de partager son émotion. Il sortit.

*

Il y avait de la lumière dans le camp de Félix Métivier. Le peintre se permit de frapper à la porte. Le patron l'accueillit en manches de chemise, tenant à la main le document qu'il était en train de consulter.

— Vous dormez pas? s'enquit M. Métivier.

— J'ai trop de choses dans la tête.

— Bourrez-vous donc une pipe, lui suggéra le patron. Ça va vous replacer les idées.

Et il fit lui-même comme il avait suggéré en allumant une cigarette pendant que son invité sortait son brûlot. Un épais nuage de fumée s'éleva bientôt au-dessus d'eux. Tout en se repenchant sur sa table pour continuer de tourner du bout du doigt les pages de son dossier, Félix Métivier engagea une conversation à bâtons rompus avec son visiteur. Des hochements de tête, des réponses qui tardaient à venir. On aurait dit que la profondeur de la nuit feutrait leurs paroles.

— C'est sûr que ça vous change de par chez vous, hein! signala Métivier.

— On m'avait bien répété que le Canada était situé dans le Nouveau Monde, reconnut le peintre. Je m'attendais pourtant à ce que votre pays ressemble tout de même à la France, qui l'avait fondé, et je me retrouve sur une autre planète.

— Ça vous désappointe? s'enquit Métivier.

— Bien au contraire! objecta le Français. On ne part pas en voyage pour aller retrouver ce que l'on a déjà chez soi!

Et, après un moment de réflexion, le Français ajouta:

— Tout de même, me croirez-vous si je vous dis que je redécouvre des images de mon enfance, ici au Panier percé?

Félix Métivier feuilleta encore quelques pages du document. Du bout de l'index, il releva ses lunettes sur son nez.

— Je ne vois vraiment pas en quoi la Nouvelle-France peut vous rappeler la France de par chez vous! s'exclama-t-il.

— Eh oui! renchérit Ramier. Votre Panier percé, ses bureaux, ses hangars, ses entrepôts, tout cela me rappelle le commerce de mon père.

Félix Métivier leva les yeux sur son visiteur. Sa main marquait l'endroit sur la page où il avait suspendu sa lecture.

— Vous avez été élevé dans une épicerie? s'enquit Métivier.

— Une cour fermée de trois côtés, précisa Ramier. Des préaux, des caves à vin, des voitures à chevaux…

Félix Métivier l'interrompit.

— Moi aussi, j'ai passé ma jeunesse dans un magasin-général.

Et il posa un regard complice sur le petit homme qui fumait sa pipe devant lui. Le Français s'était présenté dans le bureau du patron dans le but de lui confier que la seule vue de l'infirmière soulevait des vagues d'émotion dans sa poitrine. Contre toute attente, Félix Métivier le ramenait aux premières années de son existence. Quelque peu déçu de ne pouvoir aborder le sujet qui lui faisait battre le cœur, Ramier allait s'engager à la suite de son interlocuteur sur les chemins de leur jeunesse respective. Le patron coupa cependant court à la conversation.

— Je ne peux pas vous parler très longtemps.

Il désigna son bureau d'un geste du menton.

— Je dois passer à travers toute cette paperasse avant de me coucher. Et nous partons aux aurores.

— Dans ce cas, enchaîna le peintre en se dirigeant vers la sortie, il ne me reste plus qu'à vous dire à quel point j'apprécie votre accueil. Je me sens comme si je marchais dans le grand livre de l'histoire à vos côtés.

— C'est trop d'honneur, protesta Félix Métivier. Je ne peux pourtant pas vous laisser partir sans vous avoir mis en garde contre la fascination qu'une certaine personne semble exercer sur vous. Je vous ai bien vu la regarder à table…

— Je ne serais pas un homme digne de ce titre, répliqua le peintre, si j'ignorais les attentions dont je suis l'objet. Tout de même, rassurez-vous. Si j'avais eu à succomber, ce serait chose faite depuis longtemps. Je mène une existence solitaire, toute consacrée à mon art, depuis tant d'années !

— Raison de plus pour rester sur vos gardes, conclut le patron. Bonne nuit. Et surtout, ne rêvez pas trop.

*

Le lendemain, en tout début de matinée, les trois compagnons, le patron, l'abbé et le Français, s'étaient enfoncés dans les profondeurs de la forêt à bord de la Packard de Félix Métivier. La limousine du patron les avait ballottés sur des pistes qui ressemblaient davantage à des éclaircies entre les arbres qu'à des routes dignes de ce nom. Le Français avait bien tenté à quelques reprises de s'enquérir de leur destination, mais Métivier et l'abbé Tessier s'étaient amusés à le faire languir. Le patron ne savait que répéter :

— Je peux juste vous dire que je vous emmène au paradis.

Ce devant quoi l'abbé Tessier renchérissait :

— Moins vous en saurez à l'avance, plus vous apprécierez ce que vous allez découvrir.

La matinée était déjà bien entamée quand le patron avait fini par garer sa Packard sur une butte dominant une rivière au-dessus de laquelle flottaient des relents de brouillard. L'autre rive apparaissait et s'effaçait comme dans un rêve. Métivier invita ses compagnons à le suivre dans la pente. Ils arrivèrent bientôt devant une barque dont la pointe reposait sur la berge. Ils y montèrent l'un à la suite de l'autre, le Français en premier, l'abbé en second, puis le patron à l'arrière.

Plutôt que de prendre une perche ou un aviron pour faire avancer l'embarcation, ce dernier agrippa à pleines mains l'un des deux câbles d'acier suspendus à la hauteur de ses épaules. Ramier constata que ce filin s'enroulait à une poulie accrochée à un poteau que l'on discernait à travers le brouillard sur l'autre rive. Il en déduisit qu'un autre point d'ancrage devait se trouver en face, pourvu lui aussi d'une poulie.

— Le principe de la corde à linge, énonça un abbé Tessier fier de sa trouvaille.

L'embarcation glissait sans bruit vers l'autre rive. Aussi furent-ils fort étonnés, Ramier surtout, d'entendre s'élever la voix vibrante d'un homme d'âge mûr depuis l'autre berge embrumée. Une mystérieuse personne entonnait l'une des heures du rituel en latin.

— *Ad te, Domine, levati animam meam...*

Félix Métivier avait cessé de tirer sur le câble, immobilisant la barque au milieu de la rivière. Il se remit à l'œuvre quand le chantre eut terminé son incantation.

— Vous allez voir, annonça-t-il à l'intention de leur visiteur, je vous emmène dans un monde qui n'existe peut-être pas.

Quelques minutes plus tard, le fond de la barque frôla le sable de la berge opposée. Un géant à barbe blanche de prophète s'avança pieds nus dans l'eau, qui devait être encore glacée en cette saison, pour la tirer plus avant.

— Grouillez pas, mes bons messieurs, leur enjoignit celui qui les invitait à descendre, je vas vous accueillir avec tous les honneurs qui vous sont dus.

Et il fit comme il avait dit. Ramier, qui se trouvait à l'avant, allait sauter le premier sur la rive en tendant la main à celui qui se tenait devant lui. Plutôt que de répondre à ce geste, le colosse ouvrit les bras et pressa le visiteur contre sa poitrine en le soulevant.

— *Et Spiritus Sancti!* prononça-t-il en relâchant son étreinte pour le déposer sur le rivage.

Et il répéta ce cérémonial à l'intention des deux autres avant de les entraîner vers un coteau sur lequel on pouvait apercevoir une maisonnette dont les fraîches couleurs semblaient irradier la lumière à travers les restes de brouillard qui persistaient.

Sa demeure, Étienne Bélanger l'avait édifiée à l'image même du bonheur. Ouverte sur la nature et riante sous ses volets. Il l'avait revêtue de planches disposées verticalement et peintes en blanc. Un liseré rouge autour des fenêtres et sur les corniches. Un toit de bardeaux de cèdre là-dessus. Le hangar, la petite étable, la cabane des toilettes, jusqu'aux niches des trois chiens proclamaient la joie de vivre.

Les murs intérieurs avaient été badigeonnés de plusieurs couches de vernis. Les jours où le soleil y pénétrait à pleins rayons, songea Henri, on devait se croire dans une ruche d'abeilles. Des tablettes un peu partout, sur lesquelles étaient déposés des bouquets de fleurs séchées. Des tapis croche-tés étalés sur le plancher, verni lui aussi. La porte demeurait ouverte. Les trois grands chiens jaunes et bruns allaient du dehors au dedans comme s'ils avaient été les maîtres des lieux. Derrière la table, une femme épluchait des pommes de terre avant de les déposer dans un bol. Elle leva la tête. Le patriarche la désigna à l'attention du Français.

— Je vous présente la compagne que le bon Dieu me réservait, annonça Bélanger. Elle s'appelle Juliette. C'est la femme forte de l'Évangile.

Il fallait avoir beaucoup de foi ou d'imagination pour reconnaître un personnage des Saintes Écritures dans cette petite vieille à lunettes, frêle comme un oiseau.

— Soyez tous bénis, lança le père Étienne en se frottant les mains de satisfaction.

Il n'avait pas ôté son chapeau.

— Ho donc! la créature! C'est pas *toute* ça! Les émotions, ça creuse!

Et il alla lui-même quérir le pain. Pendant ce temps, Félix Métivier était resté debout près de la porte. Le bonhomme Bélanger l'y rejoignit, une grosse miche à la main.

— Approchez, m'sieur Félix! Je veux bien croire que Notre Seigneur a dit «les premiers seront les derniers», mais la politesse a toujours sa place, sur mon île comme au ciel.

Et il l'entraîna vers la table sur laquelle sa femme venait de déposer du rôti de lard froid, du pain, du beurre et des tasses pour le thé.

— On va prendre une bouchée pour continuer la journée, annonça Bélanger. Après ça, je vas aller montrer les alentours à notre grande visite des vieux pays.

Il passait la main dans sa barbe. Sa bouche s'arrondissait entre sourires et volutes de chansons. Au moment de s'asseoir, il ne retira pas davantage son chapeau sous lequel les rouflaquettes de ses cheveux blancs prolongeaient sa barbe en une auréole lumineuse.

— *Benedicamus Domino!* prononça-t-il en enfonçant sa fourchette dans le rôti.

Et ils entamèrent le repas, enveloppés dans la ferveur d'une franche fraternité. Le cours des conversations les regroupa bientôt en apartés. Peu après, un individu pénétra dans la maison. Son apparition coupa court à toutes les conversations. C'était un hurluberlu aux oreilles décollées, maigre à faire peur et vêtu comme la chienne à Jacques. L'image même de la misère.

— Notre fils Osias, prononça le bonhomme Étienne d'une voix sans expression.

Il aurait tout aussi bien pu dire : « Reprenez donc du thé. » Le nouveau venu jeta un regard de renard sur l'assemblée, s'empara d'une chaise qu'il plaça à l'une des pointes de la table sur laquelle il mit les coudes, les poings fermés au bout de ses avant-bras. Sa mère posa une assiette bien garnie devant lui. Le garçon se jeta sur le rôti de lard et le pain.

Pendant un moment, personne ne parla. Le silence en disait plus long que toutes les conversations. Pour éviter d'avoir à s'adresser à ce personnage déconcertant, le Français s'intéressa tour à tour aux autres convives.

— Ça, messieurs, commença celui qui n'était jamais à court de formules de diplomatie, je n'aurais jamais cru que votre appellation de Nouveau Monde s'incarnerait sous mes yeux avec autant de vérité.

Et, posant le regard sur le patriarche, il ajouta :

— Personne ne me croira quand je raconterai à mes compatriotes que j'ai rencontré au fin fond des forêts un personnage d'une majesté comparable à celle des prophètes des temps jadis.

— Hein ! renchérit M. Métivier, je vous avais bien dit que je vous ferais rencontrer du monde pas ordinaire !

— Si vous nous en racontiez davantage, proposa le peintre en s'adressant au pater familias.

Ce dernier haussa les épaules pour bien démontrer qu'il n'avait pas un sens suffisamment développé de son importance pour se mettre lui-même en scène. Le grand patron Métivier se carra alors sur sa chaise pour répondre en lieu et place de leur hôte.

Originaire de Saint-Pierre-les-Becquets, l'une des vieilles paroisses de la rive sud du fleuve, le jeune Étienne Bélanger avait été élevé dans une famille d'agriculteurs vivant de peu. Le garçon se distinguait des fils d'habitants de ce temps. Plus d'une fois, on l'avait surpris à palabrer avec l'un ou l'autre des éléments de la nature, oiseaux, arbres ou brins d'herbe. Ceux qui étaient moins initiés que lui à cette forme d'intimité craignaient pour sa raison.

Le jeune Étienne présentait tout de même d'excellentes dispositions pour les études. À douze ans, il quitta donc son village pour aller entreprendre un cours classique au Petit Séminaire de Nicolet. Huit années plus tard, personne ne comprit vraiment d'où et comment ce jeune homme surgi de nulle part pouvait avoir reçu l'inspiration d'entrer chez les Trappistes. Outre le fait que ces religieux constituaient la plus austère communauté de moines qui existât au Canada français, il fallait encore remonter jusqu'à Mistassini, au lac Saint-Jean, pour rejoindre leur monastère. Étienne Bélanger séjourna sept ans chez les Cisterciens de la stricte observance. Il y apprit à chanter et à prier en latin. Après toutes ces années de vie recluse, personne ne put déterminer les véritables raisons qui l'avaient poussé à quitter la Trappe. Tout au plus finit-il par déclarer un jour au marchand-général de son village qu'il ne s'était pas jugé digne d'un face-à-face aussi intime avec son Créateur.

Peu après son retour à la vie civile, Bélanger s'était construit une première cabane sur une île au beau milieu de la forêt de la Haute-Mauricie. Cette étape franchie, il s'était remmené une compagne d'une de ses rares incursions dans la ville de Shawinigan, une localité industrieuse de la vallée du Saint-Maurice. Dans un face-à-face quotidien avec son Créateur, le bonhomme avait alors assumé un autre sacerdoce, celui d'assurer la subsistance de la famille que son épouse commençait à lui donner. Il avait donc entrepris de transformer sa cabane en un paradis douillet.

Et les jours s'étaient enchaînés, dépouiller un castor de sa fourrure et radouber un canot pendant que la conjointe et leurs filles désherbaient le potager, cousaient et cuisinaient. Les garçons consacraient leurs journées à parcourir la forêt pour en remmener les dépouilles des bêtes sauvages qu'ils y avaient abattues. Après le souper, on ouvrait les livres et les cahiers sur la table, afin d'enseigner l'écriture et un peu de calcul à toute cette progéniture. Après quoi on rendait grâces au Seigneur des bontés qu'Il leur avait prodiguées dans le cours de la journée, et on allait se coucher.

Cependant, dans le temps présent, le repas tirait à sa fin. Félix Métivier entraîna dehors son invité français. Ils allumèrent l'un sa pipe, l'autre une cigarette, et ils firent quelques pas sur l'aire devant la cabane. L'instant d'après, Osias, l'aîné des garçons, passait à côté d'eux sans les voir pour s'éloigner droit devant lui. Le soleil avait fini de digérer le brouillard.

— Si c'est ça, être marginal... fit observer Henri Ramier à l'intention du patron.

— Vous parlez du fils ou du père? demanda Métivier.

— Le premier est sans doute un accident de la nature, répondit le Français. Le second, l'une des incarnations les mieux réussies de l'humanité.

Ils déambulèrent tous deux en direction de la berge d'où ils étaient venus. Les rayons du soleil caressaient la rivière. Un moment d'extase que dissipa la vue de la barque qui approchait. Ni l'un ni l'autre des deux hommes n'avait remarqué que l'embarcation ne se trouvait plus sur la rive où ils l'avaient laissée. Celui qui l'occupait maintenant sauta à terre avant même d'avoir fini son accostage. Il remonta la berge en courant.

— Monsieur Bélanger! criait le nouveau venu en se dirigeant vers la demeure du patriarche. Monsieur Bélanger! Votre fille vous fait demander! Paraît que c'est urgent!

— J'avais négligé de vous le signaler, révéla alors Félix Métivier au Français. Mathilde, mon infirmière, est la fille du bonhomme Bélanger.

*

Mathilde avait passé la nuit au camp 4 de la Côte-d'en-bas. Elle avait quitté cet endroit à la barre du jour pendant que les hommes se dispersaient dans la forêt. Le temps était encore timide au cœur de la forêt. Par endroits, le sol était toujours couvert d'un reste de neige. La jeune femme venait de se mettre en route à bord de sa camionnette déglinguée. On l'attendait dans un camp secondaire où sévissait une infestation de poux.

À la même heure, au camp 4 de la Côte-d'en-bas, un bûcheron poursuivait sa journée en entreprenant d'abattre l'un des derniers grands pins qui se trouvaient toujours à cette latitude dans la forêt mauricienne. Ce vestige des époques lointaines se dressait dans une pente assez prononcée, ce qui lui avait sans doute valu de survivre à ses congénères.

Tout à sa démarche, le bonhomme savourait à l'avance les éloges que lui adresseraient ses compagnons devant ce coup de maître. Forcé de se placer sous l'arbre dans la pente pour élargir son entaille, le forestier achevait son travail quand un craquement se fit entendre. Le bûcheron tenta de retirer la lame de son outil du tronc de l'arbre. Peine perdue. Le grincement s'accentua. L'homme allait se jeter de côté pour éviter de se retrouver à l'endroit où le géant des forêts allait s'abattre. L'un de ses pieds glissa sur une plaque de neige. Le tronc prodigieux s'écroula sur sa jambe.

Un quart d'heure plus tard, l'un de ses compagnons retrouva la victime dans son effroyable position. Il courut prévenir les autres. Après des efforts tout aussi soutenus qu'inutiles, les hommes avaient rapidement compris qu'ils ne parviendraient pas à faire rouler le grand pin sur lui-même. Ils entreprirent alors de pratiquer deux traits de scie, de part et d'autre de l'endroit où le tronc écrasait la jambe du malheureux.

Un peu moins d'une heure plus tard, ils avaient transporté le blessé au camp, où ils l'avaient allongé sur l'une des tables. On avait demandé à l'aide-cuisinier de rattraper l'infirmière et de la ramener de toute urgence. Après une cinquantaine d'autres minutes, Mathilde Bélanger pénétrait dans le camp, sa trousse à la main.

À première vue, la jeune femme estima que la situation était plus sérieuse qu'elle ne l'avait présumé. S'étant fait apporter des ciseaux, elle coupa l'une des jambes de la salopette au-dessus de la cuisse de la victime, puis elle fit de même des longs sous-vêtements d'hiver.

La blessure se dévoila dans toute son horreur. À mi-cuisse, la peau de la jambe ne constituait plus qu'un sac contenant une purée de muscles et d'os. La conclusion sautait aux yeux : le dommage était irréparable.

Transporter le blessé à Trois-Rivières sur les pistes forestières défoncées équivaudrait à une condamnation à mort. Procéder seule à l'intervention qui s'imposait, et sans anesthésie adéquate, relevait de l'exploit. Une giclée d'angoisse était remontée du cœur à la tête de la fille du père Bélanger.

S'étant ressaisie, Mathilde consulta le *Manual of Practical Anatomy* de Cunningham qui ne quittait jamais sa trousse d'infirmière du bout du monde. Elle ne tarda pas à annoncer qu'elle procéderait sur-le-champ à l'amputation.

Elle réclama tout d'abord qu'on fasse boire du fort à son patient. On apporta une bouteille de cet alcool artisanal qui aurait tout aussi bien pu servir à désinfecter les tables de la salle à manger du camp. Le cuisinier souleva la tête du malheureux pour lui faire avaler plusieurs gorgées de ce tord-boyaux dont une certaine quantité lui coula sur le menton et dans le cou. Le patient geignait en oscillant la tête à droite et à gauche pour s'épargner cette nouvelle forme de torture.

En même temps, Mathilde s'était fait apporter un bol d'eau chaude et une pile de torchons à essuyer la vaisselle, propres comme de raison. Sa trousse d'instruments à côté du blessé sur la table. Son Cunningham sous les yeux.

Les hommes entouraient la scène. Quatre d'entre eux furent désignés pour clouer les membres du patient sur la table. Celui qui était chargé de retenir la jambe blessée se sentit soudain ridicule. Ce membre écrapouti semblait privé de toute vie.

Pendant ce temps, Mathilde nouait l'un à l'autre deux grands linges à vaisselle dont elle fit un garrot qu'elle serra au-dessus de la blessure. Un bûcheron musclé contribua à renforcer ce lien qui fut couronné de deux autres nœuds. Le patient gueulait à fendre l'âme.

Ayant fait couler quelques gouttes de tord-boyaux sur la lame du bistouri qu'elle venait de tirer de sa trousse, l'infirmière pratiqua alors une incision sur la peau de la jambe de son patient, au-dessus de la blessure. Le malheureux poussa un cri dont on put craindre qu'il serait son dernier.

Tout en achevant cette entaille, Mathilde avait pris soin de conserver une partie de la peau à l'arrière du membre, laquelle lui servirait à refermer la coupure une fois l'opération terminée. En dépit du garrot, du sang en suintait. Levant les yeux pour réclamer de l'aide, l'infirmière rencontra le regard du Français, qui venait d'arriver en compagnie de son père et du patron.

Sans attendre qu'on l'y invite, Henri Ramier se fraya un passage jusque devant la table. Félix Métivier et l'abbé Tessier étaient demeurés à distance, ne se sentant ni le courage ni le talent nécessaires pour seconder la jeune femme. Félix Métivier examinait le plancher cependant que le père Bélanger enveloppait sa fille d'un regard compatissant, tout en adressant de pressantes supplications aux puissances d'En-Haut.

D'un bref signe de tête, Mathilde salua l'approche de Ramier. Elle tenait un linge à vaisselle imbibé de sang à la main. Elle tendit le torchon ensanglanté au Français. Celui-ci le saisit du bout des doigts et se dirigea vers la porte pour aller le jeter dehors, dans la neige. Au retour, il n'eut pas d'autre réflexe que de revenir prendre position aux côtés de la chirurgienne improvisée.

Suivant en cela les indications qu'elle avait relevées dans son Cunningham, Mathilde chercha l'artère fémorale parmi les débris de chair. Ce vaisseau sanguin primordial traversait la cuisse en oblique, se prolongeant en descendant dans le membre. L'ayant identifié, l'infirmière leva les yeux vers ceux qui assistaient à l'opération pour réclamer qu'on lui apporte une pince à linge. Une quête effrénée s'engagea. L'un des hommes revint bientôt en présentant l'objet à la jeune femme. Écartant les chairs, Mathilde fixa la pince à linge sur le cours antérieur du vaisseau, qu'elle trancha aussitôt d'un vif coup de bistouri. Sous l'aiguillon de la douleur, l'homme se retrouva assis. Les assistants de Mathilde le rabattirent sur la table. Cependant, quelques gouttelettes de sang s'échappaient encore de la source qui se tarit bientôt. L'abbé Tessier murmurait une prière en silence tout en bougeant les lèvres. Félix Métivier portait son regard devant lui, par-dessus la table d'opération.

Mathilde réclamait avec insistance qu'on lui apporte une scie à métaux. Des pas s'éparpillèrent dans la pièce. On finit par lui mettre dans la main l'instrument qui parut aux yeux de tous très inapproprié à l'usage qu'on s'apprêtait à en faire.

Mathilde reprit alors la bouteille d'alcool à friction qu'elle avait posée sur la table et versa de généreuses giclées de ce liquide sur la lame de l'outil. Peu après, elle entreprit de trancher l'os en pratiquant de vifs allers-retours sur le fémur. Le bûcheron n'était plus que rugissements. Il s'évanouit peu après. L'abbé Tessier se signa.

Le membre sectionné reposait maintenant sur la table. Relevant la tête, le regard de Mathilde rencontra de nouveau celui du Français. Répondant à cette injonction muette, celui-ci prit la jambe amputée à deux mains et l'emporta dehors. Du sang s'en échappait. Ramier s'efforça de remédier à cet inconvénient en tenant la jambe à la verticale, l'extrémité sectionnée vers le haut. S'étant éloigné quelque peu du camp, il enfouit le membre dans un banc de neige. Espérait-il lui conserver ainsi un peu de la vie qui l'avait animé jusque-là?

*

En fin de matinée, Mathilde était assise seule à l'une des tables du camp quatre de la Côte-d'en-bas, le regard dans le vide et le cœur battant toujours à l'épouvante. Après avoir trouvé les linges propres qu'il fallait pour bander le moignon de la jambe amputée du malheureux bûcheron, elle était demeurée stupéfaite devant l'énormité de ce qu'elle venait d'accomplir. D'un geste, elle avait indiqué à ceux qui l'entouraient qu'elle souhaitait demeurer seule. Ils s'étaient éloignés.

On avait posé une couverture sur le corps de l'amputé, tout en laissant à l'air libre le pansement taché de sang qui lui enveloppait la cuisse. L'infortuné geignait d'une voix faible mais constante. Le cuisinier et son assistant vaquaient à leurs occupations tout en gardant un œil sur ce qui se passait dans la grande pièce.

À l'écart, près de la porte du camp, Félix Métivier conversait à voix basse avec l'abbé Tessier. Ce dernier estimait qu'on avait fait tout ce qu'on pouvait et qu'il ne restait plus qu'à laisser la Providence décider du sort qu'Elle entendait réserver à l'amputé. Pour sa part, Métivier avait très hâte de quitter les lieux. Les têtes fortes parmi ses engagés ne manqueraient pas de proclamer que l'accident avait été causé par la pression constante que leur patron exerçait sur eux pour accroître la cadence de leur travail et, par conséquent, augmenter ses rendements.

— Tout le monde à bord! annonça-t-il en élevant la voix. Qu'on reste autour de lui à le regarder souffrir ne lui redonnera pas sa jambe!

Et il s'approcha de Mathilde.

— Le *cook* puis son *choboy* vont s'en occuper. Toi, tu en as assez fait. Viens-t'en te reposer.

L'infirmière se leva et farfouilla dans sa trousse pour s'assurer qu'elle y avait bien rangé tous ses instruments. Elle précéda ensuite le patron en direction de la porte. Ils croisèrent l'endroit où le Français s'était mis à l'écart.

— Je remmène Mathilde chez ses parents, annonça Métivier.

— Je monte avec vous, déclara l'abbé Tessier. Je pourrais me rendre utile si les nerfs de Mathilde venaient à lâcher en cours de route.

Le patron chercha le Français du regard.

— Il ne reste plus que vous pour ramener la camionnette de mon infirmière.

Ramier allait protester qu'il n'avait aucune connaissance du fonctionnement des paquebots qui tenaient lieu de véhicules aux Nord-Américains. Ils étaient déjà dehors.

Une petite heure plus tard, les occupants de la Packard entraient dans la maison des parents de Mathilde. Devant les yeux ébahis des maîtres des lieux, la jeune femme s'effondra sur une chaise en bout de table, la tête posée sur ses bras.

— Qu'est-ce qui lui est arrivé? s'enquit la mère en tournant la tête vers les deux autres.

— Elle vient de couper la jambe d'un bûcheron qui s'est fait tomber un arbre dessus, annonça le patron.

La mère s'approcha de sa fille pour lui caresser doucement les épaules. Le père, lui, s'était mis à faire les cent pas dans la pièce, bourdonnant une prière à mi-voix.

Félix Métivier s'était assis à l'autre extrémité de la table pour attendre l'arrivée du Français avant de reprendre le chemin du Panier percé. Pour sa part, l'abbé Tessier avait pris place, le dos rond sur le banc près de la porte, très occupé à frotter ses mains l'une contre l'autre.

Peu de temps après, comme Ramier n'arrivait pas, le patron se releva.

— Qu'est-ce qu'il fait? grommela-t-il.

— Il aura pris la mauvaise direction à un croisement, suggéra l'abbé.

— Cessez donc d'imaginer le pire, tempéra le père Bélanger. Laissez-lui le temps. Il est en train de faire son apprentissage sur nos chemins.

Cela ne rassura pas Félix Métivier. Il annonça qu'il allait partir à la recherche du disparu. Dans le même temps, on entendit le bruit du moteur de la camionnette qui se présentait au sommet de la côte, en face, sur l'autre berge de la rivière. Les deux hommes se levèrent pour aller à la rencontre du Français. Mathilde se leva pour les suivre.

— Toi, tu n'es pas en état de sortir, lui opposa sa mère.

— Je ne peux pas le laisser s'en aller sans l'avoir remercié de l'aide qu'il m'a apportée.

Et elle s'engagea dehors à la suite des autres. Les parents se joignirent au groupe. En arrivant au bord de la rivière, ils s'attendaient tous à ce que le Français ait commencé à tirer sur le câble qui rapprocherait la barque de la rive sur laquelle ils se trouvaient. Personne en vue. Ils montèrent donc tous dans l'embarcation et Félix Métivier actionna le mécanisme.

Ramier était debout sur l'autre berge à les regarder approcher.

— Où étiez-vous passé? s'enquit Métivier sur un ton plutôt sec.

— J'avais bien l'itinéraire en mémoire, expliqua le Français en faisant de grands gestes pour démontrer ses dires, mais j'ai mis un certain temps à comprendre le fonctionnement du levier de vitesse.

Félix Métivier et l'abbé Tessier échangèrent un regard dans lequel se lisait leur dépit de ne pas avoir anticipé cette situation. Le retour avait donc constitué une épreuve pour le Français comme pour le véhicule.

— J'imagine bien, reconnut l'abbé Tessier, que nos embrayages ne marchent pas comme chez vous.

— Ça ne nous avancera pas d'argumenter là-dessus, trancha Métivier. Envoyez, embarquez! On rentre au Panier percé.

Ramier dirigea alors son regard sur Mathilde. Cette dernière le prit par le bras.

— Je veux qu'il reste. J'ai besoin de lui pour me remettre de ce qui vient de m'arriver.

Métivier se serra les dents sur les lèvres.

— Dans ce cas, annonça-t-il, si je n'ai pas le temps de le faire moi-même, j'enverrai quelqu'un chercher mon invité vers le milieu de la matinée demain.

Et, se penchant vers Mathilde :

— Toi, je te donne congé pour la prochaine journée. S'il suit à la lettre les consignes que tu lui as données, le cuisinier du camp saura bien garder ton patient en vie. Mais tout de même, il faudra que tu ne tardes pas trop pour aller voir ce qu'il en est. Après l'exploit que tu as accompli, ce serait dommage qu'il nous claque entre les mains !

Et il prit place dans sa voiture en soulevant son chapeau, suivi de l'abbé qui arrondissait le dos.

Le reste de la journée traîna en longueur dans la maison des Bélanger. Le repas du soir vite avalé, les conversations embrouillées de silences. La veillée n'annonçait rien de bon. Mathilde et Henri Ramier venaient de se munir chacun d'un torchon à vaisselle. Le père Bélanger s'inséra entre eux, les prenant chacun par le bras.

— Allez donc faire un tour dehors, voir si le bon Dieu n'aurait pas quelque chose à vous dire.

Et il les poussa vers la porte. Les intimés ne résistèrent pas. Ils se retrouvèrent dans une nuit très noire. Ils ne pouvaient pas songer à s'éloigner de l'espace délimité par la lueur des fenêtres. Ils en furent réduits à faire quelques pas sur l'aire.

— Je peux te demander quelque chose ? commença Mathilde alors que son compagnon s'était arrêté pour allumer sa pipe.

La jeune femme avait le « tu » aussi naturel que celui des protestants à l'endroit de leur Dieu. Et d'ailleurs, elle n'allait pas vouvoyer son compagnon après ce qu'ils venaient de vivre ensemble.

— J'ai toujours eu pour principe de parler franchement, répondit Henri en aspirant l'air contenu dans le tuyau de sa pipe pour attiser le feu dans le fourneau. La franchise a toujours été de rigueur chez moi, sauf peut-être dans les milieux d'artistes et de critiques. Et puis, comment veux-tu que je ne sois pas ouvert à ton endroit ?

Mathilde s'était remise en marche. Henri la suivit. La jeune femme s'arrêta presque aussitôt. Ils étaient déjà aux abords des ténèbres. Elle inséra son bras dans l'anse du sien.

— Tu as déjà été marié, je suppose, suggéra-t-elle.

— Ma seule et unique épouse a quitté cette terre après une douzaine d'années de vie commune.

— Vous avez été heureux, j'espère, le temps que vous avez vécu ensemble? se permit-elle de demander.

— Au début, oui, reconnut-il en soufflant une abondante volute de fumée. On est toujours au comble du bonheur quand une jeune et jolie personne répond à vos avances.

— Mais après le premier coup de cœur? insista la jeune femme.

— Si tu tiens tant à le savoir, murmura-t-il sans manifester d'émotion, la suite de notre vie conjugale n'a été qu'une affaire d'habitude et d'endurance. Nous venions à peine d'apprendre à emboîter nos sentiments et nos gestes les uns dans les autres quand les premières manifestations de la maladie ont fait leur apparition. Je l'ai soignée pendant la plus grande partie de notre vie commune. Au détriment de mon œuvre, précisa-t-il. Sa mort m'a libéré.

Mathilde était trop bouleversée pour le relancer.

— Elle est décédée dans d'atroces souffrances, poursuivit le peintre. Si j'avais cru en Dieu, je l'aurais détesté.

— Ne dis pas ça! s'exclama la jeune femme. Il pourrait t'entendre!

Ils firent quelques pas en silence en direction de la maison.

— Je peux te demander ce que tu es venu faire ici? demanda-t-elle.

— Je ne le sais pas vraiment, reconnut-il. En France, je tournais en rond dans ma vie comme un écureuil en cage.

Il s'était arrêté sans détacher son bras de l'emprise de la jeune femme.

— Par contre, affirma-t-elle, derrière ta réserve, je sens bien que tu as envie de mordre dans la vie avec toute la gourmandise d'un jeune homme.

Mathilde s'était remise en marche. Ils étaient arrivés devant les marches du perron. Ils allaient y monter. Henri la retint.

— Tu avais annoncé une question que tu n'as pas encore formulée.

Mathilde la prononça comme on saute par-dessus une flaque d'eau.

— Tu n'as jamais songé à refaire ta vie?

Et elle pénétra dans la maison sans attendre de réponse. À l'intérieur, les parents avaient différé leur coucher pour demeurer disponibles à leur visiteur avec le plus de déférence possible.

— On pourrait l'installer dans la chambre d'Osias, suggéra la mère.

— Et lui, où couchera-t-il? s'inquiéta Henri.

— Ah! celui-là, il va, il vient, on ne sait jamais, déclina le père comme s'il se parlait à lui-même. Il a son lit tout aussi bien dans la nature qu'ici-dedans. Même chose pour manger.

Henri dormit donc dans la chambre d'Osias. Mathilde dans la sienne. Ils se sentaient vivre à proximité l'un de l'autre, dans le profond silence de la nuit de la Mauricie.

*

Au matin, en ouvrant les yeux, Henri se sentit pressé de revenir à la vie. Aucun bruit dans la maison. Il enfila ses vêtements et s'avança pieds nus vers la chambre voisine. Mathilde dormait sur le dos comme une enfant. Il se rendit à la cuisine. Personne. Les parents étaient sans doute sortis. La veille, au cours des conversations, Henri avait compris que les père et mère de Mathilde entretenaient des relations d'ordre intime avec la nature. Célébrations et partage. Au mur, l'horloge indiquait près de neuf heures. Le peintre n'avait pas dormi si tard depuis très longtemps.

Ayant enfilé ses chaussures, il sortit dans un matin de commencement du monde et parcourut l'aire sur laquelle il avait déambulé dans le noir, la veille, en compagnie de Mathilde. L'astre du jour avait recomposé le paysage. Un foisonnement de bouleaux et de petits conifères conférait à l'île une harmonie teintée de joie.

En guise de petit déjeuner, il bourra sa pipe et l'alluma avant de se lancer à l'exploration des environs. Baudelaire lui soufflait à l'oreille deux mots d'un de ses vers célèbres : «Calme et volupté. »

Devant lui, du côté opposé à la rive d'où il était arrivé, il entendit le rire d'une cascade qui devait sautiller dans l'autre bras de la rivière. Dès lors, il n'eut d'autre intention que de découvrir ce coin de paysage qui chantait. Un fouillis de végétation anarchique déboulait devant lui. Il s'y engagea d'un pas prudent, serrant les dents sur le tuyau de sa pipe.

Au sortir de l'hiver, le sol de la pente était tapissé de feuilles mortes en décomposition. Par endroits, sur les paliers, la fonte de la neige avait laissé des creux détrempés. Et soudain la dénivellation s'accentua. Elle déboucha sur un à-pic prononcé. La descente ne s'annonçait pas aisée, mais les appels du cours d'eau se faisaient de plus en plus pressants. Le rire du soleil sur les frissons de l'eau et le frisottis des feuilles des arbres agitées au-dessus des anses paisibles l'appelaient. De quoi séduire un peintre !

Il s'y engagea sans s'attarder aux battements de son cœur. À son insu, son pied droit s'inséra sous une racine noueuse qui courait sur le sol, dissimulée sous le tapis de feuilles mortes. Il bascula en avant et roula dans la pente, bras, corps et jambes emmêlés, griffé aux mains et au visage, les côtes malmenées dans les rebonds, la conscience sonnant le tocsin. Il se retrouva sans souffle, à plat ventre sur une section de berge glaiseuse. Somme toute, il ne s'en tirait pas trop mal. Ailleurs que devant lui, le rivage montrait des dents de roches. Il songea qu'il avait évité le pire. Toutefois, en voulant se remettre sur pied pour se replacer les esprits, il s'effondra. Sa jambe droite ne le supportait plus. Il s'était tordu une cheville.

Une giclée de panique lui aigrit l'estomac. Qui viendrait le secourir dans ce bout du monde? Même si Mathilde s'éveillait là-haut, elle n'entendrait pas ses appels lancés depuis la rive de cette rivière qui grondait sur des pierres en contrebas. Henri se contraignit à envisager la seule solution qu'il lui restait : retourner là-haut par ses propres moyens.

S'étant allongé sur le ventre, il entreprit de ramper vers le sommet, mains, bras et coudes déployés, tout en se propulsant à l'aide de sa seule jambe valide. Cela lui demandait des efforts comme il n'en avait pas déployé depuis très longtemps. Il s'arrêtait tous les deux ou trois mètres, le nez dans le lit de feuilles mortes. Dans cette position, l'angoisse se remettait à envoyer des messages affolants à sa conscience. Il reprenait alors sa reptation en s'efforçant de ne pas porter trop d'attention aux coups de poing que son cœur lui donnait dans la poitrine.

Il ne saurait jamais combien de temps il avait consacré à cette remontée. La durée ne comptait plus. Seul importait le résultat en bout de course, même si ce terme ne s'appliquait nullement à sa progression.

Émergeant enfin de la végétation accrochée à la pente et qui avait bien failli le dévorer vivant, il se retrouva en vue du plateau. La suite ne fut plus qu'un exercice de rampement sur le sable et les cailloux de la place donnant sur la maison. Il allait bientôt se retrouver à proximité des marches du perron. La porte de l'habitation s'ouvrit. Mathilde apparut. Elle se précipita vers lui en poussant un cri :

— Qu'est-ce que tu fais?

Sans attendre de réponse, elle le remit sur pieds. Dans une grimace de douleur, Henri Ramier souleva de terre sa jambe impotente.

— Je me suis tordu la cheville en déboulant la côte, se plaignit-il.

Mathilde passa son bras autour de sa taille pour l'aider à gravir les marches du perron. Henri progressait dans cette position en sautillant sur un seul pied.

— Mais qu'est-ce que tu allais faire dans ces fardoches! ne savait que répéter la jeune femme.

— Faire connaissance avec la rivière.

— Tu aurais pu m'attendre! Je t'aurais montré par où descendre! On dirait un enfant! Et moi qui profitais de ce moment de répit pour me refaire des forces avant d'aller rendre visite à mon amputé! Voilà que j'ai maintenant un estropié de plus sur les bras!

*

Les parents de Mathilde revinrent de leur excursion matinale en annonçant qu'ils avaient mis la main sur une belle provision de thé des bois. Ils proposèrent à Mathilde et à Henri d'en mâchouiller pour se donner une haleine ensoleillée, mais les plaintes et reniflements d'Henri donnèrent à la circonstance un sens tout différent.

On se concentra sur son sort. Une demi-heure plus tard, il était debout, la cheville bandée, une béquille improvisée par le père Bélanger sous l'aisselle droite. Le bonhomme l'avait fabriquée à l'aide d'une branche d'arbre à la configuration appropriée. Pendant l'opération, Mathilde avait commenté l'incident sans se priver de formuler quelques moqueries.

— Il fallait bien traverser l'océan pour venir s'enfarger ici dans des brins d'herbe!

Henri en avait été quitte pour ravaler son orgueil. Il avait hâte qu'on referme le sujet. Il se préoccupait désormais de la seule chose qui le contrariait encore, la perte de sa pipe. Il l'avait sans doute laissée tomber en déboulant la côte. Même en y mettant la meilleure volonté du monde, il ne parviendrait jamais à la retrouver.

Le père Bélanger souriait dans sa barbe. Farfouillant dans les tiroirs du vaisselier adossé à un mur de la cuisine, il finit par mettre la main sur une bouffarde qui avait de toute évidence connu des jours meilleurs.

— Elle a beaucoup vécu, reconnut le bonhomme, mais je ne me résignais pas à la jeter dans le poêle. Je sais maintenant pourquoi, et surtout pour qui.

Il se dirigea vers le balai qu'on laissait en permanence appuyé au mur, près de la porte d'entrée. D'un mouvement sec de la main, il en cassa l'un des brins qu'il introduisit dans le tuyau de la pipe.

— Deux ou trois petits coups de ramonage, chantonna-t-il, puis vous pourrez boucaner à votre aise.

Dans un geste d'une solennité toute sacerdotale, il remit bientôt à Henri l'instrument qui scellait leur amitié.

Le Français tâta la poche de sa veste pour en tirer la boîte de métal rouge qui contenait le Prince Albert qu'il avait acheté sur le quai de la gare à New York. Ce devant quoi le père Bélanger sortit la vessie de porc qui lui tenait lieu de blague à tabac et il la tendit à Henri.

— Gardez donc votre tabac de Français pour quand vous serez retourné dans votre pays, prononça-t-il. Icitte, c'est du Grand Rouge mélangé à du Obourg que vous allez goûter. Ça vous remettra sur le piton, à moins que vous tombiez raide mort. Par chez nous, le tabac qu'on fume, c'est pas de la petite paille.

Henri farfouilla dans sa poche pour en tirer une allumette et il la frotta sous la table. De généreuses volutes montèrent bientôt de sa pipe.

— Hein? Qu'est-ce que vous en dites? s'enquit le bonhomme Bélanger.

— Ça vous tient un homme éveillé! se contenta de formuler le Français en hochant la tête pour ne pas en dire davantage.

Mathilde se tourna vers lui.

— Maintenant que t'es remis d'aplomb, je me demande si on ne devrait pas reprendre la journée là où elle s'est arrêtée avant même d'avoir commencé.

Le père et la mère examinaient leur fille avec toute l'attention qu'on met à contempler l'image d'une sainte dans une église.

— J'avais promis d'aller lui montrer la cascade, expliqua Mathilde.

— Je ne sais pas si tu devrais, commenta sa mère, dans l'état où il s'est mis. En tout cas, fais bien attention à lui dans la côte.

— C'est pas une méchante idée, formula pour sa part le père. À l'heure qu'il est, on ne sait pas trop si on doit déjeuner ou dîner. Allez donc vous promener pendant que nous autres on va se dépêcher de plumer les deux lièvres qu'on a rapportés de notre virée d'à matin. Venez voir ça.

Ils sortirent, Henri le dernier, progressant à son rythme ralenti. Dehors, un peu à l'écart, les parents avaient attaché les lièvres par les quatre pattes à des branches enfoncées dans le sol. Tirant son couteau de sa poche, le père leur fendit tour à tour le ventre d'une incision toute chirurgicale. Il entreprit alors de détacher le foie et les reins, qu'il jeta aux chiens.

— Que faites-vous là, malheureux? s'exclama le Français. Vous donnez le meilleur aux bêtes!

— Le bon Dieu de par chez nous ne nous a pas appris à manger ce qui se trouve à l'intérieur des animaux. Seulement la chair.

— Sans vouloir vous offenser, je les aurais appréciés, moi, ces morceaux de choix!

Mathilde avait pris la main gauche du Français.

— Si ça ne vous fait rien, annonça-t-elle à ses parents, on va y aller nous autres. Je vais installer mon Henri sur le banc des contemplations. Comme ça, il y a des images de notre petite patrie qui vont lui entrer dans le cœur. Quand il sera retourné dans son pays, il pourra se promener dans nos paysages en revisitant ses souvenirs.

Et ils s'éloignèrent, Henri clopinant au bras de son infirmière dans une déambulation digne d'un grand seigneur des temps jadis.

*

Henri s'étonna que Mathilde ne se dirige pas vers la pente abrupte dans laquelle il avait connu sa mésaventure. Quelques instants plus tard, il découvrait l'existence d'un sentier fort bien aménagé, avec des marches d'escalier découpées dans la terre et même quelques paliers pour reprendre souffle en remontant. Pour éviter d'avoir à reconnaître sa bévue, il jugea qu'il devrait enrober d'humour sa mésaventure.

— Si j'avais su qu'il y avait un chemin aussi aisé pour aller au paradis, il y a longtemps que je me serais converti, lança-t-il.

Mais palabrer sur l'événement ne rimait à rien. Il ne restait qu'une issue, celle de tirer une fois pour toutes les conclusions de sa bavure.

— Je ne pouvais pas savoir, moi, qu'il y avait des précipices dans votre pays!

— As-tu bientôt fini de te dénigrer de même! s'énerva Mathilde. Tu veux que je te dise? Tu es le premier homme que je rencontre qui crée quelque chose de beau en mettant ses mains au service de sa tête et surtout de son cœur. Détourne donc ton attention de tes pattes et continue de faire de la peinture! C'est tout ce qu'on attend de toi!

— Ce n'est pas si simple, rectifia le peintre. Dès qu'on fait un pas en avant, l'idéal de beauté s'éloigne d'autant.

Et Ramier se retira en lui-même pendant quelques instants. Peu de ses confrères auraient été capables d'admettre aussi crûment que l'art engendrait ses propres limites. Mais Mathilde entraînait déjà la conversation ailleurs.

— Depuis la mort de ta femme, tu as bien dû en connaître d'autres? Des aventures passagères?

— Rien pour faire la une des journaux, ironisa-t-il.

La jeune fille fixa son regard sur celui du peintre comme si elle s'efforçait de pénétrer jusqu'au plus profond de son intimité.

— Maintenant, je comprends pourquoi je t'ai aimé dès l'instant où je t'ai vu pour la première fois, annonça-t-elle sans préambule. C'est parce que tu es un homme grave. Les mélancoliques prennent la vie au sérieux. Quand une bouffée de bonheur les effleure, ils l'apprécient parce qu'ils savent que le cœur humain est changeant comme le temps qu'il fait dehors.

Elle reprit sa progression vers la rivière, enlaçant toujours son compagnon pour l'assister dans ses efforts pour maîtriser sa descente sur son seul pied valide. La béquille comme une troisième personne entre eux deux.

En certains endroits, le sentier déboulait malgré tout en pente assez raide. Ils parvinrent au pied du plateau. On y voyait l'eau. Mathilde reprit la main gauche du peintre pour l'emmener à faire quelques pas sur la berge vers le sud, dans la direction du courant. Par-delà une touffe d'épinettes rongées par le vent et les débâcles successives des glaces, ils parvinrent à un endroit où était posé le siège que Mathilde lui désigna sous le nom délicieux de Banc des contemplations. Devant eux, le cours d'eau se laissait emporter dans une gigue en forme de cascade.

L'homme et la femme s'installèrent sur ce siège, éblouis devant les élans de la rivière. Mathilde pressait son épaule contre celle du peintre. Le vivant de ses seins tendait le coton de sa robe. Se tournant soudain vers lui, elle l'embrassa sur la bouche. Sous le coup de cette audace, le peintre la regarda avec étonnement.

— Tu aimes ça, au moins? demanda-t-elle.

— Tu connais quelqu'un qui n'en redemanderait pas?

Pour toute réponse elle l'embrassa de nouveau, puis elle entreprit de déboutonner la braguette de son pantalon. L'ayant forcé à se lever sur un seul pied, Mathilde décrocha les bretelles de ses épaules et, l'ayant rassis, elle lui retira ses chausses en s'efforçant de ménager sa cheville au passage.

Submergé par l'étonnement, le peintre s'abandonnait avec la résignation d'un enfant. Mathilde était penchée sur lui, l'échancrure de son corsage se faisant invitante. Il y glissa la main. Elle posa la sienne sur celle du peintre.

Celui-ci crut que la jeune fille s'objectait à son geste. Il retira sa main.

— Continue! protesta-t-elle.

À son tour, Mathilde fut bientôt toute déshabillée. Sa touffe de velours ronronnait au grand soleil. Leurs mouvements s'engagèrent alors d'eux-mêmes. Allongés sur le sable caillouteux, ils s'aimèrent dans un feu d'artifice de râles et de cris. Quand ils eurent dépassé l'extase, ils se rhabillèrent et reprirent leur place sur le banc comme deux enfants sages. Fort opportunément d'ailleurs. Le père de Mathilde venait d'arriver derrière eux.

— Je ne vous dérange pas, toujours? s'enquit le bonhomme qui se réjouissait de les voir contempler avec autant de ferveur la nature du bon Dieu. Les lièvres achèvent de cuire et…

Se tournant vers Henri, il ajouta:

— Et votre M. Métivier vous attend en haut.

Ils reprirent le sentier. Il semblait à Ramier que ses récents débordements avaient quelque peu atténué la douleur à sa cheville.

— *Magnificat anima mea Dominum*, psalmodia le patriarche quand ils se retrouvèrent tous ensemble devant la table. *Et exsultavit spiritus meus in Deo, salutari meo.*

— Dès que j'ai le dos tourné, vous faites des bêtises! proclama Félix Métivier à l'intention du Français sitôt que cette invocation fut terminée.

Et il éclata de rire sous l'effet de sa propre exagération.

— Vous me mettez dans une situation compliquée, enchaîna-t-il. J'étais venu vous proposer de vous ramener à Trois-Rivières en canot. Comme j'étais persuadé que vous accepteriez, j'ai renvoyé le chauffeur avec la voiture. Alors, je ne vois plus d'autre issue que de pagayer tout seul pendant que vous serez allongé à l'avant de l'embarcation comme un roi fainéant. Fort heureusement, nous allons dans le sens du courant.

Et il laissa de nouveau un éclat de rire rebondir sur les vestiges du premier. L'hilarité se propagea chez tous les occupants de la maison. À la fin, Henri lui-même s'était joint aux expressions de joie.

*

Félix Métivier, le roi de l'exploitation forestière en Mauricie, l'homme qui tutoyait les grands financiers du Canada et même des États-Unis, ne pouvait pas ignorer les risques de l'aventure dans laquelle il entraînait son compagnon. Cependant, on ne connaissait personne en Mauricie qui se serait permis de recommander la prudence à un chef d'entreprise qui commandait à des milliers de travailleurs. Félix Métivier savait sans doute mieux que quiconque transiger avec les éléments tout autant qu'avec les humains.

Une petite demi-heure plus tard, Henri Ramier se retrouva donc assis à l'avant du canot du père Bélanger, le corps tourné vers l'arrière afin de pouvoir allonger devant lui sa jambe à la cheville blessée.

— Vous allez découvrir le paysage d'un point de vue que la très grande majorité des canoteurs n'ont jamais pu apprécier, lui confia Métivier.

Ce dernier, les fesses appuyées sur le rebord du siège arrière tressé de fines lanières de babiche, un genou au fond de l'embarcation, l'aviron à la main, prenait déjà la pose qu'adoptaient les canoteurs au temps où les premiers arrivants exploraient la démesure du continent. Entre eux deux, un paqueton contenant quelques provisions pour leur redonner un second souffle en cours de descente.

Le bonhomme Bélanger allait pousser le canot vers le large. Sa fille Mathilde, qui s'était éclipsée pendant ces préparatifs, déboulait la côte. Elle dissimulait un objet dans le creux de ses mains.

— Tu ne tarderas pas à m'oublier dans les pays d'en-bas, murmura-t-elle en aparté au Français. Tu vas y rencontrer toutes sortes de beaux messieurs qui fument le cigare et de belles dames décolletées.

Elle lui tendit un petit sac de cuir dont l'ouverture était ornée d'un ruban noué qui la refermait.

— Mais si tu gardes dans ta poche ce petit présent que je te remets, ajouta-t-elle, tu ne pourras pas faire autrement que de penser à moi chaque fois que tu y mettras la main.

Henri prit le sac, plus ému qu'il ne souhaitait le laisser paraître.

— Je n'avais nullement l'intention de t'oublier, l'assura-t-il. Quand je toucherai ce sachet, je connaîtrai ce que tu as dans le cœur.

Et pour s'assurer qu'il ne perdrait pas le talisman, il en noua les cordons à l'une des ganses de son pantalon. Le père de Mathilde ainsi que Félix Métivier sourirent. Personne ne doutait plus de la faculté qu'avait ce Français de séduire.

Puis tout se produisit très vite. Métivier appuya le bout de son aviron contre la berge et il donna une vive poussée au canot qui entra dans le courant. L'avironneur pointa son instrument derrière la pince arrière de l'embarcation qui fila droit. Le patron gouvernait avec assurance, son feutre à larges bords rejeté en arrière. Le verre de ses lunettes rondes reflétait le soleil.

Cependant, ils étaient arrivés à l'endroit où l'eau moutonnait. Des blocs de roc bordaient la rivière. Elle s'encaissa entre deux falaises puis elle bifurqua vers la droite. Au sortir de la courbe, Henri Ramier avait tourné la tête en étirant le cou pour regarder dans le sens de la descente. La rivière n'était plus qu'un chaos de roches et de remous. Le courant s'engouffrait dans une passe étroite. La rivière s'inclina et le canot piqua du nez dans l'eau. Ramier en fut éclaboussé.

Puis l'embarcation se mit en travers. Elle dévala quelques mètres dans cette position. Son flanc labourait l'eau. Quelques centimètres de plus et elle emplissait. Un choc soudain. Le franc-bord du canot venait de heurter une grosse roche. Il vira sur lui-même et se mit à filer à reculons.

Métivier ne pouvait se retourner pour voir où ils allaient. Ramier ne le savait que trop. Un second choc. L'arrière du canot venait de buter sur un tronc d'arbre coincé en travers du passage. Félix Métivier dégagea l'embarcation et la relança dans le courant. Dans le bon sens, cette fois. Quelques minutes plus tard – mais peut-on évaluer la durée du temps en pareilles circonstances? –, le canot avait repris le cours d'une paisible rivière proposant des paysages enchanteurs à des voyageurs qui auraient dû s'en trouver ravis.

Pour conforter cette impression, Henri Ramier en profita pour bourrer sa pipe et l'allumer. Métivier, qui fumait le cigare ou la cigarette selon le moment de la journée, n'était pas en situation de détacher l'une ou l'autre de ses mains pour satisfaire cette manie.

Le temps filait comme le cours de la rivière. Ramier estima qu'ils naviguaient depuis déjà une petite heure. Le soleil radieux colorait les berges sauvages. Le paysage inspirait au Français le sentiment d'être le premier Blanc à naviguer sur ces eaux. Sous les secousses, celui qui descendait la rivière le visage tourné vers l'arrière sut qu'ils venaient d'entrer dans un autre rapide rocailleux.

Il y eut tout de suite de l'eau au fond de l'embarcation. Quand le canot piqua du nez, toute cette eau se retrouva à l'avant. L'appareil et l'équipage culbutèrent. En plongeant dans le courant, Ramier eut le temps de voir le canot renversé voler en l'air au-dessus de sa tête.

Le flot tumultueux de la rivière emporta les deux hommes et l'embarcation sur une bonne distance. Deux sacs difformes – on pouvait voir que c'étaient des êtres humains aux bras et aux jambes qui surgissaient parfois d'un tourbillon – ainsi qu'un canot dans lequel une brèche était ouverte. Le tout filait entre les falaises dans une courbe du Saint-Maurice.

Henri Ramier voyait rouge derrière ses paupières fermées. Les poumons pleins d'eau. Une seule certitude: il allait mourir noyé. Le visage de sa défunte lui apparut.

Le Guibourg au couchant et les promesses des petits matins se succédèrent sur l'écran de sa conscience. Puis il se revit chevauchant une barrique au magasin de son enfance. C'était donc vrai. En mourant, on repassait sa vie en revue.

Une douleur au côté. La tête hors de l'eau pendant quelques instants, Henri aperçut la cime des épinettes. Elles dansaient la gigue. Au moment de replonger, une force le retint. L'eau coulait moins vite autour de ses jambes, mais le haut et le bas avaient encore du mal à reprendre leur position habituelle. Sa main toucha le fond. Sa tête émergea. Il aspira de l'air et toussa. Quand il ouvrit les yeux, il était soutenu par Félix Métivier.

Debout dans une crique peu profonde, les deux hommes s'agrippaient l'un à l'autre, toussant et crachant l'eau qui avait envahi leurs poumons. Ramier constata que le patron avait perdu ses lunettes et son chapeau. Puis, le peintre s'étant appuyé par inadvertance sur son pied blessé, il retomba sur les genoux, la bouche au ras des flots. Métivier le rattrapa. Il le prit par la taille et se mit en frais de l'entraîner en direction de la rive. Ils s'effondrèrent l'un à côté de l'autre sur l'étroite berge boueuse.

*

— Vous savez qu'en présence du danger vous n'êtes d'aucune utilité! lança Métivier à Ramier.

Depuis qu'ils avaient pris position sur la berge, le Français était demeuré prostré, assis sur les cailloux, le dos rond, les mains repliées de part et d'autre vers l'arrière sur la poitrine comme les pattes d'un petit animal. De son côté, le patron s'employait déjà à rassembler des feuilles mortes, des brindilles et des branches arrachées à la broussaille qui proliférait sur la pente raide. Trempés comme ils l'étaient, le Français se demandait bien comment Félix Métivier parviendrait à allumer ce feu. À son grand étonnement, il constata que ce dernier conservait dans l'une des poches de son pantalon une réserve d'allumettes dans une boîte étanche rattachée à une ganse par une cordelette. Ainsi donc, les deux hommes préservaient, chacun pour soi, l'instrument essentiel à sa survie, l'un un présent reçu des mains d'une jeune femme, l'autre de quoi faire du feu en toutes circonstances.

Une quinzaine de minutes plus tard, Métivier achevait de se dépouiller de ses vêtements mouillés devant un bon feu qui crépitait. Quand il fut nu, il invita son compagnon à en faire autant. Comme le Français ne bronchait pas, le patron entreprit de lui déboutonner la chemise.

— Aidez-vous donc! s'emporta-t-il.

Ramier avait toujours les yeux dans le vide et il ne faisait rien pour assister son compagnon dans cette séance de déshabillage.

— Pardonnez-moi, balbutiait le Français entre ses hoquets.

Félix Métivier savait qu'il n'arriverait à rien en ajoutant au désarroi du malheureux. Il tenait cependant à éviter que son partenaire d'infortune n'attrape son coup de mort en laissant la fraîcheur de la fin de journée s'insinuer entre son corps et ses vêtements détrempés.

— Ôtez votre linge, répéta-t-il. Vous n'espérez tout de même pas que je vous déshabille comme on le fait pour un enfant!

Ils furent bientôt nus tous les deux, l'un debout, l'autre assis devant le feu. Ils cachaient leur sexe entre leurs cuisses. Cependant, la blancheur de leur poitrine surprenait tout autant que l'aurait fait la bête velue qu'ils s'efforçaient de dissimuler.

À l'insu de son compagnon, Ramier était retourné en pleine guerre. Il faisait partie de la cinquième compagnie. La veille, les Allemands avaient enfoncé les premières lignes françaises dans l'axe de la Tranchée de Calonne. L'attaque se déclencha vers la fin de la journée. Un déchaînement de feu. Ramier tenait sa position. Un éclat, à ses côtés, le fit sursauter. Son voisin venait d'être atteint. Sous l'impact, le corps de l'homme avait rebondi sur le remblai. Ramier se précipita pour le tirer à l'abri. Un choc. Le torse en feu sur la gauche, Ramier éprouva la plus grande douleur qu'il eût jamais ressentie de toute sa vie. Puis il vit son bras sursauter sous le coup d'un deuxième projectile. Une entaille rouge sur la vareuse, à la hauteur de l'épaule. Il s'effondra.

Ses compagnons le ramenèrent dans la tranchée. Un peu plus tard, à l'arrière, un infirmier coupa ses vêtements avec des ciseaux pour étancher à l'aide de bouts de tissu l'artère humérale d'où le sang continuait de gicler. Les mains de ce Samaritain étaient chaudes comme celles de Félix Métivier dans le temps présent. Sur la berge où ils avaient trouvé refuge, ce dernier l'avait pris par les épaules pour tenter d'apaiser son angoisse. Ramier se remit à frissonner.

— Excusez-moi encore, balbutia-t-il de nouveau.

— Et vous, lui repartit le patron, pardonnez-moi de vous avoir un peu brusqué tout à l'heure. Dans le feu de l'action, on ne mesure pas toujours la portée de nos paroles.

Ramier dirigea un regard intense sur Métivier, tout en laissant échapper un petit rire nerveux.

— Nous sommes dans de beaux draps! déplora-t-il.

— Ce serait déjà toute une satisfaction que d'avoir un drap! fit observer Métivier. Le pire est passé, mais on n'est pas sortis du bois.

Saisi d'une soudaine inspiration, le peintre tendit la main pour la poser sur son pantalon qui traînait par terre. La pochette de cuir que Mathilde lui avait remise pour se rappeler à sa pensée s'y trouvait toujours, attachée à une ganse. Henri se persuada que ce porte-bonheur assurerait sa survie.

Pendant ce temps, en étendant les chemises et les pantalons sur des branches qu'il avait fichées en terre, Félix Métivier avait formé un paravent improvisé autour du feu. Ce dispositif présentait deux avantages à la fois. Il permettait de faire sécher leurs vêtements tout en mettant les naufragés à l'abri du petit vent du soir qui commençait à se lever.

— Quand notre linge sera un peu sec, annonça Félix Métivier, on commencera à se faire un abri pour la nuit.

Ramier grimaça.

— Je présume qu'il est maintenant trop tard pour nous rapprocher du camp en marchant sur le rivage?

— Vous n'avez pas mesuré la portée de la parole que vous venez de formuler, lui répliqua Métivier. D'abord, je ne vous imagine pas clopinant dans le noir sur une seule patte en vous accrochant aux branches des arbres dans la falaise au pied de laquelle nous sommes échoués. À certains endroits, pour avancer, nous devrons nager. Ça non plus, je ne vous le recommande pas, ni à cette heure, ni dans l'état où vous êtes en ce moment.

Le patron leva le regard en direction de la courbe derrière laquelle la rivière disparaissait maintenant dans le jour finissant.

— Et puis, on est sûrement à une bonne quinzaine de milles du camp. Sur un beau chemin droit, ce serait une affaire de trois heures et demie, un peu moins de trois heures peut-être avec des jambes de la longueur des miennes. Mais dans votre condition, ça pourrait prendre le double de temps et peut-être même se révéler impossible.

— Si j'avais su dans quelle galère vous alliez m'entraîner, se permit d'objecter le Français que ses frayeurs avaient repris, je serais resté là-bas entre des mains plus compatissantes. Vous auriez dû savoir dans quoi vous m'embarquiez!

Une fois de plus, Métivier se renfrogna.

— Ce n'est pas en me parlant sur ce ton que vous allez assurer votre survie. Je n'ai jamais accepté que l'un ou l'autre de mes hommes me fasse des reproches. Je me sentirai responsable de votre sort dans la mesure où vous me témoignerez du respect.

Et il ajouta, après avoir jeté un coup d'œil à la falaise qui les dominait:

— Sans compter que nous n'avons rien pour nous défendre contre les bêtes sauvages. Pas de hache, pas de couteau. Croyez-moi, il vaut mieux passer la nuit ici.

— Vos hommes vont nous chercher, suggéra Ramier.

— Je suis persuadé que non, répliqua Félix Métivier. Je leur ai appris à ne jamais s'inquiéter pour moi parce que je ne sais jamais où je peux me retrouver. En tous temps et en tous lieux, je me laisse la plus entière liberté d'action.

Le patron observa son compagnon à la dérobée. Ramier examinait les environs comme s'il espérait encore qu'une solution se présenterait d'elle-même à son esprit.

— C'est pas tout ça, conclut Métivier, maintenant que notre linge est un peu moins mouillé, on va s'habiller. Il finira de sécher sur notre dos. Pour le moment, nous allons casser des branches parce que, pardonnez-moi de vous commander, mais il faut que nous nous aménagions un abri. J'ai bien peur que la nuit ne soit longue. Quand on se sera fabriqué un abri, on pourra toujours s'asseoir devant l'ouverture pour entretenir notre feu. Il nous restera toujours à imaginer dans notre tête que nous serons en train de souper.

*

Deux jours plus tard, Félix Métivier parvint à extirper ses longues jambes de sous la table devant laquelle il était assis. Il se redressa lentement. Une mer de têtes s'étalait devant lui. En prévision d'une telle affluence, la grande salle de bal du Château de Blois aux Trois-Rivières avait été aménagée en salle à manger.

Rien n'était plus opposé à la nature profonde du plus important entrepreneur forestier de la Mauricie et de tout le Québec, peut-être même de l'ensemble de l'est du Canada, que de devoir retenir l'attention d'un parterre de convives en prononçant un discours inspiré devant de beaux messieurs et quelques dames fleuries. Certains n'avaient pas encore fini de vider leur assiette. D'autres allumaient déjà des cigarettes.

Métivier n'ignorait pas qu'un certain nombre de personnes présentes connaissaient à peine quelques mots de la langue française. Pour leur part, la plupart des Canadiens-français de l'auditoire ne savaient pas qu'ils pratiquaient l'anglais quand ils déformaient des termes de la langue des étrangers pour désigner les gestes et les outils de leur profession. En faisaient foi les mots qui évoquaient le flottage du bois sur le cours des rivières, nommément la drave conduite par les draveurs, cette appellation résultant d'une déformation mal maîtrisée de l'expression *to drive* pour signifier «mener» ou «conduire».

D'autre part, le malaise de l'hôte de cette assemblée n'était pas étranger au fait qu'il n'avait pas eu suffisamment de temps pour se remettre de sa mésaventure de l'avant-veille. Après une nuit sans sommeil, passée sur la berge escarpée d'une rivière, Félix Métivier avait entraîné son compagnon d'infortune, ce Français qui ne disposait plus que d'un seul pied valide pour se déplacer, vers la lointaine sécurité du Chapeau de Paille.

Leur laborieuse progression vers la civilisation leur avait fait atteindre les limites de leurs ressources. Toutes les cinq minutes, ils se retrouvaient dans une situation qui leur paraissait au premier abord insurmontable, une falaise de glaise tombant à pic dans la rivière, des rochers éboulés, gros comme des automobiles. Ils n'avaient alors pas d'autre choix que de se jeter à l'eau tout habillés et de doubler l'obstacle en marchant, ou la plupart du temps à la nage, ou encore même d'escalader l'éboulement jusqu'à redescendre prendre pied sur un rivage digne de ce nom.

Pour le Français, cela constituait un exploit prodigieux, si l'on tenait compte des deux handicaps qui l'affligeaient. D'abord, Henri Ramier n'avait jamais fréquenté les rivières de son coin de pays autrement que pour avancer avec de l'eau à mi-mollet dans un cours pratiquement asséché dans le sud-ouest d'une France assommée de soleil. Ensuite, il était affligé d'une blessure qui le contraignait à progresser en s'appuyant sur une seule jambe, sur une berge qui aurait été à peu près impraticable pour un homme disposant de tous ses membres.

Et voici que maintenant ce même Henri Ramier était attablé bien droit dans son costume des grands jours, dans la majestueuse salle de bal du Château de Blois, où son sauveteur allait s'adresser à ses partenaires d'affaires. Le Français dirigea un regard attentif sur celui auquel on accolait depuis quelque temps le qualificatif de «roi de la Mauricie». Félix Métivier venait de monter sur la tribune surmontée d'un lutrin devant lequel un gros microphone sur pied en imposait.

— Chers amis et *dear friends…* commença le patron.

Une vague de bruits roula dans l'auditoire, grincements de pattes de chaises qu'on éloigne de la table, cliquetis des ustensiles déposés dans les assiettes et petites toux nerveuses pour bien montrer qu'on s'apprêtait à porter la plus grande attention aux propos du conférencier.

— Quand je me suis mis dans la tête de gagner ma vie en exploitant la forêt de la Mauricie, il n'y avait pas grand-chose d'autre par ici que quelques petits chantiers de coupe et des fours à charbon de bois au-dessus du village des Piles, où j'habite encore aujourd'hui. À peu près pas de routes à l'époque. J'ai ouvert des chemins, j'ai posé les premières lignes de téléphone, organisé des équipes de surveillance des incendies de forêt et j'ai construit les premiers camps où les bûcherons avaient la chance de se laver le dimanche. Puis, surtout, j'ai fait tout mon possible pour que mes engagés se comportent comme des êtres humains dignes de ce nom. Je me suis fait un devoir de leur enfoncer dans la tête que ce n'était pas avec de la bière et des jurons que devait s'exprimer la virilité d'un homme.

Il fit une pause, comme pour rameuter ses idées avant de donner suite à son introduction. En vérité, il avait en grande partie appris par cœur le discours qu'il avait lui-même achevé de rédiger et répété après son retour au Panier percé.

— Au début, reconnut l'homme d'affaires, les engagés et puis les chevaux logeaient dans le même camp. Cela présentait certains inconvénients, mais tout de même un avantage: pas besoin de poêle dans ce genre d'installation. Les bêtes tenaient lieu de système de chauffage pour les bûcherons.

Quelques rires nerveux montèrent de la salle.

— La roue s'est mise à tourner, poursuivit le principal exploitant de la forêt en Mauricie, et elle n'avait pas l'air de vouloir s'arrêter de sitôt. Chacun de mes coups portait. Il m'est même arrivé de signer un contrat pour couper un million et demi de billots en une seule année sur un très vaste territoire. Tout le monde prédisait que je n'y arriverais jamais. J'avais déjà rempli plus de la moitié de la commande quand les grands boss m'ont fait demander pour m'annoncer qu'ils n'étaient pas capables de recevoir tout ce bois en même temps. Pour dire la vérité, ils n'avaient jamais envisagé que je parviendrais à remplir mon contrat. On s'est entendu pour neuf cent mille billots.

Le conférencier accorda quelques instants de réflexion à ses auditeurs pour leur permettre d'apprécier l'exploit.

— Voulez-vous un autre exemple de ce que je suis capable de faire? leur lança Métivier. Quand la construction du barrage de La Trenche a été annoncée, on m'a approché pour ouvrir les routes et aménager des camps pour mille trois cents hommes. On avait estimé qu'il faudrait dix-huit mois pour venir à bout de cette affaire-là. J'ai rempli le contrat en sept mois. Autrement dit, quand j'accepte un contrat, je le mène à terme dans les délais que je me suis moi-même fixés. Et je vous ferai remarquer que, la plupart du temps, je me permets de terminer avant l'échéance.

Il s'accorda une autre pause pour laisser à son public le loisir de bien apprécier la portée de ce qu'il venait de déclarer. Les regards qu'ils échangeaient en disaient long sur l'admiration qu'ils lui vouaient.

— Aujourd'hui, conclut l'orateur en durcissant le menton, j'ai quatre mille hommes sous mes ordres. Mais je ne suis pas venu ici pour vous éberluer avec des chiffres. J'avais une petite idée derrière la tête quand j'ai accepté de m'adresser à vous. Sinon, j'aurais laissé parler les comptables. En fait, je suis venu vous livrer un secret qui vaut son pesant d'or. Il y a quatre points cardinaux sur la Terre, mais ce que vous ne savez peut-être pas, c'est qu'il y a également quatre vertus fondamentales qui gouvernent la vie des hommes. Ce sont la piété, la sobriété, la patience et l'entraide. C'est avec ça que j'ai bâti mon succès. Maintenant que vous connaissez la clé de ma réussite, rien ne vous empêche de l'appliquer à vos propres affaires. Mais laissez-moi vous le dire, je suis persuadé que la plupart d'entre vous n'y arriveront pas. Vous n'êtes pas prêts à faire les sacrifices que ça implique.

Le patron laissa planer son regard sur la salle, pendant qu'on applaudissait à tout rompre. Certains étaient debout, d'autres tapaient du plat de la main sur la table. Le patron aperçut soudain Mathilde Bélanger, l'infirmière de ses camps, qui se tenait debout pour l'applaudir, bien droite dans l'allée, à proximité de la table occupée par Henri Ramier. Toujours sous les vivats, Félix Métivier descendit de l'estrade et se dirigea vers la jeune femme qui l'accueillit avec le sourire.

— Qu'est-ce que tu fais ici? lui demanda le patron sur un ton plutôt sec.

Mathilde secoua la tête pour replacer ses cheveux avant de répondre:

— La jambe de mon amputé a commencé à prendre des couleurs pas très catholiques. En même temps, il s'est mis à délirer. J'ai essayé de vous rejoindre pour vous en parler, mais personne ne savait où vous étiez. Alors j'ai pris sur moi de l'emmener à l'hôpital de Shawinigan. Ça n'a rien arrangé. Ils n'ont pas voulu le garder, son cas était trop grave pour leurs moyens. Alors, je l'ai descendu à l'hôpital des Trois-Rivières.

— Et qui va assumer les frais? s'enquit le patron en durcissant le menton.

— Sûrement pas lui en tout cas, se permit de répondre l'infirmière. Vous n'allez tout de même pas me dire que j'aurais dû le laisser mourir comme un chien!

— On verra ça comme dans le temps, trancha Métivier. Mais tu ne m'as toujours pas dit ce que tu es venue faire ici.

Mathilde ouvrit sur son interlocuteur des yeux d'un bleu qui ne savait rien dissimuler.

— J'ai appris que vous receviez du beau monde, ici aux Trois-Rivières. J'en ai déduit que M. Ramier devait être avec vous.

— Je vois que tu es bien informée, fit observer Métivier.

En même temps, il fronça les sourcils pour désigner la salle.

— Il va falloir que je m'occupe de ces gens-là. Toi, tu t'en retournes au camp. On reparlera de ça à la première occasion.

Et Métivier s'éloigna pour aller rejoindre les convives qui l'attendaient. Chacun souhaitait lui serrer la main. Tout en procédant à ces civilités, le patron jetait des coups d'œil par-dessus l'épaule de ses interlocuteurs pour s'assurer que la jeune femme avait obéi à sa directive. Elle avait bel et bien disparu. Le Français n'était plus là non plus.

*

— Vous m'aviez dit que j'étais chez moi ici. Je n'avais aucune raison d'en douter. Et voici que vous me tombez dessus comme un pion sur le dos d'un collégien.

Celui qui protestait ainsi venait de se faire apostropher par Félix Métivier, lequel lui avait servi une mise en demeure radicale. Le patron avait pris l'allure et le ton d'un homme contrarié sur l'aire centrale du Panier percé, devant un Henri Ramier qui ne comprenait plus ce qui lui arrivait. Il s'y trouvait quantité de voitures, de camions, d'empilements de bois et un impressionnant amoncellement de foin qui devait être distribué dans les chantiers. Le tout témoignait d'un branle-bas incessant.

Après deux jours sans donner de nouvelles, le Français s'était présenté en début de matinée au quartier général du roi de la Mauricie. La première personne à qui il s'était adressé lui avait déclaré que M. Métivier était enfermé dans son bureau depuis les petites heures du matin, après avoir réclamé qu'on ne le dérange pas. Le peintre avait alors pris le parti de s'installer sur un banc, sur la place, en fumant une pipe après l'autre. Sa cheville se rétablissait lentement, mais il n'était toujours pas question d'en abuser.

Plus tard, depuis son bureau, Félix Métivier avait détaché les yeux de la paperasse qu'il était en train de compulser pour jeter un coup d'œil à la fenêtre. Il avait eu le souffle coupé en apercevant le Français qui poireautait comme un patient dans la salle d'attente d'un dentiste. Métivier avait alors déboulé sur lui à grandes enjambées, tête baissée et sourcils froncés.

— Vous jouez à quoi, au juste? lui avait demandé le patron sans prendre le temps de le saluer.

— Je ne m'amuse pas, lui avait répondu le plus étonné des Français. Je souhaitais tout simplement vous rencontrer. J'attendais que vous soyez disponible.

— Vous savez très bien ce que j'ai sur le cœur à propos de votre conduite, lui avait opposé Métivier. Je vous ai enjoint de laisser mon infirmière tranquille! Allez-vous finir par vous y conformer?

Le Français se leva pour dévisager son interlocuteur, comme s'il avait du mal à le reconnaître.

— À ce que je sache, prononça-t-il en mordant dans ses mots, vous n'êtes ni son père ni le mien.

— Peut-être, mais vous êtes sur mes terres! s'exclama Métivier. C'est moi qui fais la loi ici!

Le patron dominait le Français d'une bonne tête. Ce dernier fronçait les sourcils à son tour.

— Vous n'êtes pas à Paris, ici, monsieur! enchaîna Métivier. Dans mon pays, les hommes qui ont de la décence n'essaient pas de séduire des jeunes filles qui ont la moitié de leur âge! Ils s'occupent plutôt de les protéger contre leurs semblables.

Et il ajouta, pour bien enfoncer le clou :

— Je ne veux plus vous voir rôder autour de Mlle Bélanger !

Henri Ramier avait posé les poings sur les hanches dans une attitude théâtrale. Le patron lui faisait face de toute sa hauteur. Deux statues. Fidèle à la réputation de ses compatriotes, le Français lâcha alors une bordée d'arguments dignes des plus belles altercations entre Parisiens sur les trottoirs de la capitale.

— Mais pour qui me prenez-vous, bordel de merde ? Vous essayez de me remmener dans ce que vous considérez comme le droit chemin, mais vous n'êtes pas mon paternel, tout de même ! Et je ne suis pas votre gamin, nom de Dieu !

Félix Métivier en demeura interloqué.

— Si vous ne le savez pas encore, poursuivit Ramier, permettez-moi de vous l'annoncer : du plus loin que je me souvienne, je ne me suis jamais laissé traiter par personne comme vous le faites en ce moment ! Si vous n'avez pas encore compris cela, vous devriez aller vous faire soigner !

Puis Ramier se tut, comme s'il avait porté le coup fatal à un importun. L'entrepreneur forestier n'était pas confondu pour autant :

— Ménagez vos transports ! asséna-t-il à son contradicteur. Il y a assez de mes bûcherons qui grognent dès que j'ai le dos tourné ! Vous déshonorez vos compatriotes en me traitant de cette façon !

— Mon niveau de langage ne concerne que moi ! protesta le Français.

— Dans ce cas…

— Dans ce cas, l'interrompit Ramier, si vous tenez tant à en venir aux conclusions, je peux m'empresser de vous décharger de tout souci à mon sujet. Dorénavant, je n'existe plus pour vous. L'inverse est également vrai.

Le patron n'avait pas l'habitude de se laisser traiter de cette façon.

— Mais alors, s'exclama-t-il, que faites-vous donc ici ?

— J'étais venu vous annoncer…

— Ce serait plutôt moi qui aurais quelque chose à vous apprendre, intervint Métivier.

Il formula la suite de son propos en mordant dans chacun de ses mots.

— Je ne veux plus vous voir traîner sur l'une ou l'autre de mes propriétés. Et je ne parle pas uniquement des camps où sont installés mes hommes. Si vous ne l'avez pas encore compris, je vous annonce que toute la forêt qui m'a été concédée par les autorités, sur des centaines de milles à la ronde, vous est interdite à jamais.

— Vous empiétez sur ma liberté ! s'exclama Henri Ramier. Dans la devise des Français, c'est la valeur qui figure en premier.

— Votre liberté finit là où commence la mienne, rectifia Métivier. Vous n'avez plus rien à faire ici, en français comme en canayen !

Et le roi de la Mauricie fit un pas en direction de son bureau. Il se retourna pour ajouter :

— Simple curiosité. À ce que je sache, vous n'avez pas de véhicule à votre disposition. Alors, pouvez-vous me dire comment vous êtes venu jusqu'ici ?

— Mon amie Mathilde désirait vous soumettre le dossier du bûcheron amputé puisque, m'a-t-elle rapporté, vous aviez exprimé des doutes, l'autre jour, sur sa conduite dans cette affaire. Je l'ai accompagnée. Votre secrétaire lui a annoncé que vous ne souhaitiez voir personne. Alors, comme je désirais échanger sur quelques petits sujets avec vous – c'était à l'époque où la rupture n'était pas encore consommée entre nous –, je l'ai laissée repartir seule. Si j'avais pu prévoir ce qui allait se produire…

— Vous avez de l'affection pour elle ? lui décocha le patron. Alors écoutez-moi bien, je ne le répéterai pas. Si jamais j'apprends que vous continuez de tourner autour de Mlle Bélanger, c'est elle qui paiera pour votre entêtement.

*

Le même jour en fin d'après-midi, Mathilde et Henri avironnaient en canot en direction d'un camp qui était desservi par une route à peine tracée dans la forêt. Dans cette direction, la voie des eaux se révélait de loin la plus praticable.

Le Français ne s'était pas encore remis de son altercation du matin avec celui dont il s'était considéré jusquelà sinon comme l'ami, à tout le moins comme l'invité de marque. Il n'avait plus eu d'autre idée en tête, pour relâcher sa tension, que de rejoindre sa confidente et de lui raconter l'affrontement qu'il venait d'avoir avec le patron du Panier percé. Le peintre s'était donc arrangé pour monter à bord d'un camion qui partait en direction du nord. Il saurait bien retrouver Mathilde, où qu'elle fût.

Plus tard le même jour, donc, tout en progressant sur le cours d'un bras de rivière qui ne dressait pas trop d'obstacles devant eux, les deux compagnons repassaient, chacun dans son esprit, comment ils entrevoyaient la suite des événements. La jeune femme sentait une main se resserrer sur sa gorge en songeant aux représailles que son employeur pourrait exercer contre elle. De son côté, en bon Français qu'il était, Ramier anticipait une issue à son avantage.

— Il ne me connaît pas, gronda Henri comme si Mathilde avait pu suivre le cours de ses pensées intimes, mais s'il poursuit dans cette voie, il finira par découvrir à qui il a affaire.

Mathilde s'efforça de l'apaiser.

— Ce n'est pourtant pas un mauvais homme. Il n'a qu'un seul défaut, c'est d'avoir été élevé pour commander. Son père possédait une grosse épicerie qui approvisionnait les premiers chantiers de cette époque. En assumant la succession de son paternel à la tête du commerce et en élargissant son activité à la coupe du bois, le fils Métivier a dû apprendre à mettre son poing sur la table pour se faire respecter par les grandes entreprises qui cherchaient à acquérir son bois au moindre coût, et par les bûcherons qui buvaient en cachette de l'alcool frelaté pour tâcher d'oublier la rudesse de leurs conditions de vie.

— Ce qui ne le justifie nullement de se comporter comme un petit Napoléon! objecta le Français. C'est un patron! Dois-je en dire davantage?

— Il est à la tête de centaines d'hommes…

— Même s'ils étaient des milliers…

— … qui n'ont pas fait plus de trois ou quatre années d'école, précisa Mathilde. Ces gens-là ne comprennent pas toujours ce qu'on attend d'eux sans qu'on les mène sous la contrainte et, la plupart du temps, ils ne connaissent pas d'autre moyen de se dépêtrer des règles qu'en les contournant.

— Les gens de la base sont les mêmes dans tous les pays, prononça Henri. Je les connais mieux que tu ne le crois. Ils souhaitent jouer un rôle dans la société, mais ils n'ont pas d'autre outil que ceux que leur dicte leur ressentiment pour aborder les mieux nantis. Il faudrait qu'ils acquièrent un peu de perspective. Cela exigera sûrement beaucoup de patience et de temps.

— Tout de même, ils ne sont pas aussi butés que tu le dis.

— Je n'ai pas soutenu qu'ils étaient bêtes, rectifia Ramier. Ils sont simplement maintenus dans l'ignorance.

— Il n'est jamais trop tard pour redonner sa dignité à un homme, insista la jeune femme.

— Je crois plutôt qu'à leur âge il n'y a plus rien à faire, trancha le Français. C'est avec les jeunes qu'il faudra tout recommencer. Pour y arriver, on devra d'abord considérer ceux qui composent les nouvelles générations comme des êtres humains, et non pas comme des bêtes de somme.

À bord de leur canot, dans l'un des méandres de la rivière sur laquelle ils pagayaient, ils aperçurent la pointe du toit du camp vers lequel ils se dirigeaient. De là où ils se trouvaient, ils auraient dû entendre la lame des godendards et le choc des haches qui entamaient le tronc des arbres. Pourtant, pas un son ne s'élevait de la forêt. Les visiteurs accostèrent. Mathilde prit la trousse de cuir qui contenait ses instruments ainsi que quelques médicaments. Ils gravirent à grands pas la côte qui menait au camp.

Une quinzaine d'hommes débraillés étaient assis par terre, côte à côte, les jambes allongées devant eux, le dos appuyé contre le bois du mur de la façade. L'un d'eux retira sa pipe d'entre ses dents pour lancer aux visiteurs un avertissement en guise de salutation :

— Si vous êtes venus ici pour essayer de nous faire changer d'idée, vous vous êtes égarés en chemin. On se remettra à travailler le jour où il nous traitera comme du monde.

— Vous vous trompez de personnes, rectifia Mathilde. Je suis l'infirmière. Mon travail consiste à m'assurer que vous êtes en bonne santé. Quant à ce monsieur, ajouta-t-elle en désignant Henri, il est venu par ici pour découvrir les beautés de la nature.

— Je sais, renchérit un autre, tu es la garde-malade de Métivier. Je t'ai déjà vue quand je travaillais au camp de la Côte-d'en-bas. Mais laisse-moi te dire que ce qu'on a, ça ne se guérit pas avec des piqûres et des pilules.

— Il faut être fait fort pour rester en vie dans les chantiers de Métivier ! renchérit un troisième. Manger des *beans* puis du lard salé six mois par année, puis se faire pousser dans le derrière pour jeter la forêt à terre d'un soleil à l'autre, c'est pas une vie pour le monde !

— Et puis celui-là, lança un quatrième en désignant Henri Ramier d'un signe de tête, qu'est-ce qui nous dit qu'il est pas venu ici pour tchéquer qu'on fait bien notre ouvrage ?

— Je ne suis pas là pour tchéquer qui que ce soit, comme vous dites, rectifia Ramier, et je suis même d'accord avec vous pour reconnaître que vos conditions de travail ne sont pas toujours acceptables.

— Ça parle au yable ! s'exclama un jeune qui écorçait un bout de bois avec son couteau de poche. À ta manière de parler, je serais pas étonné que tu soyes un Français !

Et il lui tendit la hache qu'il avait posée par terre à côté de ses bottes.

— Si tu veux apprendre comment c'est la vie d'un bûcheron, il y a juste un moyen. Prends ça puis va me couper un arbre. Quand ce sera fini, viens me voir. Je suis bien certain d'avance que je serai obligé de te dire que t'as pris beaucoup trop de temps pour le faire. Si jamais tu réussis à y arriver…

Henri et l'infirmière échangèrent un regard qui révélait toute la mesure de leur désarroi. Le bûcheron tenait toujours la hache à bout de bras. Ramier détournait la tête. Mathilde intervint.

— Vous n'avez pas compris ce que nous sommes venus faire ici !

— Dis tout de suite qu'on n'est pas intelligents !

Mathilde faisait de vigoureuses dénégations de la tête.

— Nous sommes ici en amis, insista-t-elle. Comme vous l'avez deviné, ce monsieur vient de la France. Vous le savez comme moi, notre pays a été fondé par les Français. Cet homme-là est juste venu voir si ses ancêtres avaient bien fait leur ouvrage.

— On peut-tu se parler franchement ? l'interrompit le jeune bûcheron.

Mathilde lui servit un grand oui de la tête.

— Il pouvait pas tomber plus mal, ton Français. Puis de quoi tu te mêles, toi, avec ta sacoche de docteur ?

Mathilde secoua sa chevelure.

— Je suis chargée de m'assurer que vous demeurez en santé.

— En passant par ici une fois tous les deux ou trois ans, ironisa un vieux à qui il manquait de nombreuses dents.

— Vous devez pourtant me reconnaître, insista Mathilde. Je suis bien certaine de m'être arrêtée ici l'année passée.

— Comment tu veux qu'on te reconnaisse ? demanda le jeune déluré. L'année passée, c'était une autre gang qui était ici. Le boss était pas content de ces gars-là. Il les a sacrés dehors à la fin de la saison.

— Puis nous autres, enchaîna le vieil édenté, c'est pas de la visite des vieux pays qu'on attend. C'est le boss lui-même qui doit arriver d'une minute à l'autre pour écouter ce qu'on a à lui dire. Parce qu'on est en grève, comprends-tu ça?

Mathilde et Henri ouvraient de grands yeux.

— Le contremaître a téléphoné au Panier percé à matin, poursuivit le bûcheron. On mange mal dans les chantiers, ça c'est certain, mais on a le téléphone à présent.

— Et qu'est-ce qu'il a dit, M. Métivier?

— Je n'ai pas parlé directement au boss, intervint le contremaître. J'ai eu quelqu'un que je ne connaissais pas au téléphone. Un homme qui m'a répondu qu'il allait en parler avec M. Métivier. Ce gars-là a rappelé une vingtaine de minutes, peut-être une demi-heure plus tard. Il m'a dit que le boss avait annoncé qu'il viendrait nous voir s'il avait le temps. Sinon, qu'il enverrait quelqu'un.

Mathilde prit une grande inspiration. Dans la situation où ils se trouvaient, Henri et elle, par rapport à Félix Métivier, elle n'avait pas du tout envie de se retrouver confrontée à lui devant ces engagés récalcitrants au fin fond des forêts. Elle se tourna vers son interlocuteur.

— Je vois bien que le moment est plutôt mal choisi pour vous déranger. Je reviendrai un autre jour.

Henri acquiesça.

— Dans les circonstances, nous vous souhaitons bonne chance dans vos discussions avec le boss, enchaîna Henri.

— Ou avec son représentant, dit Mathilde en ramassant sa trousse dans l'intention de retourner vers la rivière.

Ce qu'elle fit. Le Français la suivit, deux pas derrière. Quelques minutes plus tard, ils avaient repris leur position dans le canot et ils avironnaient en direction du nord.

— Je ne peux pas m'empêcher de me demander comment ton patron aurait réagi s'il nous avait surpris en pleine conversation avec ses grévistes, spécula le Français au moment où l'embarcation disparaissait dans une courbe de la rivière.

— La terre est à tout le monde, prononça Mathilde. Mon père te le dira. Mais personne n'arrive à cette constatation en même temps. Ceux qui ont déjà cette idée la gardent dans leur poche. Les autres, ceux qui cherchent encore le nord, se méfient de ceux qui sont déjà alignés. Moi, je me dis qu'il est inutile d'affronter des gens comme Félix Métivier avant qu'ils aient fini de faire le tri dans ce que la vie leur a mis dans la tête. Sans compter que les personnes comme le boss sont persuadées que tout le monde devrait être rendu là où elles-mêmes sont arrivées. En fin de compte, chacun a les yeux fixés sur son propre horizon et, la plupart du temps, c'est à une heure différente de celle de tout le reste de la planète.

— Autrement dit, résuma Ramier, chacun pour soi et les chèvres de M. Seguin seront bien gardées.

Mathilde ne voyait pas de quelles bêtes il pouvait bien s'agir ni à qui elles devaient appartenir.

*

Le printemps n'avait pas encore atteint son apogée mais il avait déjà engendré des nuées d'insectes qui tournaient en masses vibrantes au-dessus de l'eau. À bord de leur canot, Mathilde et Henri longeaient la terre ferme dans une courbe de la rivière qui se développait en un élargissement de l'autre côté duquel s'élevait ce qui semblait être une assez grande terre. D'un coup d'aviron, Mathilde orienta l'embarcation en direction de la berge opposée.

— On est assez loin, annonça-t-elle. Il ne viendra jamais nous relancer jusqu'ici.

— Tu te rends compte, se chagrina Henri, nous nous comportons comme des enfants qui se font une gloire de tenir tête à leur père. En nous dirigeant vers le nord, nous n'allons nulle part. Il n'y a que votre père Noël qui habite de ce côté, et je n'ai jamais cru en son existence. Pas plus qu'en celle d'un bon Dieu, d'ailleurs.

Une expression de tristesse se dessina sur le visage de Mathilde. Elle donna un dernier coup d'aviron vers le rivage.

— Si le père Noël n'existait pas, lança-t-elle d'une voix sous laquelle perçait un léger ton de défi, crois-tu que nous nous serions rencontrés? Et pour ce qui est du Créateur, je ne peux pas faire autrement que de me demander qui d'autre que Lui aurait pu orchestrer les circonstances pour que nous fassions connaissance l'un de l'autre.

— En tout cas, puisque tu crois que Dieu et le père Noël existent, renchérit Henri, je commence à me demander si ce ne serait pas eux qui n'en finissent pas de me souffler à l'oreille que je pourrais t'inviter à venir t'installer en France à mes côtés, quand le temps de mon départ sera venu. Une personne de ta qualité ne peut finir ses jours au fin fond des forêts sans avoir exploré un peu la Terre, qui n'est peut-être après tout qu'un vaste jardin, comme le disent les livres anciens!

Mathilde avait déjà les pieds dans l'eau.

— Je me sentirais plutôt lâche d'abandonner tous ceux que je laisserais derrière moi, prononça-t-elle en tirant la pointe du canot sur le sable.

Ramier l'imita en mouillant ses chaussures. Il n'avait pas encore recouvré l'entière maîtrise de sa cheville blessée.

— Je suis peut-être lâche, enchaîna la jeune femme comme si elle s'adressait à elle-même, mais pas lâcheuse. Parfois, je me demande si je ne suis pas la seule, à des cinquantaines de milles à la ronde, à me préoccuper de la santé physique et mentale des malheureux qui sont condamnés à passer la moitié de leur vie à couper des arbres, prisonniers dans la forêt loin de leur famille. Je ne peux pas les abandonner à leur sort!

— Et tu me laisserais retourner à ma vie d'antan sans te préoccuper de mon sort à moi! grogna Henri en s'efforçant de donner une légère teinte d'exaspération à son propos. Depuis que ma femme est morte, je reconnais que je n'ai pas toujours eu une conduite exemplaire dans mes rapports avec celles des autres, mais je ne me suis jamais attaché à une personne en particulier. Or il se trouve que cette fois-ci…

Après avoir tiré le canot à terre, Mathilde tenait toujours à la main le bout de cordage qui était attaché à sa pointe. Son regard enveloppait tout à la fois son compagnon, l'eau qui les entourait et le bouquet d'arbres qui garnissait la terre en face.

— Fais bien attention à ce que tu dis, le prévint-elle en se donnant un air mi-sérieux, mi-moqueur. Dans un endroit comme celui-ci, tes propos pourraient prendre une signification hors de l'ordinaire.

Pour toute réponse, Henri vint se placer devant elle. Mathilde tira la pointe du canot sur la berge avant d'ouvrir les bras. Ils s'étreignirent puis se dévêtirent avec toute la ferveur qui aurait accompagné l'exécution d'un rite sacré.

Enlacés, ils roulèrent sur le sable. L'immensité fut le seul témoin de leurs ébats. Le temps continuait cependant de grignoter la fin de la journée. Mathilde releva la tête.

— Il va falloir qu'on s'installe avant la nuit, annonça-t-elle en entreprenant de se rhabiller.

Les nuées d'insectes les contraignaient d'ailleurs à le faire.

— Et qu'on se prépare à manger, ajouta Henri.

La jeune femme tira de son sac une boîte de conserve de corned-beef. Elle l'ouvrit à l'aide de l'instrument approprié qu'elle dénicha parmi les objets qu'elle conservait dans son sac.

Le contenu de la boîte révéla un composé de morceaux de bœuf agglomérés dans une gélatine. Henri n'était ni familier avec cette mixture ni très attiré par elle. Mathilde disposait d'une seule fourchette et d'une cuillère. Ils piochèrent tour à tour dans la préparation, l'une avec plus d'enthousiasme que l'autre.

En même temps, ils buvaient l'eau de la gourde sans laquelle Mathilde ne s'aventurait jamais loin des habitations. Ils procédèrent ensuite à leur installation pour la nuit. Quelques branches d'épinettes leur tiendraient lieu de couchette. Ils endossèrent les parkas qu'ils emportaient toujours quand ils se déplaçaient en forêt, sauf au plus chaud de l'été, et encore. Indispensable précaution contre les insectes.

La fin du jour vint plus tôt qu'ils ne l'auraient souhaité. Ils s'allongèrent sur leur couchette de *sapinettes*, blottis l'un contre l'autre. Ils dérivaient dans les détours de leur inconscient quand Mathilde s'éveilla pour tirer Henri de son sommeil.

— Tu ne sens rien? lui demanda-t-elle d'une voix pâteuse.

— Comment veux-tu que je sente quoi que ce soit? balbutia le Français. Je dors.

— Une odeur de fumée, insista la jeune femme.

*

Le vent portait effectivement des relents de fumée. Un ciel bas assombrissait la nuit. Depuis la berge où ils se trouvaient, Mathilde et Henri ne voyaient rien à un pas devant eux. Une lueur rougeoyait cependant dans le ciel vers le sud. Le feu!

— Il faut vite partir d'ici! annonça Mathilde.

À peine éveillé, Henri n'avait pas encore mesuré l'urgence de la situation.

— Il y a bien quelque chose qui brûle là-bas, mais c'est très loin. De là à déguerpir en pleine nuit…

Mathilde lui saisit le bras.

— Ouvre donc les yeux!

— Il fait nuit noire!

— Les yeux dans ta tête, je veux dire! précisa-t-elle en durcissant le ton. Le feu est pris par en bas, vers le sud, du côté du camp où nous avons rencontré les bûcherons. De là-bas jusqu'ici, en ligne droite, il n'y a pas plus d'un mille, un mille et demi peut-être. Tu ne le sais probablement pas, mais, dans la forêt, le feu court à la vitesse d'un cheval au galop. Crois-moi, on a tout juste le temps de ramasser nos affaires et de sauter dans le canot.

Comme elle était incapable de discerner le visage de son interlocuteur dans le noir, Mathilde ne parvenait pas à deviner l'effet que ses propos engendraient chez lui. Y serait-elle parvenue qu'elle aurait découvert un Henri affolé, le dos courbé, la tête penchée de côté et la bouche entrouverte.

— Heureusement que je te connais, marmonna-t-il. Autrement, je serais plutôt porté à croire que tu te moques de moi.

La jeune femme haussa les épaules pour elle-même.

— Grouille! insista-t-elle. Ramasse ton linge, ta couverture, mets tout ça dans le canot. J'en fais autant. On traverse sur l'autre rive!

Quelques minutes plus tard, Mathilde retenait le canot pendant que Henri y prenait place à grand-peine. Elle en fit autant à sa suite, tout en poursuivant sa réflexion à voix haute:

— Le courant coule assez fort par ici. Encore plus la nuit, on dirait. On ne sait pas trop où la rivière pourrait nous entraîner. Installe-toi face à l'avant, allonge ton pied blessé devant toi comme tu le pourras et pousse de toutes tes forces sur l'aviron. J'en fais autant tout en dirigeant le canot! On va se réfugier sur l'île d'en face.

Ils se retrouvèrent vite au large. De toute sa vie, Henri n'avait jamais eu l'occasion de se déplacer dans des ténèbres aussi profondes. Par-delà le clapotement de l'eau, il lui semblait qu'il entendait un grondement lointain. Il se persuada que c'était l'effet de son imagination. Le grincement du bordé du canot sur les joncs annonça qu'ils avaient touché l'autre rive. En tâtant le terrain du bout de son aviron, le Français constata qu'ils se trouvaient devant une berge escarpée. Ils laissèrent donc l'embarcation dériver quelque peu pour atteindre un endroit où le rivage leur semblait plus propice à un débarquement.

Henri fut alors bien près de faire chavirer le canot en se levant pour sauter à terre. L'un de ses pieds, celui qui était intact, se retrouva enfoncé dans la boue du rivage. Il saisit le bras de Mathilde qui passait à ce moment à ses côtés.

Celle-ci bondit sur le sec. De là, elle se retourna pour rattraper le canot. Ses mains ne touchèrent que le vide. L'embarcation était déjà hors de portée.

Le Français était demeuré immobile, debout les deux pieds dans l'eau. Il fit bien quelques efforts pour s'approcher de la rive. Son pied valide dérapa sur la glaise. La rivière l'emporta. Contre toute attente, il se retrouva à portée du canot, qu'une branche allongée au-dessus des flots avait retenu. Il s'y accrocha. L'homme et l'embarcation dérivèrent alors de concert.

— Lâche tout! Nage vers le bord! lui cria Mathilde, qui avait fini par comprendre ce qu'il se passait.

— Je ne sais pas nager! cria Henri d'une voix affolée.

La jeune femme se déplaçait sur la berge pour demeurer à sa hauteur. Elle parvint à mettre la main sur le bordé du canot. Henri, qui avait repris pied dans l'eau peu profonde du rivage, se retrouva bientôt à ses côtés. Ensemble, ils purent enfin hisser le canot sur le talus.

— Il n'aurait pas fallu le perdre! s'exclama Henri.

— Encore moins que tu sois emporté par le courant! renchérit Mathilde.

En se déplaçant, ils reconnurent que l'île était couverte de sapinages. L'aliment préféré d'un incendie de forêt. Mathilde et Henri explorèrent les alentours, jusqu'à ce qu'ils parviennent au centre d'un espace un peu dégagé. Ils se permirent enfin de réfléchir à la situation dans laquelle ils se retrouvaient.

Mouillé des pieds à la tête dans la nuit moite, réfugié sur une terre inconnue devant un incendie de forêt dont on lui annonçait qu'il fonçait vers eux au galop, Henri se sentait comme un enfant qui vient de perdre sa mère dans la foule.

Pour sa part, Mathilde inventoriait les obstacles qu'il leur restait à affronter. Ils venaient d'aborder un endroit hostile, devant un embrasement de la forêt qui projetait maintenant des lueurs sur le ventre des nuages. Et ce n'était pas le peintre français qui allait prendre la direction des mesures d'urgence.

— On n'est pas sortis d'ici ! se lamentait-il.

Il était planté droit devant Mathilde et il lui soufflait ses paroles au visage.

— Ce n'est pas le moment de perdre la tête, le sermonna-t-elle.

— S'il ne s'agissait que de ça ! renchérit Henri.

*

Des coups de poing en pleine nuit sur la porte du chalet de Félix Métivier au Panier percé. Le patron se leva et se dirigea vers l'entrée en pyjama rayé.

— Qui est là ?

— Desaulniers, du camp 7.

Métivier ouvrit. À la lumière des lampadaires de la place, il constata que le visage de son visiteur exprimait une vive inquiétude.

— Le feu ! lança Desaulniers en mettant le pied dans la pièce.

— Où ? demanda Métivier.

— Une couple de milles avant le lac des Quatre-Saisons.

Le patron tendit le cou pour juger du temps qu'il faisait. Un vent assez vigoureux soufflait du sud, ce qui n'arrangeait pas les choses.

— Pourquoi tu n'as pas téléphoné, au lieu de venir jusqu'ici ?

— Ça ne fonctionne pas. Le feu a dû manger les fils.

— Attends-moi, je m'habille. Tu vas me guider.

Quelques minutes plus tard, la voiture de Métivier sortait de la cour du Panier percé, le pare-chocs avant collé au train de son porteur de mauvaises nouvelles. Le trajet ne s'effectua pas à la vitesse qu'aurait souhaitée Métivier. Le camion déglingué de celui qui le précédait sautillait sur la route défoncée. Une grosse demi-heure plus tard, ils arrivaient aux abords du camp où le patron était venu en personne, plus tôt en fin de journée, congédier en bloc les travailleurs qui protestaient contre leurs conditions de vie.

À la lueur des phares de leurs véhicules, ils constatèrent que le camp, les bâtiments adjacents et la forêt environnante avaient été ravagés par les flammes. Le tout achevait de se consumer. Métivier fut persuadé que les bûcherons avaient eux-mêmes allumé l'incendie avant de quitter les lieux.

— Les salauds! grommela-t-il.

Et, se tournant vers Desaulniers, il réfléchit à voix haute.

— Le vent souffle vers le nord, un peu trop fort à mon goût. Qu'est-ce qu'il y a devant nous? Je veux dire, quel cours d'eau?

— La rivière des Pensées. Ça devient le lac des Quatre-Saisons. Il y a tout un paquet d'îles dans ce coin-là.

— On pourrait contourner le feu à l'est? demanda Métivier.

— Les chemins sont pas beaux par là, répondit Desaulniers, et puis c'est dangereux d'aller dans la direction où le feu s'en va, mais ce serait toujours possible. Faudrait laisser votre machine ici. On prendrait mon camion.

— Tu as raison, trancha le patron. Je vais mettre ma voiture un peu plus bas, au cas où le vent aurait l'idée de virer de bord et de remmener l'incendie par ici.

Félix Métivier retourna sa limousine vers le sud en trois coups de volant et fonça à une vitesse telle que le camion de son acolyte n'était plus visible dans le rétroviseur. Il s'arrêta au premier croisement, écrasant quelques petits conifères pour se garer en laissant un passage à tout véhicule qui viendrait à s'aventurer de ce côté. Puis il s'installa sur la banquette près de Desaulniers et ils rejoignirent le tracé sommaire d'une route qui montait vers le nord, mais plus à l'est.

Le camion déglingué tressautait dans les trous et tanguait dans les ornières. L'entrepreneur à qui Métivier avait concédé l'exploitation de cette partie de la forêt négligeait l'entretien de la route. Le patron se promit de le congédier à la première occasion. Après plus d'une trentaine de minutes, le chemin déboucha sur un cours d'eau.

— La rivière des Pensées, annonça Desaulniers. Pas trop loin vers l'ouest, ça devient le lac des Quatre-Saisons. M'est avis que c'est là que le feu va déboucher. Avec le vent qu'il fait, je serais pas surpris qu'il ait déjà sauté de l'autre bord de l'eau.

Ils tournèrent tous deux la tête en même temps dans cette direction. Le dessous des nuages avait pris une teinte rougeâtre.

— Baptême d'un nom! se permit de laisser échapper Métivier, qui n'avait pas l'habitude de se référer au vocabulaire liturgique pour exprimer le fond de sa pensée. Il faut prévenir la Protective.

— C'est déjà fait, se rengorgea Desaulniers. Avant de descendre au Panier percé, j'ai envoyé mon garçon chercher quelque part un téléphone qui marcherait encore.

— Pourquoi ils ne sont pas encore là? s'énerva Métivier.

— Pas facile de rameuter des dizaines d'hommes en pleine nuit, répondit Desaulniers en haussant les épaules.

Le patron leva le regard en direction de l'autre rive.

— On dirait que le ciel commence à rougir de l'autre côté de la rivière, grommela-t-il.

— Si vous avez raison, lui répliqua Desaulniers, faudrait pas qu'ils prennent trop de temps à arriver! Puis nous autres, d'où on est, avec la rivière qui fait une courbe, on ne peut pas apercevoir ce qu'il y a plus loin.

— Dans ce cas, enchaîna le patron, tu dois bien le savoir, toi, s'il n'y aurait pas un autre endroit mieux orienté d'où on pourrait observer ce qui se passe en haut de la rivière!

— Un demi-mille plus bas, la rivière est bien droite, puis là il y a des buttons. En montant là-dessus, c'est sûr qu'on se ferait une meilleure idée.

— Alors qu'est-ce que tu attends? le pressa Métivier. Que toute la forêt soit en feu et qu'on ne puisse plus passer? Et n'oublie pas: en cours de route, arrange-toi pour me trouver un téléphone. Avec tout ça, j'imagine que tu as déjà compris que je te réquisitionne pour la journée?

Desaulniers en éprouva une fierté qu'il s'efforça de dissimuler. Il sentait qu'il était une personne importante aux côtés de son patron. Il ne tenait pas à ce que cela se voie.

De son côté, en jetant un dernier regard en direction de l'incendie, le patron fut consterné de se retrouver devant une nuit qui prenait les couleurs d'un soleil couchant.

*

Plus à l'ouest, sur la rive opposée, face à un incendie de forêt hors de contrôle, Mathilde et Henri se tenaient côte à côte. Autour d'eux, sur le talus, des flammes portées par le souffle du brasier avaient sauté la rivière, embrasant les épinettes. Des broussailles allumaient de nouveaux foyers de tous les côtés.

— On ne peut pas rester ici! décréta Mathilde. Dans quelques minutes, avec la chaleur, on n'arrivera plus à respirer. On va aller s'installer au bord de l'eau en bas.

— Mourir noyé ou mourir brûlé… se lamenta Henri.

Mathilde lui avait pris la main. Elle s'engagea dans la pente et glissa en entraînant son compagnon derrière elle. Les deux désespérés se retrouvèrent à plat ventre dans la rivière. Ils refirent surface, crachant l'eau qu'ils avaient avalée. Les efforts de l'un pour prendre pied sur le fond glaiseux déséquilibraient l'autre. Le temps de retrouver une position à peu près stable, ils constatèrent que le souffle de l'incendie, chargé de cendres rouges à vif et d'une épaisse fumée, ne laissait subsister à peu près plus d'oxygène dans l'air.

Mathilde s'immergea alors totalement en emmenant son compagnon avec elle. Ils refirent surface en même temps. Sous l'effet de l'eau qu'il avait avalée et de la fumée qui lui emplissait les poumons, Henri s'était mis à râler.

— Encore sous l'eau! ordonna Mathilde en prenant le Français aux épaules pour l'entraîner de nouveau avec elle.

— Je veux pas mourir! hurla Henri en émergeant pour la seconde fois.

Après avoir accompli ce rituel à cinq ou six reprises, ils avaient appris tous deux à ne laisser pénétrer qu'un peu du mélange empoisonné qui leur brûlait les poumons, avant de bloquer de nouveau leur respiration pour échapper à la chaleur sous l'eau.

Ils souffraient dans l'une et l'autre position, dans l'eau comme dans l'atmosphère sulfureuse. Ils se tenaient par la main. Pour eux, vivre devenait désormais une perspective hasardeuse.

*

L'aube commençait son office. Félix Métivier survolait le brasier. Les grands exploitants des concessions forestières s'étaient regroupés dès 1912 pour constituer un organisme de lutte contre les incendies de forêt, la St. Maurice Forest Protective Association. Au fil des années, on avait érigé quatre-vingt-deux tours d'observation. Trois cents gardes-feu s'y relayaient. Le gouvernement avait cédé quelques hydravions à l'entreprise. Et, surtout, on s'était engagé à mettre toutes les ressources existantes au service d'un entrepreneur qui serait aux prises avec le feu.

Ce n'était pas superflu. Chaque année, du printemps jusque tard l'automne, des incendies se déclaraient. En trois saisons consécutives de grande sécheresse, plus de cinq millions d'acres avaient été dévorés par l'élément.

À bord d'un hydravion de la Protective, Félix Métivier évaluait l'étendue de la catastrophe. Le versant sud du lac des Quatre-Saisons flambait. Un panache de fumée et une crête d'enfer s'élevaient de ce territoire. À première vue, il fallait se réjouir de ce vent qui poussait les flammes vers le lac. Le feu courait à sa perte et finirait par se noyer. On ne devait cependant pas trop sous-estimer les ressources des éléments. On avait vu des incendies surmonter des obstacles plus importants.

L'hydravion rasa à basse altitude le flanc nord de l'incendie. Une coulée de feu avait en effet survolé le lac et dévoré tout un pan d'une forêt de conifères. Métivier demanda au pilote de se poser. L'homme acquiesça et vira. Quelques minutes plus tard, ils amerrissaient. Métivier s'engagea sur les vestiges fumants. L'odeur persistante lui soulevait le cœur.

Il parvint aux abords de l'endroit où des dizaines d'hommes dégageaient les broussailles pour essayer d'enrayer la progression du feu. C'était jeter un seau d'eau sur une grange qui flambe, mais on avait tout de même le devoir de tenter l'impossible. Métivier s'approcha d'un des combattants.

— Qui c'est qui commande ici? s'enquit-il.
— Baptiste Bruneau.
— Il est où?

On fit un geste vague en direction des profondeurs de la forêt. Le patron s'y enfonça. L'aube s'était levée, mais il y faisait presque aussi noir que dans la nuit. Les hommes n'étaient plus que des formes fugitives. Pas de feu, mais une fumée qui semblait émaner du sol. Un frémissement dans l'air comme une convulsion sur la peau d'une bête blessée. Métivier se retrouva devant un groupe qui reprenait haleine, autant que ce pouvait être possible de le faire dans l'air enfumé, en respirant à travers des mouchoirs mouillés appliqués sur leur nez et leur bouche.

— Bruneau?

Un homme s'avança. Félix Métivier vint à sa rencontre.

— Qu'est-ce que tu en penses? demanda le patron.
— On a autant de chances d'en venir à bout que de trouver des morpions dans les culottes du pape!

Métivier ne releva pas la comparaison irrévérencieuse. Il salua son chef d'équipe en soulevant légèrement son chapeau puis il revint près de l'hydravion.

— Tu vas me mener à notre point de départ, ordonna-
t-il au pilote. Je veux examiner le chemin que le feu a pris.
C'est comme ça que j'ai peut-être une chance de deviner
où il s'en va.

*

— Tu dois bien te demander quel genre d'homme
je suis !

Henri venait de parler à voix basse comme s'il s'adressait
à lui-même.

— J'irai pas jusqu'à dire que je me réjouis de ce qui vient
de nous arriver, répondit Mathilde, mais en tout cas ça m'a
permis de mieux te connaître.

Ils étaient assis côte à côte sur la pente boueuse de la
berge, le dos rond, les jambes allongées devant eux. Ils
reprenaient leur souffle après avoir survécu aux flammes
et à la fumée de l'incendie.

— Tu ne réponds pas à ma question, protesta Henri.

Mathilde prit une de ses mains dans les siennes.

— Pour dire vrai, reconnut-elle, j'ai su tout de suite en
te voyant que tu n'étais pas un homme comme les autres.

Henri secoua la tête devant cette réponse qui lui en disait
trop et pas assez à la fois.

— Et c'est parce que je ne suis pas un homme comme
les autres que j'ai perdu tous mes moyens devant le danger !
Pas un homme tout court, tu veux dire ?

Mathilde serra sa main plus fort que nécessaire.

— N'essaie donc pas de nous faire passer, moi pour une
irresponsable, et toi pour un idiot ! C'est justement parce que
tu te laisses mener par tes émotions que je me suis sentie
attirée vers toi. Dans mon pays, les hommes domptent leurs
sentiments comme si c'étaient des bêtes dangereuses. Dans
leur petite tête, ils sont persuadés qu'il n'y a pas d'autre
façon d'éviter qu'on les prenne pour des femmelettes. Mais

toi, tu restes tout le temps en contact avec ta sensibilité, et cela prouve hors de tout doute que tu es un homme dans toute sa dimension. Et un grand artiste, en plus.

Le silence qui suivit en disait long. Pour ne rien laisser voir de leur trouble, Mathilde et Henri faisaient comme s'ils examinaient les traces des ravages que l'incendie avait inscrites autour d'eux. Henri finit pourtant par tourner une autre clé pour dévoiler à Mathilde un autre pan de son intimité.

— Si tu veux le savoir, j'ai passé ma vie à regretter de ne pas avoir pour compagne une femme qui aurait été en mesure d'apprécier l'artiste que j'étais. Ma femme tournait ma célébrité en dérision, sans doute pour se sentir moins diminuée par mon succès. Les autres, celles que la renommée m'a fait rencontrer au hasard des vernissages et des cocktails, ne s'intéressaient pas à moi mais à ma notoriété. Et voilà que toi, parce que tu n'avais pas d'idées préconçues à l'endroit de l'art et des artistes, tu as perçu ma vérité.

Mathilde serra encore plus fort la main de son compagnon.

— Dès les premiers jours, j'ai compris que tu n'étais pas une personne comme les autres, prononça-t-elle.

Henri tourna les yeux vers elle en fronçant les sourcils.

— Et tu n'as pas changé d'avis après avoir vu comment je me suis comporté devant l'incendie?

— Ce n'est pas parce qu'un homme ressent de la panique quand les circonstances sont vraiment dangereuses qu'il n'a pas de virilité. Les vrais hommes ont peur du danger comme tout le monde. La seule différence, c'est qu'ils se reprennent en main après que la tempête est passée.

Et Mathilde lâcha la main d'Henri pour se jeter à son cou. Il en fut presque renversé sous l'étreinte. Il se ressaisit.

— Je peux te faire un aveu?

Une expression d'étonnement se dessina sur le visage de Mathilde.

— Au début, continua le peintre, j'ai cru que notre affaire, c'était une autre aventure de passage. Je profitais des instants de bonheur que ton agréable compagnie me proposait. Et voilà qu'après ce que tu viens de me dire, je sens que nous avons bien davantage en commun que des gens qui se rencontrent au hasard d'un voyage.

— Ça t'a pris tout ce temps-là pour t'en rendre compte ? s'exclama Mathilde avec une pointe de douce ironie.

— Dans ce genre d'affaire, avant que le cœur se mette à battre à toute volée, il faut d'abord le déverrouiller.

Le visage de Mathilde fut soudain empreint de gravité. À cet instant, comme si cette dernière constatation avait débloqué l'avenir, ils levèrent en même temps la tête vers le ciel. Le grondement du moteur d'un hydravion venait d'attirer leur attention. À travers la fumée qui rôdait encore, on pouvait apercevoir l'appareil qui jouait à cache-cache sur la voûte céleste. Celui qui le pilotait dépassa l'endroit où se tenaient les naufragés du feu, mais il vira de bord tout de suite après et vint se poser dans un éclaboussement d'eau sur la rivière devant eux. L'appareil aborda le rivage. Félix Métivier en descendit et courut vers les naufragés. Il éleva la voix pour se faire entendre :

— Voulez-vous bien me dire ce que vous faites là, tous les deux ? s'exclama-t-il comme s'il réprimandait des enfants pris en faute.

Puis il ajouta, sur un autre ton :

— J'avais bien deviné que vous étiez partis en cavale au fin fond des bois !

Il saisit la main de Mathilde pour l'entraîner vers l'hydravion. Il en fit de même pour Henri quelques instants plus tard.

— Je vous ramène à la maison, annonça Métivier d'une voix grave en refermant la porte de l'appareil derrière les deux rescapés. On aura bien le temps, plus tard, de se raconter chacun notre version de l'aventure.

*

Mathilde et Henri venaient de quitter la section du camp où ils avaient passé la nuit. Depuis leur retour la veille, il leur avait fallu tout ce temps pour digérer le trouble qui les avait envahis. Il pouvait être vers les dix heures, au beau milieu de la matinée, dans le vaste réfectoire du Panier percé qui était désert à ce moment de la journée.

On leur avait apprêté un petit déjeuner qui, en d'autres circonstances, aurait largement tenu lieu de dîner au plus vorace des bûcherons. Ils s'étaient jetés là-dessus comme s'ils n'avaient pas mangé la veille, à leur retour à la civilisation. Le patron, Félix Métivier, s'étant approché sans bruit, ils sursautèrent en l'entendant les saluer avec chaleur.

— Je commençais à me demander si vous étiez encore en vie !

— Il est vrai qu'hier, répondit Henri, nous devions ressembler à des morts ambulants, mais, ce matin, je peux vous affirmer que nous sommes bien revenus à la vie.

Il se tapotait les cuisses comme pour confirmer la justesse de ses propos.

— Faut dire, enchaîna le patron, que vous étiez allés vous fourrer là où il ne fallait pas !

Les traits du visage de Mathilde retrouvèrent aussitôt l'expression d'inquiétude qu'ils avaient eue la veille.

— Non ! non ! rectifia le patron, je ne suis pas en train de vous faire des reproches ! J'essaie seulement de comprendre ce qui vous est arrivé.

— Rassurez-vous, se permit d'intervenir le Français, je vous dédommagerai pour les heures où Mathilde s'est absentée du travail.

— Il ne s'agit pas de ça, rectifia Métivier. Je m'inquiétais pour vous deux. Je me demandais simplement où vous alliez comme ça, au bout de nulle part.

— Nous étions en train de faire plus ample connaissance, suggéra Mathilde.

— Ils ne vous ont pas dit qu'il fallait d'abord passer chez le curé, répliqua le patron, avant de célébrer les épousailles ?

— Ça nous est tombé dessus comme le beau temps, se justifia Mathilde. On ne peut pas empêcher le printemps d'arriver.

— Si les premiers qui sont débarqués dans ce pays s'étaient comportés de cette façon, fit observer Métivier, on voyagerait encore en canot et il n'y aurait pas de chemins dans les forêts.

— Qui nous dit que les gens de ce temps-là n'ont jamais eu besoin de se redonner du courage de la même manière que nous sommes en train de le faire ? suggéra Mathilde.

Le visage de la jeune femme s'était empreint soudain d'une intense gravité. Elle ajouta :

— Nous ne venons pas sur la terre pour travailler, mais pour nous aimer. Notre gagne-pain n'est qu'un moyen d'acheter du temps pour le bonheur.

— Je peux vous parler franchement ? demanda soudain Félix Métivier.

La jeune femme se raidit aussitôt.

— Je ne vous ai jamais vu agir autrement, répondit-elle.

— Écoutez-moi bien, commença le patron, parce que ce que j'ai à vous dire, vous ne l'entendrez pas souvent de ma bouche. Un homme comme moi, qui commande à des milliers d'hommes, prend vite l'habitude de ne pas mettre des gants blancs pour dire le fond de sa pensée. Depuis que notre ami français est arrivé dans notre bout du monde et que vous avez commencé à vous comporter comme des petits chiens qui se sentent le derrière, je me suis d'abord dit que vos minoucheries, ce n'était pas un exemple à donner à mes engagés. Mais, en même temps, je suis un être humain moi aussi et je sais que les hommes et les femmes, c'est fait pour s'aimer. Tout de même, quand j'ai compris que vous étiez partis en voyage de noces au fin fond des bois, j'ai froncé les sourcils. Ça dépassait la mesure.

Le patron haussa les épaules. Il était resté debout depuis son arrivée dans le réfectoire. Il se tira une chaise et s'installa entre eux deux pour élaborer la suite de son exposé. Mathilde et Henri le regardaient sans broncher.

— Et pourtant, hier, poursuivit le grand boss, quand je me suis aperçu que vous aviez mis les pieds là où vous n'aviez pas d'affaire, je me suis senti comme un père de famille qui s'en fait pour ses enfants. En vous retrouvant sur le bord de la rivière, au beau milieu d'un feu de forêt, j'ai bien compris que ce que vous veniez de vivre, c'était allé plus loin que ce que vous aviez prévu. Et vous me croirez si vous le voulez, ça m'a rappelé ma jeunesse.

Mathilde et Henri l'observaient avec des yeux ronds comme ceux des écoliers.

— Moi aussi, j'ai été amoureux, poursuivit-il. Quand j'ai demandé la main de la jeune femme que je courtisais à son père, il a commencé par froncer les sourcils. Comme tous les chefs de famille, le bonhomme s'inquiétait pour sa fille. Comme de raison, dans ce temps-là, je n'annonçais pas ce que je suis devenu. Il a fallu que je me batte pour le convaincre de me laisser l'épouser. J'ai été obligé d'attendre de me retrouver devant le lit où il était en train d'agoniser pour l'entendre prononcer la fin de sa phrase. Il m'a juste dit comme ça : « J'aurais jamais voulu donner ma fille à quelqu'un d'autre que toi. »

Métivier se redressa sur sa chaise pour se redonner de la prestance.

— Je ne suis pas votre père, bien entendu, poursuivit-il, mais j'ai quand même un rôle à jouer dans votre destin. Ça fait que je vous annonce, à matin, que vous ne me trouverez plus jamais en travers de votre chemin. Faites votre affaire, je fais la mienne. Il y a une chose, cependant. Notre conduite à chacun de nous a de l'influence sur notre entourage. Je vous demande donc de ne rien faire qui pourrait mettre des mauvaises idées dans la tête de mes hommes. Avec des gars qui passent la moitié de l'année dans le fond des bois, privés de femmes, il en faudrait pas beaucoup de votre part pour que vous leur mettiez le feu aux poudres. Je veux dire au derrière.

Le Français ne pouvait plus se contenir :

— Vous savez, en débarquant au Canada, j'avais le projet de visiter les quatre coins de votre beau et grand pays. Dans les circonstances, vous comprendrez que je n'ai plus du tout l'intention d'aller me perdre au bout du monde en laissant derrière moi la femme qui me fait battre le cœur à cent milles à l'heure, comme vous le dites par ici. Alors, si vous n'avez pas d'objection, je vais prolonger mon séjour sur vos terres et on verra ce que la vie nous réserve.

— Vous êtes chez vous ici, confirma Félix Métivier. Tout ce que je possède est à votre disposition. En retour, je pose deux conditions. D'abord, Mlle Bélanger va continuer de faire son ouvrage…

Mathilde acquiesça d'un «oui» de la tête.

— À part de ça, continua le patron, quand vous serez retourné chez vous dans la vieille France, je tiens à ce que vous disiez à tous ceux que vous rencontrerez qu'il y a encore de l'autre côté de la mer des gens qui ont conservé dans leur cœur ce qu'il y avait de plus précieux dans celui des premiers qui sont venus dans le Nouveau Monde. Mettez-leur bien dans la tête que nous avons continué de faire profiter l'héritage qu'ils nous ont laissé. Je veux parler de l'amour de la langue française et puis du culte de la besogne bien faite.

Mathilde avait posé la main sur le bras d'Henri, sans quitter le patron des yeux.

— Il va falloir que j'y aille, annonça Métivier. Pour qu'il y en ait qui s'amusent, il faut bien qu'il y en ait un qui travaille. C'est une loi de la nature.

Et il se leva en souriant.

*

En entrant à l'hôpital Saint-Joseph des Trois-Rivières, on avait l'impression de pénétrer dans un sanctuaire transformé en place publique, boiseries et corridors aux parquets cirés débouchant sur des escaliers aux belles rampes vernies, mais, là-dessus, un incessant va-et-vient de personnes de toutes conditions, éclopés, patients entrant ou sortant selon leur état, parents inquiets pour l'un des leurs et religieuses soignantes en grand tablier blanc sur leur lourde robe.

Mathilde et Henri comptaient leurs pas dans cette cohue. Ils interrogèrent une sœur qui passait. Elle les référa au guichet. La préposée réclama des précisions après que Mathilde eut demandé quel était le numéro de la chambre du bûcheron à la jambe coupée. L'infirmière des camps de Félix Métivier finit par tirer de sa mémoire un hypothétique nom de famille. Boissonnault. Mais elle n'arrivait pas à retrouver le prénom. La liste des inscriptions de la préposée ne comportait qu'un seul patient portant ce patronyme. Il se prénommait Zéphirin.

Les visiteurs gravirent des escaliers, tournèrent à gauche et à droite puis revinrent sur leurs pas avant de trouver la porte sur laquelle figurait le numéro qu'ils recherchaient. Ils frappèrent et entrèrent dans une pièce où s'alignaient six lits, trois de chaque côté d'un étroit passage. Henri fut le premier à reconnaître les traits du visage de l'homme dont il avait assisté à l'amputation, quelques jours plus tôt, allongé sur l'une des tables du camp de la Côte-d'en-bas.

Ils s'approchèrent doucement. Allongé sur le dos sous un drap blanc, son occupant semblait dormir. Les visiteurs échangèrent quelques mots à voix basse.

— Il est aussi pâle que son drap, fit observer Mathilde.

— Peut-être, répliqua Henri, mais il est toujours vivant. Pour dire la vérité, j'étais loin d'être convaincu qu'il survivrait.

Mathilde allait ajouter qu'elle-même avait eu ses doutes. Le patient bougea dans son lit avant d'ouvrir les yeux.

— Vous êtes qui, vous autres? s'inquiéta-t-il.

— Je suis l'infirmière qui s'est occupée de toi au camp, annonça Mathilde en toussotant pour se donner une contenance. Et le monsieur qui m'a assistée pendant l'opération est là aussi. Toi, ça ne va pas trop mal?

— Rien que sur une patte, ça n'ira plus jamais comme avant, répondit le bûcheron estropié.

— J'en connais qui se débrouillent très bien avec des béquilles, répliqua Mathilde.

— J'étais venu au monde avec deux jambes, se lamenta le bonhomme. C'est le bon Dieu qui me les avait données. J'aurais bien voulu mourir en les emportant toutes les deux avec moi dans ma tombe. Parlant de ça, je n'ai jamais su ce qui est advenu de celle que vous m'avez coupée.

Henri baissa la tête pour répondre.

— Les bûcherons l'ont enterrée à l'endroit où vous l'avez perdue.

— Que dit le docteur ? lança Mathilde, pressée de savoir si son espoir était fondé.

— Il parle en latin, répondit le patient. Je comprends rien de ce qu'il dit.

— Ta coupure cicatrise bien, au moins ?

— Comment veux-tu que je le sache ? Quand ils changent mon pansement, si j'essaie de me redresser pour voir un peu de quoi j'ai l'air emmanché de même, ils me forcent aussi vite à me rallonger.

— Vous avez toujours mal ? demanda Henri.

— La nuit comme le jour, prononça l'amputé.

Le bonhomme se tourna vers Mathilde.

— Toi, je ne te pardonnerai jamais de pas m'avoir laissé mourir au bout de mon sang. Il fallait que je le dise.

Mathilde et Henri échangèrent un regard effaré. La jeune femme balbutia quelques explications.

— Rester en vie, même sur une seule jambe, c'est tout de même mieux que de passer la plus grande partie de l'éternité à attendre le jugement dernier en pourrissant sous la terre. D'un autre côté, moi, en devenant garde-malade, j'ai prêté le serment de tout faire pour sauver mes patients. Tu devrais être content d'être resté en vie.

— Tu peux me le dire, toi, lui opposa le bonhomme, comment je vas m'arranger pour faire vivre ma femme et mes enfants, amanché de même ?

— Tu pourras toujours trouver un petit travail assis, repriser des chaussettes ou bien tresser des tapis avec de la guenille.

— Des jobs de femme! protesta l'unijambiste. Moi, j'avais quatorze ans quand j'ai commencé à travailler dans le bois. Je m'attendais pas à en sortir avant de plus être capable de tenir une hache dans ma main.

Henri lança un regard à Mathilde avant de répliquer à l'amputé :

— Mlle Bélanger et moi, nous allons discuter de votre cas avec M. Métivier. Il aura sûrement quelque chose à vous proposer.

— Métivier, il est dur, prononça le bonhomme.

— Mais il est juste, renchérit Mathilde. Éplucher des légumes ou faire la vaisselle perché sur un banc au Panier percé, je connais des gens qui seraient aux anges d'être payés pour faire ça.

— Moi, j'aurais aimé cent fois plus continuer de couper des arbres, se désola l'éclopé.

Et il détourna la tête. Mathilde mit sa main sur son épaule.

— Nous autres, il va falloir qu'on y aille, annonça-t-elle. On doit remonter au Panier percé. On reviendra te voir à la première occasion.

Le grabataire ne répondit pas. Il détourna même la tête. Ses visiteurs sortirent, la mine basse, Mathilde devant, Henri derrière. Quand ils furent dans le corridor, la porte refermée derrière eux, le peintre laissa sa tristesse s'exprimer.

— Cet homme n'a même plus envie de vivre !

Ramier avait la mine déconfite comme s'il venait de perdre un combat contre le destin.

*

Henri et Mathilde étaient de retour sur l'île à Bélanger en début d'après-midi. Le père et la mère avaient déjà expédié leur frugal repas du midi. Devant l'arrivée inattendue de sa fille et de son chevalier servant, Juliette Bélanger s'était empressée de mettre en train un petit repas sommaire à leur intention. Trente minutes plus tard, les deux femmes lavaient et essuyaient la vaisselle. Le père était planté debout, à sa place coutumière devant la table.

Henri, qui n'avait plus fumé depuis qu'il avait perdu sa pipe pour la seconde fois dans son naufrage avec le patron, venait de s'en voir confier une autre par le bonhomme. Le tuyau de cette bouffarde s'emmanchait mal dans le fourneau. Son nouveau propriétaire devait constamment en rapprocher les deux parties. Henri ne se privait pas moins d'en tirer de généreuses bouffées dont les effluves formaient de petits nuages sous le plafond bas. En même temps, le Français évoquait les événements de l'avant-veille, comme le font les gens dans toutes les demeures depuis la nuit des temps.

— Je me demande encore comment M. Métivier a pu nous apercevoir de là-haut dans son hydravion, avec toute cette fumée, prononça-t-il.

— Si j'avais su que vous étiez pris là-dedans! s'exclama le père Bélanger.

— Vous vous seriez précipité dans l'incendie, lui rétorqua Henri en plissant le front, et aujourd'hui votre fille n'aurait plus de père.

— Des feux dans le bois, j'en ai vu d'autres! se rengorgea le bonhomme. J'ai même aidé à en éteindre quelques-uns. C'est en affrontant ce qui nous tombe dessus qu'on grandit. Avec l'aide du bon Dieu, bien entendu.

Et il se frotta les mains l'une contre l'autre, la pipe entre les dents, avant de venir se positionner devant le Français.

— Mais il y a encore quelque chose que je comprends pas. Qu'est-ce que vous alliez faire sur la rivière des Pensées tous les deux, ma fille et toi? Et puis dans cette île dont je ne connais pas le nom. Il n'y a même pas de camp de bûcherons dans ces parages!

— Je peux vous dire le fond de ma pensée? s'enquit Henri.

— Je te connais pas depuis bien longtemps, répondit le père Bélanger, mais j'ai tout de même eu le temps de m'apercevoir que t'es pas du genre à parler d'un seul côté de la bouche à la fois.

— Dans ce cas, enchaîna Henri, accrochez-vous bien. Ça va y aller sur un temps chaud, comme vous le dites par ici.

Et il remonta le cours de sa relation avec la fille du bonhomme Bélanger, leur coup de cœur devant l'immensité de la forêt, leurs escapades au fond des bois et leur fuite désespérée devant l'incendie. Le vieil homme en avait les yeux ronds et le souffle coupé.

— En tout cas, finit par s'exclamer le père de Mathilde, comme le feu n'est pas venu à bout de vous autres, fallait vous attendre à ce que M. Métivier vous mette la patte dessus à un moment ou à un autre ! Qu'on le veuille ou non, le bon Dieu n'aime pas que les hommes et les femmes fassent leurs petites affaires dans Son dos !

La mère de Mathilde et cette dernière avaient achevé de ranger la vaisselle. La première observait la scène sans intervenir, la seconde se mordait les lèvres pour ne pas s'immiscer dans la conversation.

— En vérité, poursuivit Henri, je dois dire que je craignais bien davantage M. Métivier que le bon Dieu. Ce dernier ne s'est pas manifesté dans ma vie, mais, pour ce qu'il en est du premier, je reconnais que je n'étais pas gros dans mes culottes, comme vous le dites par ici, quand il est descendu d'un hydravion qui venait de se poser sur l'eau devant nous, sur le rivage de l'île au-dessus de laquelle le feu venait de passer.

— Ouais ! s'exclama le bonhomme. Il a dû en lâcher toute une bordée !

— Je ne dirais pas ça, lui opposa Henri. Votre M. Métivier s'est montré infiniment plus compréhensif que je ne m'y attendais. Il nous a simplement demandé de demeurer discrets dans nos fréquentations. C'était d'ailleurs dans ce but que nous nous dirigions vers le nord, votre fille et moi.

Le bonhomme Bélanger hochait la tête. Le souffle puissant d'une corne de brume se fit entendre à ce moment.

— Le bon Dieu pourrait pas s'arranger pour qu'ils nous laissent un peu tranquilles quand on parle de choses sérieuses! s'exclama le chef de famille.

Et il poussa Henri devant lui en direction de la rivière. Tilliam achevait de passer l'eau en manipulant la corde à linge. Depuis l'île, en regardant du haut de la butte, on apercevait le corps d'une personne allongée au fond de la barque. S'étant approchés, Henri et le père Bélanger reconnurent bientôt Osias. Il était dans un état lamentable. Une loque calcinée, mais peut-être vivante.

— Mon pauvre garçon! s'exclama le bonhomme Bélanger. Qu'est-ce qui lui est arrivé?

— Exactement ce que vous pensez, répondit Tilliam. Il est allé se mettre là où il avait pas d'affaire.

Henri leur coupa la parole:

— Plutôt que de bavarder ici, empressez-vous donc de le transporter jusqu'en dedans. Moi, avec mon pied, je ne peux pas vous aider. Je vais plutôt aller prévenir les femmes.

Ces dernières avaient à peine eu le temps de s'exclamer en apprenant la nouvelle de la bouche du Français que le père Bélanger et Tilliam pénétraient dans la maison en portant le corps noirci et défiguré du plus jeune rejeton de la famille. On l'allongea sur la table.

Ils l'entouraient comme on se penche sur un défunt, très étonnés de voir sa poitrine se soulever encore sous l'effet d'un laborieux réflexe. Le grand brûlé happait davantage l'air qu'il ne l'aspirait.

— Vous allez pas le contempler jusqu'à temps qu'il meure! s'exclama la mère. Envoie, toi, la garde-malade! Fais ton ouvrage!

Mathilde se ressaisit. Elle réclama des ciseaux à l'aide desquels elle entreprit de découper les lambeaux de vêtements du sinistré. On put constater que le garçon n'était plus qu'une plaie rouge et noire. Il vivait mais il ne semblait plus en être conscient. Le souffle se faisait à son insu dans sa poitrine. Il subsistait comme dans une salle d'attente entre l'existence et le vestibule de l'au-delà.

— De l'eau chaude, des linges! réclama Mathilde.

La mère s'empressa d'apporter ce que sa fille demandait pendant que cette dernière posait sa trousse d'infirmière sur une chaise. Elle en tira un bistouri à l'aide duquel elle entreprit de détacher les derniers bouts de tissu qui, en fondant, s'étaient incrustés dans la chair de son frère. Henri était allé quérir la bassine dans laquelle on lavait la vaisselle. La jeune femme y déposa les fragments de peau et de vêtements qu'elle soulevait avec application.

— *Dies irae. Dies illa. Solvet seclum in favilla...* s'était mis à bourdonner le bonhomme Bélanger d'une voix d'outre-tombe.

— Taisez-vous donc! réclama Mathilde. Vous appelez la mort!

— Tu l'as trouvé où, mon garçon? demanda la mère à Tilliam pour faire diversion.

Ce dernier se rengorgea.

— Ça fait pas mal d'années que je le regarde aller dans le bois, commença-t-il. J'ai toujours su à peu près où il avait l'habitude de varnousser. Encore une fois, j'ai pas eu trop de misère à suivre sa trail. Il rôde à peu près toujours dans mes pistes à moi. Pour dire la vérité, votre garçon était une espèce de braconnier. Mais là, quand je l'ai aperçu, allongé au pied d'un arbre, il avait plutôt l'air déguisé en mardigras. J'ai eu le souffle coupé en m'apercevant qu'il respirait encore.

— Comment l'avez-vous ramené? s'enquit Henri.

— Comme on fait dans le bois. Je me suis fabriqué un brancard avec des branches. Je l'ai mis là-dessus puis j'ai commencé à traîner ça derrière moi en redescendant par ici. En chemin, je suis passé à côté d'un téléphone accroché à un arbre. Après le feu, il n'y en avait plus un seul qui fonctionnait. Mais par la grâce du bon Dieu, celui-là avait été raccommodé. J'ai appelé au camp. Ils m'ont envoyé un camion. Le gars qui conduisait m'a aidé à déposer votre garçon dans la boîte puis il est reparti à pied. Il avait l'air de pas être trop pressé d'aller reprendre son ouvrage. Moi, je m'en suis venu ici en roulant pas trop vite non plus pour pas achever votre bonhomme dans les cahots. Je suis content parce que vous allez avoir la chance de lui faire vos adieux avant qu'il s'en aille.

— Taisez-vous donc! grommela Henri.

— Faudrait l'emmener à l'hôpital, suggéra la mère.

— Ce serait la meilleure façon de l'achever, décréta Mathilde. Dans l'état où il est, il ne nous reste plus grand-chose d'autre à faire que de nous agenouiller autour de lui et de prier pour qu'il parte au plus vite vers le paradis.

Le silence qui suivit ce terrible constat ne pouvait pas durer. Mathilde poursuivit donc:

— C'était pas un mauvais gars, mon frère Osias. Plus sauvage qu'un Indien, ça c'est certain, mais pas capable de méchanceté. Et là, nous autres, on ne peut plus grand-chose pour lui, à part de se mettre à genoux pour demander au bon Dieu qu'Il l'accueille le plus vite possible dans son ciel.

Ils s'agenouillèrent donc autour de la table. Seul Henri demeura debout. Devant le front plissé que lui opposait la mère de Mathilde, il réagit en désignant d'un geste de la main son pied blessé dont la guérison devait pourtant être bien avancée.

*

Henri Ramier s'éveilla dans une chambre sombre et fraîche. La brise gonflait le store, soulevant la tenture. Une commode de marqueterie, des lampes aux abat-jour de soie verte, un couvre-lit assorti et du papier peint fleuri. Dans l'angle de la pièce, la porte entrouverte d'un cabinet de toilette. Le luxe.

Henri se leva. Ses pieds nus effleuraient le tapis orné d'arabesques. Ses vêtements reposaient sur un fauteuil rembourré. On les avait lavés et repassés.

Il marcha vers la fenêtre, écarta la tenture et leva le store. La pièce où il se trouvait donnait sur une cour où s'ébattaient deux enfants de neuf ou dix ans, un garçon et une fille. Une dame âgée reprisait dans un fauteuil d'osier à l'ombre d'un marronnier. Les cris aigus des petits donnaient du relief au jour.

Henri se pencha au-dessus du radiateur. La vue des enfants des autres l'emmenait à s'ennuyer de ceux qu'il n'avait pas eus. Il parcourut la chambre en caleçon, frêle sur ses courtes jambes. Un miroir lui renvoya l'image d'un homme déjà marqué par le temps, les cheveux ras et le poil de la poitrine grisonnant.

Il se ficha la pipe entre les dents, sans la bourrer. Mordilla le tuyau familier. Revint s'asseoir au pied du lit.

Il connaissait une femme qui pouvait lui faire passer la sensation de vague à l'âme qui l'emplissait. L'haleine de cette personne baignerait son visage, ses mains laveraient ses pensées, son rire précipiterait le sang en cascades dans ses vaisseaux. Mais aussitôt s'élevèrent des cris, des sermons et des serments comme autant de barrières, l'interdit prononcé par ceux qui brandissaient la religion comme une arme. Pays maudit, ravagé d'épinettes et de rapides, tordu de feu, gluant de glaise! De cols montés et de corsets!

Henri retourna en imagination dans les prés harmonieux, les haies touffues, les rivières scintillantes et les tendres collines de son Gers natal. Certains matins, le vent venu des lointaines Pyrénées chantonnait à l'oreille de celui qui se levait tôt. Les soirs langoureux s'attardaient sur le pas des portes.

Il se vêtit et descendit. Un long escalier de bois foncé à deux paliers débouchait sur un vestibule qui coupait la maison par le milieu. Douceur des matinées d'été. Il sortit par-derrière pour aller renouer avec le jour.

À sa vue, les enfants suspendirent leur jeu. La femme leva les yeux vers lui sans interrompre le mouvement saccadé de ses doigts. Il approcha d'elle. C'était une vieille au langage rocailleux.

— Ils sont partis. Ils vont revenir tantôt. Moi, je suis juste la gardienne.

Henri promena son désœuvrement dans la cour parmi les parterres de fleurs et les épinettes bleues. Il déjeuna de fumée de pipe. Les enfants s'arrangeaient pour aller jouer plus loin quand il marchait dans leur direction. Félix Métivier parut vers les neuf heures. Il vint à la rencontre de son invité en plissant les yeux.

— On a cru que vous étiez mort! Ma femme est allée voir. Vous respiriez encore. Savez-vous que vous avez dormi au moins dix heures?

Ramier allait formuler des excuses, mais le patron ne lui en laissa pas le temps:

— J'arrive du Panier percé. En venant ici, je me suis arrêté à ma maison des Piles. Mais là, je suis content de vous accueillir dans ma véritable demeure, celle des Trois-Rivières. Pour tout dire, au Panier percé je mène mes hommes et mes chantiers, aux Piles j'administre mes affaires et ici, aux Trois-Rivières, je vis avec ma famille. Vous avez mangé, j'espère?

— Pas encore.

— Vous perdez rien pour attendre. Ma femme est partie faire les courses dans les petites rues de la ville. Elle ne devrait pas tarder. Ce soir, on a de la visite. Du monde des Trois-Rivières qui me veulent du bien sans lorgner comme tant d'autres du côté de mes profits. Mais je parle et je m'occupe pas de vous! Passez donc à la cuisine prendre une bouchée, en attendant mieux.

Il fit un geste de la main pour céder le passage à son invité. Au moment où Ramier pénétrait dans la douce pénombre de la maison, Métivier le prit par le bras pour lui glisser quelques mots à l'oreille.

— Comme de raison, personne n'est au courant par ici de vos escapades avec la fille au bonhomme Bélanger. Il ne serait pas opportun d'insister là-dessus, je pense. Si on aborde le sujet, vous direz que vous êtes allés dans le bois pour faire de la peinture. Comme si vous étiez en vacances.

*

En soirée, ils se retrouvèrent à six autour de la table de la salle à manger. Nappe blanche et bouteilles de vin. Métivier officiait. Il était le seul à ne pas boire, mais il ne se privait pas de remplir le verre de ses invités.

Mme Métivier faisait le service. Elle trottait sur ses talons aigus entre la salle à manger et la cuisine, des écuelles de carottes et de pommes de terre en purée dans les mains. Elle posa sur la table deux plats de service sur lesquels se voyaient six beaux dorés farcis à la mie de pain et nappés de lait chaud.

Ramier observait cette personne asservie à la volonté de son mari. Elle avait quelques années de moins que son époux, mais son chignon, ses lunettes et son tablier lui conféraient un air de sévérité digne d'une matrone.

Après le repas, Métivier et ses invités passèrent au salon. Cuirs et boiseries, café et liqueurs. Le vin leur avait délié la langue. Les cigares achevèrent de la leur aiguiser.

Il y avait là deux hommes d'âge moyen et un plus vieux. Les premiers faisaient office de notables. C'étaient un dentiste, Lucien Boisclair, et un notaire, Arthur Gélinas. Le plus âgé, Achille Desrosiers, parlait pour les deux autres. Il était vrai que sa profession de journaliste l'avait préparé à remplir cette fonction.

Métivier écoutait, la tête penchée, un sourire malicieux sous la moustache. Ramier suivait la conversation comme si elle l'eût concerné. Mme Métivier s'était réfugiée à la cuisine.

— Moi, j'ai pour mon dire, décréta le journaliste, on a les gouvernements qu'on mérite, ça fait qu'on ne vaut pas cher comme c'est là.

Ses longues mains maigres dessinaient ses pensées dans l'air, un cigare bien rond entre ses doigts. Il enrobait la chute de chacune de ses phrases d'un petit rire étouffé. Il enchaîna :

— Prenez la loi du Cadenas. Duplessis l'a fait adopter pour fermer la trappe à tous ceux qui ne voient pas la vie du même œil que lui. Eh bien je m'excuse, mais si je ne peux pas écrire tout ce que je veux dans le journal, il n'y a personne qui va m'empêcher de dire le fond de ma pensée dans le particulier.

— Minute là, objecta Métivier en laissant s'épanouir un bon rire franc, vous n'allez toujours bien pas me faire croire qu'on est en train de tenir une assemblée séditieuse ici dedans ! Personne n'est communiste ici, je pense ?

Les regards se tournèrent vers Ramier, l'étranger soudain soupçonné d'idées d'avant-garde. Celui-ci leur fit voir les paumes de ses mains pour montrer patte blanche.

— Il est correct, intervint le maître de la maison. J'ai pris mes précautions avant de vous l'emmener.

Ils s'esclaffèrent tous les trois. Ramier les imita pour ne pas les contredire.

— Ça se voit les yeux fermés, confirma Desrosiers, qu'il a du bon sens, cet homme.

Il se tourna vers le Français pour apporter une nuance à son propos :

— Je veux parler du Premier ministre Maurice Duplessis.

— Il est un peu le diable et le bon Dieu en même temps, intervint Gélinas. Je suis bien prêt à reconnaître que Taschereau avait fait son temps. Même nous autres, les vieux libéraux, on commençait à trouver qu'il avait perdu le contrôle sur ses troupes. On avait pourtant un maudit bon programme ! Mais lui, Duplessis, il est arrivé avec ses niaiseries : «Les libéraux ont pris les intérêts de la Province. Moi, je les prends pas, je les laisse à l'Assemblée !» Faut-il qu'il soit insignifiant pour espérer se faire élire avec des niaiseries de même !

Ramier commençait à comprendre que la conversation portait sur la personne du nouveau Premier ministre Maurice Duplessis. On le lui avait dépeint sous toutes les coutures, des charges les plus acharnées aux hommages empreints de dévotion quasi religieuse. Le Français en avait déduit que l'homme était à la fois malicieux et rusé.

— Vous avez vu ce qu'il a fait avec l'Action libérale nationale de Gouin! poursuivit Desrosiers. Il s'est fait élire avec leur appui puis il les a jetés dehors!

— Moi, ce qui me peine le plus, prononça le dentiste Boisclair, c'est qu'il y avait de bonnes choses dans le programme des Jeunes-Canada.

— Oui, il y avait du bon dans ce que disait l'abbé Groulx, prononça Desrosiers. «On va être obligé de faire notre deuil de la grande politique nationale qu'on avait rêvée.»

— Eh bien moi, je n'ai pas envie d'enterrer mes idées! déclara le dentiste en se levant pour poser son verre sur la table basse.

Il avait agi sous le coup de l'impulsion. Il se rassit.

— Comme pour les trusts de l'électricité, enchaîna Desrosiers. Duplessis a jeté le gouvernement Taschereau à la porte en disant qu'il s'était acoquiné avec les trusts puis, à peine élu, il fait la même chose. Moi, en tout cas, j'ai pour mon dire qu'on n'est pas près de voir ça, un grand conglomérat gouvernemental de l'électricité dans la province de Québec!

— Ce ne serait sûrement pas une bonne affaire, se permit de formuler Métivier. Que le gouvernement gouverne puis que les compagnies fassent de l'argent! Me semble qu'il n'y a pas de meilleure recette de succès pour tout le monde!

— Je dis pas, admit Desrosiers qui ne voulait pas venir en conflit avec leur hôte, mais il y a toujours de maudites limites! Ils rient de nous autres dans les journaux jusqu'en Angleterre! Ils disent qu'on a un gouvernement fasciste! Il y en a même qui comparent Duplessis à Mussolini!

— En tout cas, reconnut Métivier, ça va prendre un homme pas comme les autres pour arrêter Duplessis. Il est parti pour la gloire, le Maurice!

— Justement, lança Desrosiers, il va falloir qu'on commence à penser à trouver un candidat qui serait capable de le débarquer de son siège, ce clown-là.

— Il lui reste un an et demi à gouverner, peut-être un peu plus, fit observer Métivier.

— Pantoute! insista Desrosiers. Tout le monde le dit. Il veut aller en élections dès cet automne!

— Qu'est-ce que ça lui donnerait? s'enquit Métivier.

— Ça commence à se parler dans les journaux qu'il pourrait y avoir une guerre, prononça le journaliste. Comme de raison, nous autres, dans la province de Québec, on a toujours été contre la conscription. Rappelez-vous de l'émeute de Québec en 1918.

— Duplessis, intervint le dentiste, il veut un mandat fort parce qu'il pense que les fédéraux vont revenir sur leur promesse, puis qu'ils vont imposer la conscription en cas de guerre. Si ça continue à tirailler de même en Europe, ce sera pas long qu'Hitler va se jeter sur ses voisins. Quand la France et puis l'Angleterre commenceront à appeler au secours, qui c'est qui va aller les aider? Personne d'autre que le Canada! Il voit venir ça, Duplessis! S'il fait réélire son gouvernement en annonçant qu'il est contre la conscription, on n'est pas près de se débarrasser de lui! En tout cas, ça va nous prendre un vrai bon candidat pour lui tenir tête!

— Ça ne court pas les rues, marmonna Métivier.

— Il y en aurait un, finassa Desrosiers.

— Il a ce qu'il faut? s'enquit Métivier.

— Toutes les qualités, énonça Desrosiers. Honnête, franc, travailleur, respecté, peur de personne. Il a de l'argent à part ça. Un seul problème: je ne suis pas certain qu'il accepterait de se présenter.

— Lui en avez-vous parlé? demanda Métivier.

— C'est ce qu'on est en train de faire, lâcha le journaliste.

Un silence retentissant s'établit dans le salon. Les notables se regardaient entre eux, fiers comme des collégiens du stratagème qu'ils avaient ourdi et qui ne semblait pas trop mal fonctionner. Métivier écrasa le mégot de son cigare dans le cendrier et demeura impassible, comme s'il n'était pas certain d'avoir bien entendu. Il toussota tout de même dans son poing avant de répondre:

— C'est un pensez-y-bien! On ne s'embarque pas de même, sur un coup de tête!

Desrosiers était debout.

— Comme ça, c'est pas non?

Métivier se passait la main dans les cheveux.

— Vous savez qu'ils lui préparent un grand banquet, à notre Maurice national. Dans deux jours. Je ne sais pas trop pourquoi, ils m'ont demandé de faire un laïus. Peut-être parce que je ne me suis jamais mêlé de politique jusqu'ici.

— Attaboy! s'exclama Desrosiers.

Les deux autres étaient tournés vers leur hôte.

— On va lui fourrer une maudite volée, à leur Maurice! s'écria le dentiste Boisclair qui contenait à grand-peine son enthousiasme. Dans quatre ans, personne ne se rappellera même plus le nom de Duplessis!

Le Français n'avait pas détaché son regard de son hôte.

— Peut-être qu'un jour, quand je serai rentré dans mon pays, je pourrai annoncer que j'ai logé chez le futur Premier ministre de la province de Québec!

✦

Ce soir-là, avant de remonter à sa chambre, Henri eut un entretien en tête à tête avec son hôte, sur le palier de l'escalier.

— Vous y songez sérieusement? s'enquit le peintre.

— Je vais vous répondre franchement, répondit Métivier. Il y a quelque chose qui me dit que je ne devrais pas, mais en même temps, il me semble que j'ai pas le choix.

— Toujours votre sens du devoir…

— J'ai été élevé de cette façon, reconnut Métivier.

— Et vous hésitez?

— Plus que vous ne le croyez.

Ils restèrent un moment sans rien dire. L'horloge du vestibule tricotait le temps.

— Moi aussi, j'ai quelque chose à vous annoncer, reprit Ramier. J'ai l'intention de rentrer en France sous peu. S'il doit y avoir une guerre, je sais bien que je n'ai plus l'âge de m'y impliquer, mais je pourrais toujours faire quelque chose pour venir en aide à ma patrie.

Métivier lui mit la main sur l'avant-bras pour l'arrêter.

— Ménagez vos forces. Dans deux jours, j'ai l'intention de vous demander de dire deux mots au banquet de Duplessis. Dans le contexte d'une guerre de plus en plus probable, qu'un Français en visite chez nous décide de retourner chez lui pour aller accomplir son devoir de patriote, ça devrait faire une grosse impression.

*

À bord de la Packard de Félix Métivier, Henri Ramier prenait part au grand défilé en l'honneur du Premier ministre Duplessis dans les rues des Trois-Rivières. Une Fête-Dieu plus solennelle encore que la cérémonie religieuse. Les rues pavoisées comme à la Noël ou à la Saint-Jean. Des arches de verdure et des banderoles. Des affiches à l'effigie du Premier ministre. Une mer de monde pour saluer le sauveur de la race canadienne-française. Le cortège de voitures s'étirait sur trois milles de distance, près de cinq kilomètres selon les journalistes. En proportion, quelques semaines plus tôt, la visite du roi n'avait pas connu autant d'éclat.

La foule débordait le service de sécurité. Des dizaines de mains se tendaient pour toucher la voiture du Premier ministre. Les plus déterminés parvenaient à serrer la pince à leur idole. Des mères élevaient leur enfant à bout de bras comme pour une bénédiction. Duplessis posait la main sur la tête des petits qui se trouvaient à sa portée.

Des fanfares éclataient aux intersections. Dès que le vacarme des cuivres s'était estompé, on entendait de vigoureux «hourra pour Maurice!» qui se répercutaient dans les rangs. Depuis quelque temps, ce cri de ralliement avait même gagné les églises où les plus ardents partisans de Duplessis remplaçaient les *Ora pro nobis* par des «hourra pour Maurice» lancés avec ferveur.

Une pagaille mémorable marqua l'arrivée en vue du Séminaire. Seuls les invités d'honneur disposaient d'un carton sur lequel était inscrit le mot «OFFICIEL», placé dans leur pare-brise et qui les autorisait à pénétrer dans la cour. Bien entendu, Félix Métivier était du nombre de ces privilégiés. Les autres en furent réduits à garer leur voiture comme ils le purent en bordure des rues avoisinantes.

Huit cents convives, dûment identifiés et numérotés, avaient retenu leur place. Des enfilades de tables, des bancs sommaires faits de madriers, la vaisselle et les couverts des pensionnaires du Séminaire réquisitionnés. De place en place, des bouquets de fleurs et, sur chacune des tables, un carton présentant le visage satisfait de Duplessis.

Les invités d'honneur, parmi lesquels on comptait les orateurs, mangeraient sur une estrade au-dessus de laquelle flottait une banderole. On y lisait les trois mots «RELIGION – FAMILLE – AGRICULTURE» imprimés en bleu et soulignés de traits horizontaux destinés à graver ces principes fondamentaux dans l'esprit des Canadiens-français. Ramier s'y retrouva entre un chanoine et un gros homme à bedaine. Plus loin, Métivier conversait avec ses voisins. Duplessis trônait au centre de cette table d'honneur, son complet bleu à double rangée de boutons rigoureusement fermé, le cheveu bien lissé et la moustache fine, une cigarette entre les doigts d'une main, un verre de whisky dans l'autre.

Au moment où l'on allait commencer le service, le Premier ministre se leva pour convier l'évêque des Trois-Rivières à réciter en latin le *Benedicite*. Sitôt que le prélat eut procédé à ce moment de recueillement qui n'en fut pas vraiment un, Duplessis mit un genou à terre et baisa l'anneau épiscopal. En même temps, il le gratifia d'une formule à sa façon, après s'être assuré qu'un microphone captait ses propos pour les amplifier dans la cour.

— Éminence, je reconnais dans cet anneau le symbole de l'union de l'autorité religieuse et du pouvoir civil.

Le banquet pouvait débuter.

*

Henri Ramier mastiquait ses morceaux de poulet plus longtemps que nécessaire. Même en présence de Picasso, il n'avait pas été aussi intimidé. Il s'entendit nommer par le présentateur. Il se leva, plus petit que jamais, marcha vers le microphone qu'il lui fallut ajuster à sa taille, et plongea tête baissée dans la mer d'yeux qui le dévoraient.

— Monsieur le Premier ministre, chers cousins canadiens-français…

Fautif dès le départ ! Il n'avait pas signalé la présence de l'évêque.

— Je ne représente ici rien d'autre que mon humble personne et la maladresse des propos dont j'entends vous gratifier ne saurait être imputée qu'à mon inexpérience. Je fréquente peu les cérémonies officielles, je le reconnais, et je ne sais m'exprimer qu'avec mes pinceaux.

Il chercha dans la foule un regard complice, trouva celui d'une dame âgée dans les premiers rangs et s'y attacha.

— En effet, je consacre ma vie à la peinture et, à ce titre, j'ouvre les yeux plus grands qu'un autre. Depuis déjà deux mois, je parcours votre coin de pays et un sentiment grandit en moi, celui de me retrouver dans la France du dix-neuvième siècle. Je ne dis pas cela pour signifier que votre évolution puisse être attardée d'aucune façon. J'y vois plutôt le signe d'une continuité entre ce que nous étions, Français d'un autre âge et Canadiens d'un nouveau continent, fiers d'avoir bâti ensemble cette région. Continuez de porter bien haut le flambeau de vos origines ! La France prolonge en vous son espérance ! Mais de grâce, et vous me permettrez cette remarque amicale, laissez leur langue et leurs coutumes aux Anglais. Trop souvent hélas, au cours de mes pérégrinations dans votre chère Mauricie, je me suis retrouvé dans la situation de ne rien comprendre aux propos de mes interlocuteurs. Ils parlaient un français mâtiné d'anglais que seuls des initiés pouvaient déchiffrer.

Il se tourna vers Duplessis, qui fronçait les sourcils.

— Vous célébrez ce soir les mérites d'un Premier ministre qui incarne les vertus de fidélité et de continuité. La France, dont je ne suis en aucune façon le représentant, mais bien de tout cœur le fier sujet, n'en attend pas moins de vous.

Il regagna sa place. La moitié des convives l'applaudirent, les autres échangèrent avec leurs voisins de table des observations sur la pertinence des propos de ce Français qui venait de leur faire la leçon en parlant trop bien.

Ramier ignora les envolées des orateurs qui se succédèrent à la tribune jusqu'à ce que Félix Métivier se lève à son tour. Des applaudissements nourris marquèrent son apparition devant le microphone. On saluait sa prestance. Inspiré par la hardiesse du Français, l'entrepreneur forestier prit la cognée à pleines mains.

— Vous me connaissez, je n'ai pas l'habitude d'y aller par quatre chemins. L'homme qu'on honore aujourd'hui, le Premier ministre de la province de Québec, s'est fait connaître lui aussi pour son franc-parler, du moins c'est ce qu'il a pratiqué jusqu'ici. C'était dans le temps de la crise, vous vous en souvenez? Le secours direct, pas besoin d'en dire davantage, plusieurs d'entre vous y ont laissé des plumes. Dans ce temps-là, Maurice Duplessis dénonçait ce qui nous avait menés à la crise, l'imprévoyance du gouvernement, l'industrialisation à outrance, l'exploitation de nos ressources en faveur des étrangers. Lui, il proposait des solutions au nom du Parti conservateur. C'était avant la création de l'Union nationale, vous vous en souvenez, la politique agricole, la colonisation, le retour à la terre. Je n'ai pas toujours été d'accord avec ça, je ne le suis pas encore entièrement, parce que je ne crois pas que c'est en envoyant les ouvriers des villes défricher des terres de roches qu'on va sortir de notre misère. C'est en relevant la tête puis en regardant l'avenir en face plutôt que le bout de nos souliers!

Il s'interrompit pour replacer ses lunettes.

— Aujourd'hui, M. Duplessis est au pouvoir et il y a une autre crise qui gronde à l'horizon. Je ne sais pas comment elle va se terminer, mais j'ai bien peur que le feu prenne en Europe comme quand un forestier négligent éteint mal son feu de camp. Et ce ne sont pas les accords de Munich qui me rassurent non plus, parce que quand je vois la France puis l'Angleterre, avec l'Italie comme de raison, laisser leur voisin les lorgner avec dans le regard l'envie de les dévorer tout crus, je me dis qu'on n'est pas au bout de nos peines. Et ne venez pas me dire que ce qui se prépare en Europe ne vous concerne pas de ce côté-ci de l'Atlantique! Quand le feu prend dans la forêt, c'est tout le monde qui doit se mettre ensemble pour l'éteindre!

Comme ses prédécesseurs, il se tourna vers le Premier ministre. Duplessis gardait une attitude imperturbable. Il devait préparer sa réplique. Métivier le connaissait assez pour le savoir. Il sauta vite aux conclusions:

— De grâce, monsieur le Premier ministre, si la guerre éclate, ce que je ne souhaite pas, rappelez-vous que les Canadiens-français ont trimé assez dur pour avoir le droit de vivre en paix chez eux. Ils ont bien mérité d'avoir un gouvernement qui prend la défense de ce que leurs ancêtres ont bâti avant eux, plutôt que de profiter des circonstances pour assurer sa prochaine réélection.

*

Métivier avait vu juste. Après avoir salué tout ce qui portait un titre dans l'assemblée, depuis l'évêque jusqu'aux marguilliers, en passant par les maires et leurs conseillers, Duplessis s'en prit au gouvernement fédéral.

— Depuis plusieurs années, une campagne a été conduite en vue d'amoindrir et même d'anéantir l'autonomie provinciale. Invoquant le prétexte de la guerre qui pourrait éclater, le gouvernement fédéral intensifie sa campagne d'assimilation et de centralisation. La loyauté du Québec ne peut pas être mise en doute, car l'histoire l'enregistre dans des termes élogieux et justes, mais Québec considère que le premier élément d'une saine loyauté, c'est d'abord d'être loyal envers soi-même.

Duplessis laissa monter la vague d'applaudissements et de rugissements qui accueillit ces paroles, puis il haussa le ton pour chauffer à blanc un auditoire déjà embrasé.

— Le pacte confédératif nous a assuré certains privilèges, mais depuis quelque temps le pouvoir central essaie de pratiquer l'assimilation, la fusion et la confusion. Je dis que jamais, au grand jamais, tant que je serai Premier ministre de cette province et que les électeurs me renouvelleront leur confiance, je ne laisserai assimiler la province de Québec. La coopération, toujours! L'assimilation, jamais!

Encore une fois, Maurice Duplessis venait de se faire un manteau de gloire avec la laine recueillie sur le dos de ses adversaires autant que de ses admirateurs. La nuit retentit longtemps des « l'assimilation jamais! » répétés en écho par les supporteurs enfiévrés d'un Premier ministre davantage doué pour les formules percutantes que pour les grandes visées.

L'abbé Tessier avait pris part au banquet. Il voyait en Duplessis le puissant protecteur du patrimoine dont il entendait faire connaître les trésors. La cérémonie terminée, pendant que le Premier ministre quittait la cour du Séminaire avec les autorités ecclésiastiques et municipales, l'abbé fonça vers la tribune. Il aborda Ramier. Celui-ci accordait une entrevue au journaliste du *Nouvelliste* avec lequel il avait pris un repas, quelques jours plus tôt, chez Félix Métivier. L'abbé Tessier les interrompit sans gêne :

— Tu n'oublieras pas d'écrire que M. Ramier est un des plus grands peintres français contemporains! enjoignit-il au reporter.

— Dites plutôt, rectifia Ramier, que je suis un grand admirateur de votre Mauricie.

Dès qu'ils furent seuls, Tessier saisit Ramier aux avant-bras comme il l'avait fait deux mois plus tôt, à l'issue de la conférence que le peintre avait donnée devant les membres de la société historique du Flambeau.

— Batêche! J'aime ça comment vous parlez! Vous leur avez brassé le Canayen en pas pour rire! Il en faudrait plus, des gens comme vous dans ce pays!

— Malheureusement, déplora Ramier, je pars dans quelques jours.

— Où c'est que vous allez?

— En France.

— Je veux dire ce soir.

— Je demeure aux Trois-Rivières. M. Métivier m'accueille chez lui.

— Pas question, objecta l'abbé. Je vous emmène au Séminaire. D'où c'est qu'il part, votre bateau pour la France?

— Je présume que c'est dans le port de la ville de Québec. Du moins, c'est là que je suis débarqué.

— J'aurais dû y penser. En tout cas, quand le temps sera venu, j'irai vous mener à votre bateau, moi. Comme ça, je profiterai de vous jusqu'à la dernière minute.

Pour leur part, les trois conspirateurs libéraux s'étaient avancés jusqu'à la tribune afin de maintenir Félix Métivier dans l'état d'euphorie dans lequel il se trouvait la veille. Celui-ci conversait avec quelques fervents supporters. Le journaliste Desrosiers se tenait un peu à l'écart. Il fit un petit signe de la main à Métivier et l'entrepreneur forestier tira parti de ce prétexte pour se libérer de ceux qui l'entouraient.

— Après ce que je viens d'entendre, s'exclama Desrosiers, pas besoin de vous demander si vous avez pris votre décision!

— Tu as tout compris, mon Achille! Je suis votre homme! Mais j'aimerais autant que ça ne se sache pas trop vite. Donnez-moi encore quelques jours pour préparer le terrain.

— On peut en parler aux organisateurs?

— Comme de raison. Je veux seulement que ça ne sorte pas trop vite dans le journal.

Le journaliste du *Nouvelliste* approchait justement avec Ramier et l'abbé Tessier. Il aborda Métivier.

— Je ne savais pas que vous étiez un admirateur de Duplessis.

— Il est toujours le Premier ministre de la province, à ce que je sache !

Le journaliste accusa le coup et se tourna vers les trois libéraux notoires qui l'entouraient. Il interpella plus directement son confrère Desrosiers.

— Vous autres, en tout cas, on ne peut pas dire que vous êtes des ardents partisans de l'Union nationale !

— On est venus entendre le Premier ministre comme tout le monde, plaida le notaire Gélinas.

Le journaliste referma son calepin.

— Entre nous autres puis la boîte à bois, déclara-t-il d'un ton de conspirateur, vous n'êtes pas près de trouver le candidat qui va faire mordre la poussière à Duplessis !

À la demande du Français, le patron avait commandé à l'un de ses acolytes d'aller quérir ses bagages chez lui. La foule commençait à se dissiper dans la cour. Des milliers d'insectes auréolaient les ampoules des réverbères. Ramier se redressa et regarda Félix Métivier dans les yeux.

— Je ne sais trop comment vous remercier, commença-t-il.

— J'ai fait ce qu'il fallait, protesta le patron.

— De toute ma vie, je n'oublierai jamais mon séjour dans votre Mauricie.

— Vous n'allez pas commencer à faire vos adieux tout de suite ! s'insurgea Métivier. Profitez un peu du temps qu'il vous reste.

Et il ajouta, après quelques instants de silence :

— En tout cas, vous pourrez leur dire, aux Français, qu'on est du monde bien *d'adon* !

Ces adieux prématurés les embarrassaient tous les deux. Ils se serrèrent la main comme le font les hommes mal à l'aise à l'heure des formalités, et ils s'éloignèrent chacun de son côté, sans se retourner.

*

L'abbé Tessier et son invité avançaient côte à côte dans le corridor où s'alignaient les chambres des prêtres qui constituaient le personnel enseignant et administratif du Séminaire des Trois-Rivières. Des portraits de personnages ayant contribué au rayonnement de l'institution ornaient les murs du couloir, barbes hirsutes et coiffures excentriques. Le faible éclairage provenant des quelques luminaires disséminés de loin en loin conférait à l'endroit un caractère de solennité d'un autre temps.

— Je suis heureux de revenir ici, chez vous, déclara le Français à voix basse.

— Je n'habite au Séminaire que lors de mes passages à Trois-Rivières, précisa l'abbé. Pendant plusieurs années, j'ai été le directeur des études ici. J'enseigne maintenant à l'Université Laval de Québec. J'ai le privilège d'y remplacer le grand Thomas Chapais à la chaire d'histoire du Canada. Mais comme vous avez déjà pu le constater, j'ai tout de même conservé un pied-à-terre ici, dans cette vieille institution toujours chère à mon cœur et qui demeure à jamais mon *alma mater*.

Le prêtre s'arrêta devant une porte que rien ne distinguait des autres. Il désigna le corridor d'un signe de tête.

— Le Séminaire, c'est vraiment ma mère.

Il poussa la porte et alluma l'éclairage. Cette fois, l'endroit sentait le renfermé. L'ecclésiastique alla ouvrir la fenêtre pour aérer les lieux.

— J'aimerais profiter de l'occasion pour échanger quelques mots avec vous, annonça l'abbé Tessier. Nous n'avons pas vraiment eu souvent l'occasion de nous retrouver en tête à tête depuis que nous avons fait connaissance.

Et il alla d'instinct s'installer derrière le bureau qui faisait face à l'entrée. Henri Ramier en fut quitte pour occuper le siège du visiteur. Le prêtre s'alluma un cigare. Le Français bourra la pipe en piteux état que le bonhomme Bélanger lui avait offerte. Le nuage de fumée qui monta aussitôt au-dessus de leurs têtes plaça la conversation sous des augures fraternels.

— Je n'ai pas encore eu la chance de vous dire à quel point j'apprécie votre compagnie, commença le prêtre en posant ses mains nouées sur le bureau. Ce n'est pas tous les jours que nous avons le privilège, dans ce pays, d'accueillir des visiteurs d'une aussi grande distinction que la vôtre.

Sous le coup du compliment, Ramier leva les yeux vers le plafond.

— Vous aurez compris que je vous apprécie grande-ment, s'empressa d'ajouter le prêtre. Aussi, je n'irai pas par quatre chemins. La conduite que vous avez eue à l'endroit de la fille du père Bélanger m'a profondément blessé. J'ai pu constater pendant mon séjour d'études en France que vos compatriotes se font une gloire de partir à la première occa-sion à la conquête de l'espèce féminine. C'est un petit jeu auquel j'ai, hélas, assisté à de trop nombreuses reprises. Il faut que vous sachiez que nous n'avons pas l'habitude de nous comporter de cette façon dans ce pays.

Le Français serrait les dents sur le tuyau de sa pipe tout en agrippant des deux mains les bras de son fauteuil. Le prêtre ne lui laissa pas le temps d'insérer un mot dans ce qui n'était pas encore une conversation.

— Vous avez donc l'intention de rentrer bientôt dans votre pays. Je comprends très bien pourquoi. Les rumeurs de guerre se font entendre jusqu'ici. Mais vous ne pourrez pas nous quitter sans avoir au préalable réglé cette affaire qui a terni votre séjour ici.

Ramier se redressa sur son fauteuil.

— On ne refait pas le passé, enchaîna l'abbé, mais on peut à tout le moins en atténuer les conséquences. Vous allez devoir vous excuser de votre comportement auprès des parents de la jeune femme que vous avez séduite et vous en expliquer avec la personne concernée.

— Il faut que vous le sachiez, intervint le Français, je n'ai pas l'habitude de laisser qui que ce soit me dicter ma conduite, surtout dans le domaine de mes amitiés.

— Faute avouée est à moitié pardonnée, enchaîna le prêtre. Dans notre pays, les affaires se règlent au vu et au su de tout le monde.

— Dans le mien, rétorqua Ramier, la liberté de chaque individu passe bien avant l'opinion des autres.

— Vous n'êtes pas en France, ici ! Au Canada français, la morale entre en ligne de compte bien avant le libre arbitre des personnes. Vous savez, ici, la religion a conservé sa préséance sur la liberté individuelle.

Henri poussa un profond soupir en se dressant sur ses jambes. Le temps achevait de réparer l'entorse que sa cheville avait subie.

— Je respecte vos convictions, prononça-t-il. En échange, je vous demande de considérer les miennes. Ce n'est pas parce que je ne vais pas à la messe tous les dimanches que je vis comme un primitif. Je n'avais pas besoin de vos semonces pour savoir que je devais m'expliquer avec la personne concernée. Ce qui est d'ailleurs déjà fait. Mais je ne peux accepter que vous affirmiez que c'est moi qui ai séduit cette jeune fille, alors qu'elle est elle-même à l'origine des événements. Ne tirez donc pas de conclusions trop hâtives avant de connaître ce qui s'est réellement passé. Et rassurez-vous, je ne quitterai pas votre pays comme un sauvage, comme le veut une autre de vos expressions si pittoresques.

L'abbé Tessier avait rejoint son interlocuteur devant le bureau. Les deux hommes se regardaient droit dans les yeux. Un souffle de sympathie se rétablit pourtant entre eux.

— Je vous garde en haut de la liste des bénéficiaires de mes prières, prononça l'abbé.

— Et moi, je vous conserve toute mon amitié, renchérit Henri.

*

Un orage éclata vers minuit. Les coups de tonnerre faisaient vibrer les vitres. Sous les assauts du vent, la pluie claquait sur les toits des Trois-Rivières. Les pneus des voitures chuintaient sur l'asphalte mouillé. Les derniers adeptes de l'Union nationale qui s'attardaient encore sur les trottoirs de la ville courbèrent le dos pour courir en direction d'un abri.

En Moyenne-Mauricie, les villages faisaient le dos rond sur leurs collines. Les éclairs zébraient la campagne. Sous leur intense lumière, on voyait les champs nets comme des tapis après la première coupe de foin, les bêtes surprises dans leur hébétude sous le couvert des arbres, les pales des moulins à vent immobilisées, structures de métal dressées aux abords des étables pour remonter l'eau des puits qui servait à abreuver le bétail.

Dans la demeure de la famille Bélanger, à la lueur de la lampe à huile, Mathilde et sa mère se penchaient sur le corps torturé d'Osias. Elles venaient de changer ses draps de lit comme elles le faisaient plusieurs fois par jour. Ce n'était pas une mince tâche. Il fallait soulever Osias. Chaque mouvement avivait ses souffrances. Il résistait. Pour l'apaiser, sa mère lui parlait comme à un enfant.

— Ce sera pas long, tu vas voir, tu vas être beaucoup mieux après. On va te mettre de beaux draps propres, puis tu vas te reposer comme un ange.

Mais la sollicitude de la mère et de la sœur ne parvenait pas à chasser l'odeur de putréfaction qui se dégageait des plaies d'Osias. Le malheureux pourrissait vivant. Le docteur lui avait pourtant administré des injections qu'il venait renouveler dès qu'il le pouvait.

— On ne peut pas grand-chose pour lui, avait-il déclaré. Même à l'hôpital, ils ne le soigneraient pas mieux que vous le faites. Il est entre les mains du bon Dieu.

Mathilde et sa mère se cachaient la vérité. À des degrés divers, elles ne voulaient pas reconnaître qu'Osias se consumait sous leurs yeux. Une seule certitude : il souffrait comme un damné. La mère entraîna sa fille vers le comptoir de la cuisine. Elle lui servit un bol de lait qu'elle avait mis à tiédir sur un rond du poêle.

— Bois, ça va te faire du bien. Toi aussi, tu as besoin qu'on prenne soin de toi.

Elles jetèrent toutes deux un coup d'œil à la dérobée du côté de la table sur laquelle le fils achevait ses jours. Le patriarche s'était une fois de plus agenouillé. Il s'efforçait de guérir les plaies de son fils avec le baume des prières. À l'écart, la mère mit la main sur celle de sa fille et la tint enfermée comme une petite bête.

— Je ne veux pas que tu te mettes sur le dos ce qui est arrivé à ton frère. Osias, tu le sais aussi bien que moi, il passait son temps, de nuit comme de jour, à courir dans les bois. Cet enfant-là, il est né avec un cœur de bête sauvage. Il a été cerné par le feu. C'est un accident. Une épreuve que le bon Dieu nous envoie pour mettre notre foi à l'épreuve. Puis, à part ça, si tu veux te faire des reproches, demande plutôt pardon pour les péchés que tu as commis avec cet homme.

Mathilde se rebiffa.

— Je n'arrive pas à me faire à l'idée que ça peut être un péché d'aimer l'un de ses semblables !

— Ton plus grand péché, ma fille, c'est de ne pas reconnaître celui que tu as commis.

— Il faudrait peut-être que je m'accuse aussi d'être venue au monde avec le désir dans mon ventre ? Tu veux que je renie la vie parce qu'elle est plus forte que chacun de nous ? Faudrait peut-être étêter aussi tous les arbres de la forêt pour qu'ils aient la même hauteur ! Empêcher l'eau de couler ! Tu sais, elle déborde parfois au printemps. Je ne sais pas qui la confesse, l'eau, quand elle sort de son lit ! Est-ce qu'elle se sent coupable ?

Elle avait parlé à voix basse, mais avec fermeté. Elle dégagea sa main. Sa mère se pinça les lèvres.

— Qu'est-ce que tu penses qui va arriver à présent? s'enquit cette dernière.

— J'attends que l'homme que j'aime trouve le temps de repasser par ici, répondit Mathilde. Pour la suite, on verra.

*

À la même heure, l'orage avait éveillé Henri. Il se leva et fit trois pas dans sa petite chambre du Séminaire des Trois-Rivières. Le parquet craquait. Un évêque austère à la face émaciée l'observait derrière la vitre de son cadre, au mur. Le Français s'approcha de la fenêtre. Il regarda le vent balayer la pluie sur la rue Saint-François-Xavier, les grands ormes tourmentés et les demeures bourgeoises dont l'une était dotée d'une tour d'angle où se voyait la lueur d'une lampe à une fenêtre du rez-de-chaussée. Humble signal sous la tempête.

Henri enfila ses pantoufles et sa robe de chambre pour aller frapper à la porte de l'abbé Tessier. En raison du gros temps, celui-ci ne dormait pas lui non plus. Il accueillit son visiteur avec une joie non dissimulée.

— Vous ne pouvez pas dormir vous nous plus? Venez donc vous asseoir, on va continuer de jaser.

Henri s'installa sur le fauteuil qui faisait face au bureau. L'abbé était resté debout. Il était en pyjama lui aussi, ce qui ne l'empêcha pas de prendre un cigare dans la poche de sa soutane suspendue sur un cintre passé dans un crochet au mur. Il l'alluma avec une évidente satisfaction.

— Batêche que c'est bon! Un vrai péché! Comme ça, vous êtes réconcilié avec moi, puisque vous êtes venu me trouver en pleine nuit!

Henri ne parlait toujours pas. L'abbé n'y prêta d'abord pas attention. Il répondit à une observation qui n'avait pas été formulée.

— Moi aussi je trouve ça beau, la tempête. On dirait que le bon Dieu brasse le ciel et la terre ensemble comme un enfant qui s'amuse avec ses jouets.

Puis, après une pause pour tirer une bouffée, il ajouta :

— J'ai vu le Rhône, vous savez. Seulement, tout est plus petit là-bas, chez vous. Comme une miniature de la grande œuvre. Vous ne trouvez pas ?

Henri secoua la tête. Le Rhône lui importait peu. L'abbé s'enflammait.

— C'est là que j'ai trouvé ma vocation ! En lisant Mistral, puis tout le Félibrige. Je me suis dit : «Faut que tu fasses la même chose pour ton petit coin de pays ! Il n'y a personne par ici pour chanter le Saint-Maurice ! Le bon Dieu t'a donné des yeux et un cœur ! Chante ! » Les films que je fais sur la Mauricie, vous pouvez être certain que ce n'est pas pour ma propre gloire ! Je prends ça comme un devoir que m'imposerait le bon Dieu, de célébrer nos beautés !

Henri fronça les sourcils. Malgré toute l'affection qu'il vouait à l'abbé, ses évocations de la vieille France ainsi que ses formules à la gloire de son petit coin de pays ne le satisfaisaient pas. Il fit la moue. L'abbé s'en aperçut.

— Il y a encore quelque chose qui ne va pas ?

De la tête, Henri fit signe que oui.

— Vous voulez m'en parler ? insista l'abbé.

— C'est Mathilde, prononça Henri.

— Vous voulez vous confesser ? s'enquit le prêtre.

— Je vous l'ai déjà dit, répliqua Henri, je n'ai pas l'habitude de régler mes problèmes de cette façon. D'un autre côté, ça ne vous ennuie pas que je vous parle à cœur ouvert ?

L'abbé tapa des deux mains ouvertes sur sa poitrine. La cendre de son cigare tomba sur la veste de son pyjama.

— Vous voyez dans quelle tenue je suis ! Si je me permets de vous recevoir dans une pareille intimité, vous pouvez être en confiance avec moi. Puis, en même temps, je vous rappelle qu'en dessous du vêtement de nuit il y a un cœur. Inquiétez-vous donc pas. Ça ne peut pas être dangereux, un cœur de prêtre.

Il alla dans la chambre adjacente chercher une chaise droite qu'il vint placer devant le fauteuil d'Henri. Il s'y installa. Leurs genoux se touchaient presque. Dehors, l'orage avait encore accru sa démesure.

— Donc, Mathilde Bélanger... commença l'abbé pour mettre l'autre en train.

— Je l'aime.

— En soi, ça ne peut pas être un péché. Tout dépend des circonstances.

— Je veux l'épouser.

— Là, ça pourrait être un peu plus compliqué.

— Je sais. J'ai deux fois son âge.

L'abbé se releva. Il n'avait pas tenu une minute sur sa chaise. Il fit quelques petits pas dans l'espace étroit entre le bureau et les sièges.

— Pensez-vous que le Christ s'est demandé quel âge avait Marie-Madeleine, s'enquit Henri, avant de lui pardonner ses péchés?

Le prêtre haussa les épaules pour signaler que la référence ne l'éclairait pas.

— Et puis, je suis français! ajouta Henri.

— Mathilde aussi, vous savez! D'une certaine manière, en tout cas. Ses ancêtres venaient du même pays que vous!

Henri se tint coi quelques instants avant de lâcher la question qui n'en finissait pas de lui gonfler le cœur:

— Donc vous ne voyez rien de mal à ce que Mathilde et moi...

— Vous êtes veuf, elle n'est pas mariée, en principe il n'y a rien qui s'oppose à une union. Si vous étiez un catholique pratiquant, je vous suggérerais de vous confesser pour vous faire pardonner d'avoir été un peu vite en affaires. À part ça, je ne vois pas d'objection fondamentale.

— Ses parents ne seront sûrement pas du même avis.

— Ça, c'est une autre paire de manches, reconnut l'abbé.

— J'ai l'intention d'aller les rencontrer.

— Me permettriez-vous d'y aller avec vous? demanda l'abbé.

— On ne sera pas trop de deux pour enlever l'affaire, répondit le Français. Je m'arrange avec le père, vous vous occuperez de la mère.

*

Le lendemain, en fin de matinée, Henri mit une fois de plus le pied sur l'île à Bélanger. Après l'orage de la veille, le soleil séchait la nature. La demeure, avec ses volets et ses lisérés rouges, chantonnait dans le paysage. L'abbé Tessier fit un signe de croix avant de pousser la porte.

— Dieu est avec nous! prononça-t-il.

L'un des chiens jaunes les accueillit comme de vieilles connaissances. En les apercevant, Mathilde porta contre sa poitrine le bol qu'elle tenait. Sa mère était une fois de plus penchée sur Osias. Elle se redressa en posant les mains sur ses reins. Le bonhomme Bélanger, en chapeau et en bottes, courbait les épaules, toujours dans un coin de la cuisine. Tout à la fois l'image du bonheur et celle de la plus vive inquiétude.

Les arrivants ne pouvaient ignorer l'odeur éprouvante qui emplissait la pièce. Ils jetèrent en même temps des regards furtifs en direction de la couche où Osias se décomposait. S'ils ne l'accomplissaient pas avant que le grand brûlé ne vienne à trépasser, la suite de leur mission s'en trouverait compromise. L'abbé le savait. Il se força à la gaieté.

— Salut la compagnie! lança-t-il. J'amène de la visite.

Le bonhomme Bélanger vint à leur rencontre, lourd de tous ses tourments.

— J'aimerais mieux que le loup rentre pas dans la bergerie, prononça-t-il. Ils nous mettent en garde contre ça dans l'Évangile.

— Il est également écrit, lui riposta l'abbé Tessier: «Ce que vous faites au plus petit d'entre les miens, c'est à moi que vous le faites.» Je connais mon Évangile aussi bien que toi, Étienne. C'est mon métier, après tout.

Le bonhomme ne broncha pas, enveloppé dans son auréole de barbe, ses deux grandes mains ouvertes le long du corps, cherchant du coin de l'œil l'appui de sa femme. Mathilde s'avança.

— Bonjour, dit-elle à l'intention d'Henri.

Comme s'il avait attendu cet instant pour mettre en application un plan préparé d'avance, l'abbé poussa Mathilde en direction de la porte près de laquelle Henri était resté.

— Allez donc jaser dehors une minute tous les deux. J'aimerais m'entretenir dans le particulier avec les parents.

Mathilde sortit sans hésiter. Henri la suivit. L'abbé referma la porte derrière eux.

— Vous savez aussi bien que moi ce qui m'amène, commença-t-il en s'appuyant du derrière au comptoir sur lequel on préparait les repas. Si vous voulez, on ne farfinera pas avec ça.

Il fit signe au bonhomme Bélanger de venir s'installer à ses côtés, mais le géant ne broncha pas.

— Je préfère rester à distance pour mieux entendre ce que vous avez à me dire.

L'abbé Tessier en fut quitte pour aborder son paroissien d'égal à égal – façon de parler car le bonhomme le dépassait des épaules et de la tête. L'abbé n'en fit pas moins preuve d'autorité.

— Il s'en est passé des vertes et des pas mûres par ici depuis quelque temps, mais on ne pleure pas sur le lait renversé. Il n'y a qu'une manière de payer les pots cassés et vous la connaissez aussi bien que moi. Quand un gars et une fille commencent à sauter la clôture, il ne faut pas attendre que le fruit tombe de l'arbre. Donnez votre fille à M. Ramier et on n'en parle plus.

Une bombe n'aurait pas fait plus d'effet. Juliette Bélanger enfouit ses mains dans son tablier et son époux durcit les poings.

— Sauf le respect que je vous dois, prononça le patriarche, vous allez vite en affaires!

— Vous le savez aussi bien que moi, insista l'abbé, tout ce qui traîne se salit.

— Ce gars-là a pris ma fille comme un voleur! tonna Bélanger.

— Et si je vous annonçais que c'est le contraire qui s'est passé?

— Je ne vous croirais pas.

— Je ne dis pas qu'il est blanc comme l'agneau, enchaîna l'abbé, mais votre fille n'est pas une brebis innocente non plus. D'une manière ou d'une autre, on n'est pas ici pour chercher des coupables. On est là pour régler une situation. Vous la donnez à M. Ramier, votre fille, oui ou non?

Le bonhomme fit un pas pour changer de ton.

— Je peux pas, fit-il à voix faible.

Il avait ôté son chapeau. Il le torturait entre ses mains.

— Tout est ma faute! prononça-t-il. J'ai failli à mon devoir de père. Je n'ai pas été assez vigilant. *Mea culpa, mea maxima culpa*.

L'abbé se haussa de toute sa faible hauteur. Le bonhomme pointait sur lui un regard tourmenté.

— Arrête tes simagrées, Étienne! On ne peut pas prétendre être un bon chrétien quand on n'est même pas capable d'ouvrir son cœur aux besoins des autres.

Bélanger ne savait plus que faire de son chapeau. Son fils Osias s'était mis à geindre. Ils s'approchèrent tous du lit.

Le malheureux achevait de s'éteindre. Il ne tenait plus à la vie que par le regard. Il aurait voulu parler mais sa gorge n'émettait que de faibles râles. Dans sa détresse, Osias cherchait sans doute à entrer en contact avec l'au-delà.

L'abbé Tessier se signa et se mit à prier en latin. La mère s'était mise à genoux pour tricoter des invocations entre ses lèvres serrées. Face à la mort prochaine de son fils, le père Étienne resta debout, le chapeau à la main, la tête inclinée.

Pendant ce temps, Henri et Mathilde longeaient la berge de l'île où des saules et des épinettes couraient les uns à la suite des autres. Ils reprirent lentement contenance en laissant le silence proférer des vérités à leur place. Ils finirent par s'asseoir sur une roche plate.

— Si nous étions dans un roman, commença Henri, je ferais ricocher des cailloux sur l'eau.

— Et moi, renchérit Mathilde, je poserais mon chapeau sur mes genoux.

— Mais nous ne sommes pas dans une histoire inventée, enchaîna Henri, et ce que j'ai à te dire relève simplement de la vie.

Mathilde le regarda dans les yeux. Henri en fut une fois de plus chaviré.

— Il y a juste deux choses que j'aimerais entendre, prononça-t-elle. D'une façon comme d'une autre, j'en tremble.

— Je t'ai bien observée, fit Henri. Tu dis que tu as peur, et pourtant, quand vient le temps de la tempête, tu as du courage pour deux.

Mathilde inclina la tête. Henri ne s'en aperçut pas. Il cherchait sa vérité en lui-même.

— Tu te souviens de l'occasion où nous nous sommes rencontrés ici? lâcha-t-il. Je venais de me fouler la cheville. Avant même de savoir où j'avais mal, tu as instinctivement porté tes mains là où je m'étais blessé. Entre toi et moi, il y a des connivences qui nous dépassent.

Mathilde se taisait. L'évidence parlait d'elle-même.

— C'est un signe, continua Henri. Nous devons en tenir compte.

Mathilde avait relevé la tête pour fixer son regard sur l'autre rive, comme si la réponse aux questions qui lui battaient les tempes pouvait se trouver là. Elle finit par prendre la main d'Henri dans la sienne. Celui-ci se persuada que la jeune femme l'encourageait à poursuivre.

— Il s'est passé beaucoup de choses entre nous en très peu de temps, dit encore Henri. Des moments de bonheur et des catastrophes qui ont tout chamboulé. C'était plus qu'il n'en fallait pour bien nous comprendre. J'ai l'impression de te connaître depuis longtemps.

— Ça t'a paru si long? se permit d'avancer Mathilde.

— Tout au contraire. Je souhaite plutôt que ça dure.

Il venait d'entrouvrir la porte. Par l'entrebâillement, on entendrait sûrement battre le cœur de la jeune femme. Elle dit n'importe quoi pour bien montrer qu'elle tenait toujours la situation en main.

— On n'a rien devant nous. Pas d'argent, pas de maison.

— Parle pour toi! De l'argent, j'en ai. Une maison aussi!

— Mais c'est en France! lui opposa-t-elle.

— Je sais comment il faut s'y prendre pour nous y rendre tous les deux.

— Tu ne penses pas ce que tu dis!

— Tout ça t'attend depuis une quinzaine d'années déjà. Depuis le décès de ma femme.

— Moi?

— À vrai dire, reconnut-il, le destin ne connaissait pas encore ton nom. Moi non plus, d'ailleurs. Il a fallu que je vienne ici pour l'apprendre.

— Aller en France? s'insurgea Mathilde. Je ne sais pas parler, je ne sais pas marcher, je ne sais pas m'habiller, je ne sais pas mettre la table avec beaucoup de couteaux et de fourchettes, je ne sais pas…

— Je ne t'invite pas à la cour de Louis XIV! l'interrompit Henri. Je te propose simplement de venir vivre avec moi dans le Gers. À sa façon, par rapport à la France, ce coin du Sud-Ouest est une autre île à Bélanger.

— Tes amis?

— J'en ai peu. Ils seront enchantés de faire ta connaissance.

— Tu as des frères et des sœurs?

— Non. Enfin, ils sont décédés.

— Paix sur leur âme! Ça me rassure un peu.

Henri prit Mathilde aux épaules. Ses nattes virevoltèrent. Son menton tremblait.

— Veux-tu m'épouser? prononça-t-il.

Mathilde se mit à pleurer. Il l'embrassa pour goûter cette réponse salée.

— Mais il va bien falloir que tu le dises à voix haute, lui fit-il observer.

Elle l'étreignit avec encore plus de fougue. L'instant d'après, ils marchaient sur le sentier en remontant la côte. Ils longèrent le potager, main dans la main.

— Comment allons-nous annoncer la chose à mes parents? s'enquit-elle à voix basse.

Ils s'arrêtèrent. Henri la pressa contre lui.

— Tu ne vas pas consacrer le reste de tes jours à te demander ce que vont penser de toi les gens qui t'ont donné naissance! Tu dois prendre ta place dans le monde!

Mathilde s'était remise à marcher. Henri lui tenait le bras.

Dès qu'ils eurent posé le pied sur le seuil de la maison, ils surent que le pire venait de se produire. Le père, la mère et l'abbé Tessier étaient agenouillés devant la table sur laquelle reposait Osias. L'abbé récitait à voix haute des prières en latin. Les amoureux s'étaient arrêtés sitôt entrés. Henri tenait toujours Mathilde par le bras.

*

Boucle de soie noire, redingote et chapeau rond, les porteurs se dirigèrent vers le cimetière, le cercueil sur l'épaule. L'église des Piles était sise sur une légère butte. Le chemin qui menait par-derrière au champ des morts prolongeait cette montée. La famille avait dû engager de vifs débats pour en arriver là.

Osias avait opté pour une vie de reclus dans les bois. Sa conception très particulière du sens de l'existence avait transformé dans son esprit les forêts en temples où il célébrait le culte de la nature. Le jour même du décès de son fils, le père Bélanger avait annoncé son intention d'inhumer la dépouille de son fils dans la forêt au pied d'un arbre. Ce projet contredisait tout ce qu'on connaissait des convictions religieuses du patriarche.

Le bonhomme chantait des hymnes en latin à tout moment du jour et de la nuit. Il fréquentait le livre d'heures où il trouvait les balises de ses journées. Privé de moyens de locomotion et vivant de toute façon à trop grande distance des villages, il ne se rendait pas à l'église le dimanche, mais il consacrait cette journée à des invocations encore plus ferventes que celles des jours ordinaires. Personne de son entourage n'ignorait que le bonhomme Bélanger avait séjourné pendant sept années chez les Cisterciens de la stricte observance avant de retourner à la vie laïque. Compte tenu de tout cela, comment pouvait-il songer à priver la dépouille de son fils d'un repos en terre consacrée? La suggestion du patriarche engendra de longs palabres qui détournèrent quelque peu de leur peine ceux de son entourage.

Tour à tour, chacun avait formulé ses objections. La mère du défunt d'abord, sa sœur Mathilde ensuite, le Français qui courtisait cette dernière et enfin l'abbé Tessier, qui avait été pressenti pour célébrer le service funèbre. Le père du disparu s'était montré intraitable : son fils serait inhumé au pied du plus grand arbre de la forêt.

— Sinon, vous chanterez son service funèbre sans moi, avait-il prononcé.

On s'était acharné à lui faire valoir qu'Osias connaîtrait une éternité plus satisfaisante si on l'inhumait en terre consacrée. Le bonhomme s'entêtait à répéter que la planète entière n'était qu'un vaste sanctuaire destiné à favoriser les relations entre les créatures humaines et Celui qui les y avait mises.

L'abbé Tessier y était allé d'arguments théologiques. Au temps où le paganisme régnait sur toute la planète, Dieu le Père s'était empressé de dépêcher son Fils sur la terre pour enseigner à ses créatures une religion digne de ce nom. Le Très-Haut jetait un œil sévère sur ceux qui ne suivaient pas ce parcours qu'Il avait Lui-même tracé.

— Si le bon Dieu est aussi fort que vous le croyez, argumentait le bonhomme, pourquoi vous obstinez-vous à croire qu'il est trop sourd pour entendre ce que vous lui dites du plus profond de votre cœur, dans le silence des bois?

La loi du nombre l'emporta. Par un radieux samedi de la fin de juin, au plus beau de l'été, on avait porté Osias en terre dans le petit cimetière situé sur la butte derrière l'église des Piles. L'abbé Tessier avait ensuite entrepris de remmener la famille dans sa Nash. Si les circonstances l'avaient permis, la parentèle du défunt se serait prélassée dans la Packard à sept places de M. Métivier, lequel n'aurait pas manqué d'insister pour assurer lui-même leurs déplacements. Mais l'industriel était en voyage d'affaires dans la province de l'Ontario. Et la mère du défunt ainsi que Mathilde, le Français et l'abbé Tessier avaient songé, chacun en son for intérieur, que si le père Bélanger avait décidé de les accompagner aux funérailles, quelqu'un qui occupait la minuscule voiture en ce moment aurait dû céder sa place. Le trajet du retour s'accomplit dans un épais silence.

De retour sur l'île, personne ne s'attendait à trouver le père du défunt à la maison. On ne doutait pas que le bonhomme était allé faire quelques pas avec son fils sur les contreforts de l'éternité, avec pour tous compagnons les grands arbres de la forêt. Mathilde et Henri laissèrent la mère du disparu entre les mains de l'abbé et ils dévalèrent une fois de plus la côte en direction des berges de la rivière. Ils y avaient désormais leurs sièges attitrés parmi les souches et les buttes.

— Maintenant que ton frère Osias est parti, annonça Henri, plus rien ne te retient ici.

Mathilde ne répondit pas. Son compagnon mit ce silence sur le compte de la peine qu'elle éprouvait devant la disparition du plus inadapté des frères.

— Tu verras, le fait de fouler la terre de tes lointains ancêtres te consolera de la perte que tu viens de subir ici.

Mathilde se tourna vers lui :

— Je n'irai pas en France, annonça-t-elle d'une voix affirmée. Maintenant qu'Osias n'est plus là, je suis la seule personne qui peut encore tenir la main de mes parents pendant leur vieillesse.

*

Henri Ramier avait retenu une chambre au Château de Blois, le meilleur hôtel des Trois-Rivières. Dès qu'il avait le dos tourné ou qu'il s'absentait pendant quelques minutes, Mathilde entrait dans le cabinet de toilette, elle s'asseyait sur le siège sans se dévêtir et, appliquant ses mains ouvertes à plat contre ses cuisses entre les pans de sa jupe, le dos rond, elle s'efforçait de contenir la peine qui la submergeait. Après les funérailles de son frère, elle officiait maintenant à celles de ses amours. Henri ne tarda pas à frapper quelques petits coups à la porte des toilettes.

— Viens vite ! Nous allons être en retard.

Mathilde replaça son masque. En d'autres circonstances, elle s'en serait prise à celui qui l'avait accablée de présents à la veille de leur séparation. Elle lui aurait lancé ses robes et colifichets à la tête. Mais à quelques jours d'une rupture aussi brutale que définitive, la jeune femme s'employait à préserver la dignité sans laquelle elle ne saurait jamais reprendre le cours de la vie qu'elle avait failli laisser derrière elle. L'existence d'une femme vouée tout entière au service des bûcherons auprès desquels elle jouait pendant l'hiver un rôle de mère apaisante et consolatrice. Elle retourna dans la chambre.

— Tu ne me verras même pas vivre dans tous ces vêtements ! avait-elle tout de même déclaré. Si nous devons nous quitter, je veux le faire dans l'habillement que je portais quand je t'ai connu.

Henri allait la prendre dans ses bras. On frappa à la porte. Le Français alla ouvrir. C'était l'abbé Tessier, suivi de son fidèle Ignace.

— Vous n'avez pas encore fini de vous bécoter ? s'exclama l'ecclésiastique.

Et il rit de bon cœur de sa propre plaisanterie.

— Batêche! enchaîna-t-il, c'est pas qu'on est en retard, je veux bien croire qu'on est comme en vacances, mais grouillez-vous quand même, sinon on ne finira pas par partir.

Dans les circonstances, Henri voyait en cet abbé débonnaire un compagnon qui l'aiderait à traverser avec le plus de sérénité possible le difficile passage qui s'annonçait.

— Vous savez, reconnut-il, j'ai franchement du regret de quitter votre pays.

Puis il fit un signe de la tête en direction de Mathilde.

— Et surtout de laisser derrière moi cette jeune personne que j'aurais bien aimé présenter à ses ancêtres.

— Ne tournez pas le fer dans la plaie! lui enjoignit gentiment l'abbé.

Ignace s'empara des bagages. En bas, dans le hall, Henri régla la chambre. Le Château de Blois ronronnait sous la moquette et les tentures. Aucune comparaison avec le prestigieux monument du même nom de la vallée de la Loire. Ici, le château n'était qu'un gros hôtel d'une bonne ville de province et qui portait le patronyme de son propriétaire, un homme avenant aux cheveux gominés. M. de Blois prit personnellement congé de ses clients.

Ils s'entassèrent dans la Nash, Ignace au volant, l'abbé à ses côtés, Mathilde et Henri sur la banquette arrière. Une matinée radieuse. L'air sentait l'été.

Les rues des Trois-Rivières défilèrent, Laviolette que dominait le Séminaire, Saint-Maurice déjà plus besogneuse puis le pont qui franchissait en deux sections le delta de la rivière. La municipalité du Cap-de-la-Madeleine étira ses maisons ouvrières puis la campagne s'ouvrit avec ses champs, ses clôtures, ses fermes et sa route sinueuse dont le tracé remontait au temps des seigneuries. Devant plusieurs habitations, on voyait un étalage de tapis tressés et de courtepointes colorées à l'intention des touristes américains qui ne tarderaient pas à envahir la province. Le Québec proposait sa ruralité en spectacle à l'Amérique. L'église de Sainte-Anne-de-la-Pérade dressa ses deux clochers au cœur du village. L'abbé se signa.

— J'ai été baptisé là, annonça-t-il.

Ils roulaient depuis une heure. La route longeait le ruban des clôtures de perches.

— Batêche que c'est beau! ne put s'empêcher de répéter l'abbé à l'intention du Français. Remplissez-vous les yeux avant de partir! Vous êtes pas près de revoir ça de sitôt!

Mathilde n'avait pas ouvert la bouche depuis le départ. Elle regardait le paysage sans le voir, les mains posées sur ses genoux pour assister, muette de désolation, à la fin de ses amours.

— Je ne vous cache pas que je suis impatient de retrouver le Gers! déclara soudain Henri, ses villages ocre, ses toits de tuile, ses clochers, ses halles et ses donjons, les abbayes, les châteaux sur les corniches, un pigeonnier, un moulin à vent, les fermes cossues, les sauvetés. Mon petit pays!

Pour faire taire sa peine, Mathilde se contraignait à vouer un amour aveugle à son propre royaume. Les hauteurs de Donnacona puis Neuville. Le fleuve s'élançait vers la mer. On voyait à peine l'autre rive. Bientôt, ils furent en vue de l'agglomération de Québec. La densité urbaine se resserra autour de la petite voiture. Mathilde ne put se retenir de prendre la main d'Henri dans la sienne. Elle ne la quitta plus. Une façon comme une autre de contenir sa douleur.

En entrant dans la ville, la jeune femme se sentit écrasée sous le poids des édifices qui bordaient le grand boulevard menant au vieux Québec. Il ne s'agissait pourtant que d'immeubles de briques sombres et de pierres austères, de trois ou quatre étages tout au plus, mais la vue de leurs façades rapprochées provoquait en elle une sensation d'étouffement.

— Où c'est qu'ils font leur jardin? s'enquit-elle.

— En arrière, dans la cour, précisa l'abbé, mais tout le monde n'en a pas par ici. Les gens des villes vont au marché.

La jeune femme des bois s'était redressée sur le bout de la banquette. L'abbé tira sa montre en détachant deux boutons de sa soutane.

— On a encore un quart d'heure devant nous autres. Ça va être juste. Grouille-toi, Ignace !

Plus loin, la ville se resserra sur eux, les immeubles plus élevés, les façades plus étroites, des fenêtres et des corniches, des toits aigus et des cheminées. La forêt urbaine. Partout des drapeaux, l'Union Jack et le tricolore de la France, de même que l'étendard du Vatican, les Canadiens-français demeurant incapables de trancher entre leurs appartenances diverses.

Puis le Parlement se dressa devant eux avec ses toits de cuivre oxydé. Une mer humaine couvrait les parterres. Des policiers déviaient la circulation vers les rues transversales. Ignace ne trouvait pas à se garer. L'abbé fulminait.

— Tu vas nous faire manquer la parade !

— Je fais le plus que je peux !

— C'est pas encore assez !

Le chauffeur parvint à insérer la Nash entre deux mastodontes et ils partirent à pied vers la Grande-Allée. Les trottoirs débordaient. Les gens marchaient dans la rue parmi les voitures.

— Je me sens perdue comme les gens de la ville quand ils arrivent dans le bois, glissa Mathilde à l'oreille d'Henri.

— Profite du temps qu'il nous reste ensemble, lui recommanda Henri, qui s'imposait d'ignorer le trouble de la jeune femme pour ne pas aviver le sien.

— Si tu vois un renard dans la forêt, tu sais où il va, énonça Mathilde. Un loup, tu peux prévoir ce qu'il fera. Un ours, tu dois t'attendre au pire. Mais tous ces gens-là ici, je ne sais pas ce qu'ils ont dans la tête. Et surtout, ils n'ont aucune idée de ce que moi, j'ai dans le cœur.

— Dépêchez-vous, les amoureux ! leur lança l'abbé en se tournant vers eux. C'est pas le temps de vous chuchoter des secrets !

Il rit de bon cœur et pressa le pas.

— Puis toi, ajouta-t-il à l'intention de son secrétaire, chauffeur et homme à tout faire, arrange-toi pour ne pas te perdre comme la dernière fois! Qu'on ne soit pas obligé de te chercher partout!

*

Une foule dense et grouillante bordait la Grande-Allée, de jeunes enfants brandissant de petits drapeaux, juchés sur les épaules de leur père, des femmes à grand chapeau obstruant la vue à ceux qui se tenaient derrière elles, des gamins exaltés courant entre les jambes des adultes raides dans leur costume. Cette masse se pressait sur les trottoirs de la Haute-Ville qu'elle n'avait pas l'habitude de fréquenter. L'abbé joua du coude et parvint à entraîner Mathilde presque au premier rang. Elle avait lâché la main d'Henri qui devait se trouver un peu plus loin en compagnie d'Ignace. L'abbé l'inondait d'attentions. La jeune femme ne respirait qu'à petits coups.

— Je présume que par chez vous, dans l'île à Bélanger, vous faisiez un feu de joie à la Saint-Jean sur la place devant la maison?

Mathilde se contenta d'opiner de la tête. Elle avait le sentiment d'assister à son propre enterrement.

— Mais attends de découvrir ce que tu vas apercevoir ici! la prévint l'abbé.

Un fracas assourdissant lui coupa la parole. Une fanfare s'était approchée en silence. Après s'être immobilisée devant l'endroit où se tenaient Mathilde et son ange gardien, la grosse caisse donna le coup d'envoi du défilé. La jeune femme posa les mains sur ses oreilles et demeura un bon moment dans cette position.

Les corps de musique se succédaient. Les notables paradaient dans des voitures décapotables. Des chars allégoriques tirés par des tracteurs de ferme apparaissaient comme des images dans un rêve. Les mâts de *la Grande Hermine* de Jacques Cartier émergèrent en premier. Des écoliers vêtus de costumes de matelots en occupaient le pont reproduit avec grand soin. Depuis le gaillard d'arrière, Jacques Cartier gardait le regard fixé sur l'horizon. Puis Frontenac, impressionnant sous sa perruque frisée, s'apprêtait à répondre aux Anglais comme il convenait, c'est-à-dire par la bouche de ses canons. Les colons suivaient, au son des anciennes rengaines de France. Ces valeureux défricheurs chantaient à pleins poumons en abattant leur cognée de bois sur des troncs de carton pour rappeler leur arrivée dans le Nouveau Monde. En dernier lieu, dans un ultime *fortissimo* des fanfares et sous les applaudissements et les cris des spectateurs, parut le petit saint Jean-Baptiste, la main gauche posée sur la toison de son mouton, la droite portant une haute croix symbolisant l'engagement de ses compatriotes en faveur des valeurs de la foi chrétienne. Cet enfant hors du commun symbolisait la race canadienne-française.

Et pendant tout ce défilé, Mathilde avait eu le sentiment d'assister à ses propres funérailles. Sitôt le dernier char passé, la foule s'engagea à sa suite dans la rue comme une eau après l'ouverture des vannes d'un barrage. Mathilde et l'abbé Tessier furent emportés. La Grande-Allée débordait, les parterres piétinés, les perrons pris d'assaut. La jeune femme avait perdu Henri de vue. Ignace avait également ment disparu.

— De toute manière, décréta l'abbé, on ne pourra pas sortir d'ici avec l'automobile avant une bonne demi-heure, sinon plus. Le temps que tout ce monde-là débarrasse les rues. Inquiète-toi donc pas pour ton Henri, je lui ai bien dit de nous attendre à côté de la machine si jamais on se perdait. Tu vas venir avec moi. Je veux te montrer quelque chose pendant qu'on est là.

Il l'entraîna par-delà une porte massive encadrée de pierres qui se prolongeaient en murailles, dans une rue étroite pleine de monde elle aussi, vers un prodigieux édifice dominant la ville de ses hautes tours pointues.

— Le château Frontenac, annonça l'abbé en bombant le torse. C'est les Anglais qui l'ont bâti mais c'est nous autres, les Canadiens-français, qui assurons le service dans ses murs. Ce n'est pas tout. Ce que je veux encore te faire voir est un peu plus loin.

Il pressa le pas sous une voûte sonore. Mathilde le suivait comme une élève résignée. Ils passèrent devant l'entrée majestueuse où des portiers en livrée accueillaient les belles dames et les élégants messieurs comme dans les palais des vieux pays. Poussant leur exploration toujours plus au large, l'abbé et la jeune femme débouchèrent sur une vaste terrasse de bois dominant le fleuve. En face, la ville de Lévis s'accrochait à sa falaise. Un traversier blanc comme un goéland franchissait le fleuve, plutôt étroit à cet endroit. Vers l'est, à travers le halo de chaleur, se dessinait la proue de l'île d'Orléans. Cette vue parut apaiser quelque peu la jeune femme.

— C'est là qu'ils se sont installés, les premiers qui sont arrivés, prononça l'abbé. Les défricheurs français, je veux dire.

Mathilde n'écoutait déjà plus. Dans sa poitrine, la bête effarée avait recommencé à grimper dans ses barreaux. Sans le savoir, l'abbé lui adressa une confidence qu'il voulait réconfortante et qui acheva pourtant de la chavirer.

— Tu as pris la bonne décision. T'occuper de tes vieux parents passe avant tout le reste. Le bon Dieu trouvera bien le moyen de te récompenser de ce sacrifice.

La jeune femme ne reprit son souffle qu'un gros quarante-cinq minutes plus tard, en vue de la voiture. Ignace et Henri les attendaient là, adossés à la tôle chaude. Le chauffeur se permit de taquiner son patron de curé.

— Hein! qui c'est qui s'est perdu?

— Je vous ai enlevé cette jeune femme pour une minute, expliqua l'abbé à l'intention du Français. J'espère que vous ne m'en voudrez pas trop. J'ai voulu profiter de l'occasion pour lui montrer un peu Québec!

Mathilde se rapprocha d'Henri. C'était pour elle une torture dont elle ne pouvait pas se priver. Une demi-heure plus tard, la Nash pénétrait dans l'allée menant à Spencer Wood.

*

Un morceau de forêt en pleine ville. Au bout du chemin, un nombre impressionnant de voitures étaient garées devant une imposante demeure de bois blanc.

— À Washington, exposa l'abbé, ils ont leur Maison-Blanche. Nous autres, on a la même mais en plus petit. Quand je dis «nous autres», c'est en partie seulement car elle ne nous appartient pas tout à fait. Elle est au gouvernement fédéral.

On avait laissé les portes doubles grandes ouvertes. Mathilde et ceux qui l'entouraient les franchirent en redressant le dos à la vue de l'huissier ganté qui les attendait. L'abbé lui glissa quelques mots à l'oreille.

— Monsieur Henri Ramier et madame, énonça le cerbère d'une voix retentissante.

Mathilde arrondit le dos comme si cette proclamation l'avait poignardée au ventre. Pendant qu'on l'introduisait à son tour, l'abbé souffla un avertissement dans le dos de ses compagnons :

— C'est pas le moment de s'enfarger dans les fleurs du tapis !

— Vous auriez pu me demander mon avis avant de nous marier, lui répliqua la jeune femme.

L'abbé haussa les épaules pour prendre l'attitude déconfite d'un élève qui vient de perturber la classe. Un homme en grand apparat serrait la main de chacun des invités qui pénétraient dans la résidence. À ses côtés se tenait une espèce de soldat d'opérette sans doute chargé de veiller sur lui.

— Qui c'est ? demanda Mathilde à l'oreille de l'abbé.

— Le représentant du roi.

Mathilde n'aurait jamais cru se trouver un jour en présence d'un notable d'une aussi considérable importance. Celui-là ne manquait pas de prestance. Grand, droit, fier, la crinière blanche, vêtu d'un complet gris à gilet, Esioff-Léon Patenaude ressemblait à un Anglais. Il avait servi les conservateurs à Ottawa. Pour le récompenser, on l'avait investi de cette fonction honorifique. À titre de lieutenant-gouverneur, il dirigeait symboliquement les destinées de la province de Québec, mais il ne sortait de sa réserve que pour inaugurer la session du Parlement ou encore à l'occasion des fêtes de la Saint-Jean. Mathilde attendit qu'Henri fût à ses côtés pour se présenter devant ce haut personnage.

Esioff-Léon Patenaude serra d'abord la main d'Henri. Son tour venu, Mathilde s'agenouilla pour baiser la main de leur hôte avec dévotion, comme elle supposait qu'on devait le faire devant un grand de ce monde. Un début de commotion se produisit. Les invités qui venaient derrière elle reculèrent pour se dissocier de sa personne. Des remarques furent formulées à voix basse. Un éclat de rire mal contenu. Esioff Patenaude s'empressa de relever Mathilde.

— Vous me faites trop d'honneur, madame !

Mathilde allait s'excuser. Lui prenant la main, Henri l'entraîna plus loin. Mathilde retenait ses pas comme une enfant qui refuse de suivre sa mère.

Deux grands salons s'ouvraient en enfilade. Les invités du lieutenant-gouverneur de la province de Québec célébraient à leur façon la fête des Canadiens-français en buvant du vin et en grignotant des hors-d'œuvre. La rumeur des conversations emplissait les lieux. Mathilde et Henri, suivis par l'abbé Tessier, durent jouer du coude pour se faire une place au milieu de cette foule dense. Un garçon présenta un plateau à Mathilde. La jeune femme prit un craquelin recouvert de caviar, l'examina, le déposa, en choisit un autre, au pâté celui-là, changea d'avis une seconde fois et opta enfin pour un canapé sur lequel reposait une sardine.

Pendant ce temps, dans le jardin, entouré d'une cour de fidèles, le Premier ministre Maurice Duplessis venait de faire une rencontre qui l'amusait beaucoup. D'un geste, il signifia à l'un de ses lieutenants d'aller remplir son verre de gin avant d'aborder celui qui venait vers lui.

Félix Métivier, qui se trouvait à Québec par affaires depuis quelques jours, avait aperçu le Premier ministre Duplessis. Il tendit une main dont le politicien s'empara pour la lui tordre dans une lutte amicale.

— Comme ça, mon Ti-Félix, ça m'a tout l'air que tu aimerais ça, te faire battre par moi aux prochaines élections? C'est un grand honneur que tu me fais, tu sais! Les libéraux sont assez à terre qu'ils cherchent depuis longtemps quelqu'un qui pourrait avoir une chance de prendre ma place de député des Trois-Rivières. Moi, avec un adversaire comme toi, je ne te cache pas que je vais être obligé de me retrousser les manches. Mais il faut que je te dise une affaire : quand on pile sur la queue du lion, faut s'attendre à l'entendre rugir! Ça fait que si tu vires pas ton capot de bord d'ici ce temps-là, tu vas te retrouver sur les estrades aux Trois-Rivières avec les marques de mes griffes sur le corps.

Et Duplessis planta là son éventuel adversaire pour aller serrer d'autres mains, s'enquérir des oreillons des enfants et de la santé des grands-mères. Métivier n'appréciait pas d'être le jouet des gens et des événements. Depuis la mort de son père, il prenait la vie à bras-le-corps et ne se couchait jamais sans s'être assuré d'avoir bien tracé dans sa tête le programme du lendemain. Il laissa le garçon verser dans son verre un vin mousseux qu'il n'entendait pas boire. Il s'était juré de ne plus jamais toucher à l'alcool, depuis qu'il avait constaté qu'il n'en supportait pas les effets. Il s'était imposé la règle de demeurer lui-même en toute circonstance. Il fit quelques pas pour procéder plus avant dans les salons. Sa moustache était agitée d'un tic qui lui conférait l'allure d'un homme important. Il aperçut d'abord l'abbé Tessier, puis Henri Ramier. Il s'avança vers eux.

— Qui c'est que je vois là? s'étonna-t-il sur un ton enjoué. M. Ramier et son abbé! J'aurais jamais pensé vous retrouver ici!

Les deux hommes entourèrent le patron en manifestant un étonnement aussi grand que celui dont ce dernier avait fait preuve à leur endroit. À peine avait-il échangé quelques mots avec ses deux compagnons que l'entrepreneur forestier apercevait du coin de l'œil Mathilde Bélanger, qui venait dans sa direction. La jeune femme avait sectionné la queue de toutes les sardines qu'elle avait mangées pour les aligner en bordure de l'assiette de porcelaine blanche qu'elle tenait à la main. Elle s'efforça de sourire. Félix Métivier inclina la tête. Embarrassé, il se tourna vers le Français. Celui-ci venait de tirer de la poche de son costume sa vieille pipe rongée par l'usage. Il procédait à ce rituel tout particulièrement dans les circonstances où il cherchait à se donner une contenance. Métivier désigna la jeune femme d'un signe de tête.

— Il paraît que vous vouliez me l'enlever pour qu'elle aille se promener avec vous dans les vieux pays !

— Mathilde a pris la décision de rester ici pour s'occuper de ses vieux parents, rectifia Henri. Un sacrifice qui est tout à son honneur. Et puis, en France, on commence à entendre des grondements qui nous rappellent la dernière guerre.

Métivier gonfla les joues comme pour en tester l'élasticité. Il ne jugeait pas le moment opportun pour commenter cette éventualité d'un autre conflit en Europe. Encore moins pour formuler une opinion sur la séparation annoncée des deux amoureux.

Il faisait très chaud dans le salon. Quelqu'un heurta Ramier du coude en passant. Le peintre se tourna brusquement, comme si on l'avait agressé. L'homme s'excusa et s'éloigna.

— J'espère à tout le moins que vous avez apprécié votre séjour parmi nous, s'enquit Métivier.

Son verre toujours plein l'encombrait. Il le déposa sur le plateau d'un garçon qui passait. Il dut, par la même occasion, résister devant l'insistance du serveur qui lui en proposait un autre.

Maintenant qu'il n'avait plus de verre, Métivier avait fourré ses mains dans les poches de sa veste. On aurait pu prendre pour de la provocation cette attitude qui cachait de la nervosité. Le patron n'était tout de même pas homme à s'arrêter en si bon chemin. Il lâcha la phrase qui lui parut la plus opportune :

— En tout cas, votre passage dans nos contrées ne sera pas passé inaperçu.

Il se tut. Son silence en disait déjà long. Il conclut sur une boutade :

— Si j'avais su que vous partiez, je vous aurais apporté un cadeau !

Pris d'une soudaine inspiration, il alla chercher un lys dans un vase et l'offrit à Mathilde.

— La décision que vous avez prise vous honore, madame, annonça-t-il. On n'est jamais assez attentionné à l'endroit de ses vieux parents.

Pendant que la jeune femme se cherchait une contenance, l'entrepreneur forestier fouilla dans la poche intérieure de sa veste. Il en tira une plume fontaine à manche de nacre.

— Tenez, dit-il en la remettant à Henri. Vous allez pouvoir nous donner des nouvelles avec ça.

Mathilde et Henri regardaient chacun son présent comme des écoliers à la cérémonie de remise des récompenses de fin d'année. Métivier les prit par le bras. Il leur dit à voix basse :

— Prenez bien soin de vous, tous les deux, chacun de votre côté. On ne sait jamais ce que la vie nous réserve.

Ils demeurèrent ainsi soudés tous les trois, un petit moment encore.

*

Deux jours plus tard, dans le port de Québec, Mathilde faisait ses adieux à Henri au pied de la passerelle que ce dernier allait bientôt emprunter pour monter à bord du paquebot *Aquilla*, lequel le ramènerait en France. À leurs côtés, l'abbé Tessier détournait pudiquement le regard. Les amants se tenaient par les deux mains. Leurs yeux disaient tout ce qu'ils auraient souhaité se confier s'ils n'avaient pas été repoussés chacun aux limites de leur intimité par les affres de la séparation. Mal à l'aise dans une situation dont il ne maîtrisait pas l'issue pour une fois, l'abbé les engloba d'un même regard.

— Je vous laisse tranquilles tous les deux. Je vais aller t'attendre, Mathilde, près de ma machine. Tu te rappelles où nous l'avons laissée?

— Nous n'en avons pas pour très longtemps, répondit Henri, qui avait tourné le visage vers l'abbé. Il va être bientôt l'heure d'embarquer. Merci pour tout ce que vous avez fait pour moi pendant mon séjour.

En même temps, il lui tendit la main.

— Je peux vous parler franchement? s'enquit-il. J'aurais une dernière chose à vous révéler avant de vous quitter.

L'abbé Tessier saisit la main que le Français lui présentait. Il la pressa puis il ouvrit les bras pour inviter celui qui partait à une accolade. Ramier répondit à l'invitation.

— Je ne vous ai pas caché ma position à l'endroit de la religion, commença-t-il sur le ton de l'intimité. Je dois admettre que je serais enclin à réviser mes convictions si tous les ecclésiastiques étaient comme vous.

L'abbé Tessier resserra son étreinte.

— J'ai fini par comprendre ce qui vous distinguait des autres, poursuivit le Français. C'est l'amour que vous portez à la nature, l'intense affection que vous avez à l'endroit de la Création. Cela fait de vous un intermédiaire de premier rang entre les humains et le mystère de la vie. Continuez de pratiquer ce sacerdoce hors du commun.

Puis il relâcha l'embrassade. Plus ému qu'il ne voulait le paraître, l'abbé Tessier fit un pas en arrière.

— Vous êtes allé trop loin et moi pas encore assez, répliqua-t-il. En temps normal, je vous bénirais avant votre départ en me fondant sur les convictions qui sont les miennes. Dans les circonstances, permettez que je le fasse au nom de la Création tout entière. Toutes croyances confondues, vous contribuez à la grandeur de la condition humaine.

Il adressa un regard qui exprimait à celui qui partait tout ce qu'il ne serait jamais parvenu à formuler. Puis il fit quelques pas pour s'éloigner. Il s'arrêta pour dire un dernier mot à Mathilde :

— Prends bien le temps de dire à M. Ramier tout ce que tu veux lui confier.

Et il s'éloigna sans se retourner. Restés seuls, les amants mirent quelque temps à reprendre contenance.

— Si la guerre qui s'annonce ne finit pas par m'emporter, déclara le Français, je ferai tout ce qui sera en mon pouvoir pour te revoir quand elle sera terminée. En attendant, je t'emmène avec moi dans la chaleur de mon cœur.

— Et moi, lui répondit Mathilde, je te promets de vivre sans penser à l'avenir.

Henri entreprit alors de gravir sans se retourner le grand escalier de fer qui donnait accès au navire. Restée seule, Mathilde n'avait pas attendu qu'il ait atteint le pont pour lui adresser ses dernières salutations. Elle s'en était allée en arrondissant le dos sous le châle de sa solitude.

SECONDE PARTIE

MATHILDE S'EN VA-T-EN GUERRE

(*1943-1944*)

Dans son rêve, Mathilde Bélanger parcourait les forêts de la Mauricie. Elle arpentait les sentiers tracés depuis des millénaires par les Amérindiens. Elle longeait une rivière. Elle déboula dans la clairière où se dressait la maison de ses parents. En hiver, des glaçons garnissaient le rebord du toit. Ils touchaient presque terre. La cheminée fumait une prière. Pendant la belle saison, les légumes du potager se donnaient des allures de fleurs. Au pied de la pente raide, la rivière se racontait des histoires de torrents et de fleuves.

Au moment où elle allait poser le pouce sur la clenche de la porte de la demeure de ses parents, la jeune femme émergea de son sommeil. Une pointe au cœur. Son père était mort un an et demi plus tôt, emporté par une attaque cardiaque. Sa mère avait trouvé refuge chez l'une de ses sœurs à Shawinigan. La maison de l'île avait été laissée vacante. Le temps avait aussitôt commencé à la grignoter. Mathilde habitait désormais en permanence au Panier percé. Enfin, en ce bel été de 1943, l'Europe était à genoux sous le coup d'une seconde guerre mondiale.

Mathilde reprenait contact avec la réalité du présent. Elle se trouvait bel et bien là où elle devait être, dans sa chambre du Panier percé, un lit et surtout un bureau couvert de paperasses. Un an plus tôt, l'infirmière visiteuse des camps de bûcherons avait été réaffectée à des fonctions plus importantes dans l'organisation de Félix Métivier. Une collègue fraîchement diplômée l'avait remplacée auprès des bûcherons. Mathilde dirigeait maintenant un service de surveillance et d'amélioration des conditions de vie des travailleurs forestiers. Le patron, Félix Métivier, avait été contraint de créer ce poste pour acheter la paix avec ses hommes.

Au saut du lit, la jeune femme endossa des vêtements qui auraient mieux convenu à ceux qui s'employaient dehors à des tâches manuelles, pantalon de grosse toile et chemise à carreaux. Sa chevelure qu'elle n'avait pas encore relevée soulevait un souffle de folie dans la pièce.

Mathilde entreprit ensuite de préparer son petit déjeuner, deux tranches de pain sans beurre, un bout de fromage cheddar et du café de céréales. Afin d'accroître un peu plus leur contribution à l'effort de guerre, les autorités canadiennes avaient encore restreint l'approvisionnement alimentaire.

Debout devant sa table de travail, sa tasse de succédané de café à la main, Mathilde jeta un œil sur le document auquel elle se consacrait depuis plusieurs jours, un inventaire des villages d'origine des travailleurs forestiers à l'œuvre dans les chantiers de Félix Métivier. Le patron s'était mis en tête de répartir dans des camps différents ses engagés qui provenaient d'un même patelin. En défaisant les liens qui s'établissaient entre concitoyens, il les empêchait d'établir d'éventuelles complicités.

Ce recensement n'entrait pas dans le cadre des fonctions dévolues à Mathilde. Son patron avait pourtant insisté pour qu'elle s'y consacre. La jeune femme n'avait pas eu d'autre choix que de s'y employer. On frappa à la porte, qui s'ouvrit aussitôt. Mathilde s'attendait à voir apparaître M. Métivier. Ce fut Walter Sullivan qui se présenta. Cet Anglais séjournait au Panier percé depuis la veille. Il n'était ni le premier ni le dernier étranger à se présenter au centre de contrôle de l'entreprise.

Félix Métivier traitait avec des entrepreneurs de tout l'est du Canada. Mathilde Bélanger comptait parmi ceux à qui le patron référait certains de ses visiteurs. Elle accueillit donc ce dernier en lui proposant une tasse de café de céréales qu'il refusa. L'Anglais n'attendit pas que la jeune femme lui ait proposé de s'asseoir pour engager la conversation. Il pratiquait un français teinté d'accent anglais, mais tout de même meilleur que celui de la plupart des anglophones qui venaient souvent traiter d'affaires auprès des entreprises de Félix Métivier.

— Je peux vous parler avec toute franchise? commença-t-il.

— Je n'attends rien d'autre de vous, monsieur.

— *Then I'll go ahead.*

Il s'était installé sur la chaise qui se trouvait devant le bureau. La jeune femme en fit autant de son côté.

— Vous permettez que je continue à manger? s'enquit-elle.

— *Please, go ahead.*

Arrondissant le dos, ce Sullivan inséra entre ses cuisses ses mains grandes ouvertes l'une contre l'autre. C'était un gros et grand homme en surpoids, dans la quarantaine, dont le crâne avait déjà commencé à se dégarnir. Sa tenue indiquait qu'il mettait ses priorités ailleurs que dans son apparence.

— *I want to make sure everything I say will remain confidential between you and me and* la boîte à bois, comme vous dites.

Mathilde acquiesça d'un signe de tête, tout en réprimant un sourire. Walter Sullivan se lança alors dans un exposé de la situation dans laquelle se trouvait le Canada à l'endroit de l'Angleterre, sa mère patrie. L'armée allemande avait envahi tout l'ouest du continent européen, et principalement la France. La Grande-Bretagne n'allait pas tarder à y passer.

— Si on laisse les choses aller comme elles vont, les Chleuhs seront bientôt maîtres de l'Angleterre *and it will be the end.* Ils ont déjà envoyé des hommes pour préparer le terrain en Amérique du Sud. *You don't want to imagine the future...* Mathilde recevait les propos de son interlocuteur à coups de petits signes de tête. Elle fronçait cependant les sourcils pour deviner le sens caché de certains membres de phrases prononcés en anglais.

— *We have to put a* bâton dans les roues des Allemands en France, si nous voulons qu'ils laissent la Grande-Bretagne tranquille.

— Je veux bien admettre que tout ce que vous me dites est fondé sur la réalité, se permit d'intervenir l'occupante des lieux, mais je ne vois pas en quoi cela peut me concerner.

— *You could do a lot more than you can imagine*, déclara Sullivan.

Mathilde se demandait encore où son interlocuteur voulait en venir. Son visage exprimait le doute. Sullivan reformula sa dernière affirmation en français :

— Vous pouvez faire beaucoup plus que vous pouvez imaginer, énonça-t-il.

Ayant retiré ses mains d'entre ses jambes pour les joindre sur le bureau devant la jeune femme, l'homme réclama qu'elle s'engage à ne révéler à personne un seul mot de ce qu'il allait lui exposer. Elle y consentit, sans parvenir à dissimuler sa suspicion. L'Anglais brossa alors un tableau très préoccupant de la situation en Europe.

Les *Frenchies* avaient perdu la face. Le pays était maintenant aux mains des Allemands, y compris le Sud, qui commençait lui aussi à tomber dans l'escarcelle de l'ennemi. Tous les cœurs se tournaient désormais vers l'Angleterre, que les Chleuhs bombardaient jour et nuit. Personne ne doutait que ces derniers projetaient d'avaler l'Angleterre au dessert.

Devant cette menace, les dirigeants de certains pays, dont l'Angleterre et les États-Unis, avaient formé une coalition secrète pour rendre la vie des nouveaux maîtres de l'ouest du continent européen la plus insupportable possible. Les envahisseurs seraient peut-être forcés, du moins provisoirement, de détourner leurs regards mal intentionnés de l'Angleterre.

Des hommes entraînés à commettre des actes de sabotage étaient parachutés en France pour mettre des bâtons dans les roues à l'occupant. Mathilde ayant objecté que cette louable initiative ne pouvait la concerner en aucune manière, Sullivan avait ajouté que l'on recrutait également des femmes, qui étaient elles aussi larguées au-dessus de la France occupée pour y opérer des transmissions de radio-communication.

— D'après ce qu'on m'a dit de vous, *you're the right woman in the right place*, décréta Sullivan. Vous avez la force de caractère, la maîtrise de vos émotions ainsi que la tournure d'esprit que nous exigeons des personnes que nous recrutons.

Mathilde se replia sur elle-même pour reprendre contenance. De l'autre côté du bureau, le visiteur se leva. Souhaitait-il se mettre en position de supériorité devant son interlocutrice?

— Vous ne me connaissez même pas! finit par objecter Mathilde qui avait rouvert les yeux. Êtes-vous bien certain de vous adresser à la bonne personne?

— On ne m'aurait pas confié la mission que je suis en train de remplir si j'avais l'habitude de me tromper d'inter-locuteur, lui répliqua le visiteur.

— Et puis, ajouta la jeune femme, j'occupe un poste important ici! Je ne peux pas laisser tomber M. Métivier comme ça.

— J'ai eu un entretien avec lui à votre sujet, lui révéla l'Anglais. *After having told him* ce que nous attendons de vous, il a admis *that he definitely recognized in you* la femme toute désignée pour remplir *the kind of mission* que nous avons en tête pour vous.

— Il est prêt à me laisser partir? s'étonna la jeune femme.

— Il est doté d'une grande lucidité.

Mathilde chercha refuge au plus profond d'elle-même. Elle y retrouva le visage de son père Étienne, mais le patriarche demeurait muet. L'instant d'après, le début d'une décision commençait à prendre forme dans son esprit.

— Je ne connais rien à toutes vos techniques d'espion-nage! objecta-t-elle encore.

— Vous subirez un entraînement des plus rigoureux. *Not only will we teach you how to use and maintain the*

163

material, mais vous serez préparée à faire face aux situations les plus extrêmes, *physically as well as psychologically.*

— Et je dois vous donner une réponse bientôt? s'enquit-elle.

— *Tonight*, répondit Sullivan. Nous partons demain. Vous avez toute la journée pour vous préparer à accepter ma proposition.

Sullivan riva ses yeux sur ceux de la jeune femme.

— *One last thing*, annonça-t-il. Peut-être la plus importante. Vous devez garder le secret sur tout ce que je viens de vous dire.

— Je n'ai pas l'habitude de raconter mes affaires personnelles à tout le monde, le rassura-t-elle.

— *It's not enough*, répliqua-t-il.

— Alors, je le jure sur ce que j'ai de plus sacré, prononça Mathilde. La mémoire de mon père. Cela vous suffira?

*

Après le repas du midi, Mathilde eut un entretien privé avec son patron dans le bureau de ce dernier.

— Un monsieur Sullivan est venu me rencontrer, annonça-t-elle.

— Je sais, répondit Métivier.

La jeune femme hésitait. Elle ne s'était toujours pas remise de l'énormité de la proposition qu'on lui avait faite.

— Il voudrait m'envoyer faire de l'espionnage en France.

— Pas exactement, rectifia le patron. Il te propose plutôt de devenir une spécialiste en communications sans fil.

— J'ai déjà du travail ici! protesta la jeune femme.

— Quand le bateau est en train de couler, lui répliqua le patron, on ne se contente pas de corriger le réglage des voiles, on s'empresse d'évacuer l'eau de la cale.

Le moment de silence qui suivit permit à Mathilde de s'assurer que le temps avait continué de filer.

— Si cette personne t'a jugée apte à remplir une mission de cette importance, insista Métivier, il me semble que tu n'as pas vraiment d'autre choix que d'accepter sa proposition.

Mathilde secoua la tête en prononçant l'objection qui lui lacérait le cerveau.

— Mais qui va faire mon travail ici, à ma place? Et puis, avant de dire oui à ce monsieur, j'aimerais être bien certaine que vous me reprendrez à votre service à mon retour.

Métivier soupira.

— Dans la situation actuelle, personne ne peut prédire ni quand ni comment ce conflit se terminera.

Le patron et son employée étaient assis l'un en face de l'autre sur des sièges de cuir, dans la partie avant du bureau. Ils auraient tout aussi bien pu être en train de discuter sur un point de détail des fonctions que la jeune femme était chargée d'assumer au Panier percé. Les battements du cœur de cette dernière l'empêchaient toutefois de projeter comme à son habitude l'image d'une personne que rien ne déstabilisait.

— Je ne m'attendais pas à ça, finit-elle par admettre en secouant la tête. Pourquoi moi?

— Il faut que je te le dise, annonça Métivier. J'ai bien réfléchi avant de suggérer ton nom à ce monsieur que je connaissais déjà et que j'étais allé rencontrer à Toronto pour lui vendre du bois. Depuis quelque temps, j'avais commencé à comprendre qu'il était impliqué dans des rouages où personne ne doit mettre les doigts sans y être invité. Franchement, je n'ai pas essayé d'en savoir plus long. Il m'a demandé de lui dire quelle personne de mon entourage je pourrais lui désigner pour remplir une mission délicate. Quelqu'un qui n'aurait pas froid aux yeux. Une femme, de préférence. Je lui ai spontanément parlé de toi. Il tenait à te rencontrer. La suite, c'est entre toi et lui.

Le patron s'était appuyé sur le dossier de son fauteuil. Il poursuivit, après un moment de réflexion:

— Tu sais, c'est tout un sacrifice que je me suis imposé en suggérant ton nom à ce monsieur. Selon lui, tu es la personne toute désignée pour remplir la fonction qu'il se propose de te confier. Tout compte fait, tu es victime de ta compétence.

— Mais je ne connais rien à toutes ces affaires de radio!

— Ce monsieur t'a sans doute précisé que tu recevrais une formation en conséquence?

Mathilde fit un signe de tête affirmatif.

— Il part demain, fit-elle observer. Ce qui ne me laisse pas beaucoup de temps pour réfléchir.

— Dans une situation comme celle-ci, prononça le patron, ce n'est pas avec la tête qu'il faut réfléchir, mais avec le cœur.

Cette formule ne ressemblait guère à ce que Félix Métivier avait prêché jusque-là. Il ajouta aussitôt, pour reprendre pied:

— Il habite la région de Toronto.

— Les gens de l'Ontario parlent l'anglais, fit observer la jeune femme. Moi, je ne vais pas beaucoup plus loin que *yes* et *no* dans cette langue.

— Ceux qui se chargeront de ta formation sauront bien corriger cette lacune.

Le patron s'était redressé sur son fauteuil. De la main droite, il se donnait des petits coups de poing dans la paume de la gauche.

— Bon, alors, c'est oui ou c'est non?

Mathilde releva la tête.

— Je ne peux pas dire non. De là où il se trouve, mon père m'en voudrait. Ce n'est pas parce que nous avons vécu dans une humble maison au milieu d'une île au cœur de la forêt que nous avons été élevés dans l'ignorance de ce qui se passe dans le monde. Bien au contraire!

Métivier ne la quittait pas des yeux. La jeune femme esquissa un sourire en ajoutant:

— Et puis, la France, on ne sait jamais... Ce serait peut-être l'occasion de revoir mon Henri?

Le patron se contenta d'arborer un mine dubitative.

*

Le lendemain vers midi, Walter Sullivan gara sa Buick devant un restaurant de la rue principale d'une ville de taille moyenne. Mathilde s'était assoupie sur la large banquette avant, appuyée contre la portière. Elle s'éveilla en se demandant où ils pouvaient bien se trouver.

— Belleville, Ontario, annonça Sullivan.

— Donc nous y sommes?

— *Only halfway*, rectifia Sullivan.

À l'intérieur du restaurant, ils s'installèrent côte à côte au comptoir.

— *We don't have steak anymore*, leur lança la serveuse.

— *Two ham sandwiches*, répliqua Sullivan. *And lots of tea.*

Quand ils eurent entamé leur repas, Mathilde estima que le moment était venu d'aborder la question.

— Alors, dites-moi, où allons-nous? Qu'est-ce qui va m'arriver? Dans combien de temps je serai parachutée au-dessus de la France?

Sullivan fronça les sourcils.

— Ne parlez pas si fort! *This is not the kind of place where we could have a conversation on this subject*, prononça-t-il. Plus tard, dans la voiture.

Mathilde n'avait pas sitôt repris sa place sur la banquette de la Buick qu'elle affrontait celui qui jouait avec ses nerfs.

— Maintenant, vous allez me dire où nous allons et ce que je vais y faire, sinon je vous demande de me laisser descendre au bord de la route et je trouverai bien le moyen de rentrer chez moi.

Sullivan laissa s'échapper un profond soupir avant de se décider à parler.

— Je vous ai déjà donné des indices hier matin au Panier percé. Et votre M. Métivier se sera sans doute empressé de vous en apprendre davantage. L'organisation que je représente recrute des personnes qui sont parachutées au-dessus de la France occupée pour y opérer des transmissions de radiocommunication.

— Vous m'en annoncez trop et pas assez à la fois, fit observer Mathilde. Vous dites que vous m'avez approchée parce que j'ai du caractère. Si c'est le cas, je ne peux pas me contenter d'accepter ce que vous me proposez sans en connaître davantage.

— Je ne suis pas autorisé à vous en dire plus. Les candidates et candidats à qui nous faisons une première proposition, comme c'est le cas présentement pour vous, sont emmenés à l'endroit où nous formons notre personnel. Pendant quelques jours, deux semaines environ, vous serez l'objet d'observations minutieuses. Le moment venu, si vous êtes retenue, vous en apprendrez davantage sur la mission que l'on pourrait vous confier.

— Autrement dit, répliqua Mathilde, je suis un jouet entre vos mains. Il faut que vous le sachiez, je n'ai pas l'habitude de me laisser manipuler de cette façon.

— Ce qui confirme que nous avons vu juste en prenant contact avec vous. Les candidats que nous recherchons ont par définition une force de caractère qui les place au-dessus de la moyenne des gens. Cependant, l'organisation qui pourrait éventuellement vous recruter doit demeurer inconnue de tous, aussi bien au Canada qu'ailleurs dans le monde. Son efficacité en dépend. Mais attention, ce n'est ni une société secrète ni quelque chose d'illégal. Nous menons tout simplement des activités discrètes.

Mathilde constatait que son interlocuteur ne s'adressait plus à elle qu'en français.

— On dirait que vous avez oublié votre anglais, lui fit-elle observer.

— Nous avons atteint le point où les choses doivent être bien claires entre nous. Le moment venu, si vous êtes acceptée, ce sera votre tour de parler tout aussi bien l'anglais que le français.

— Vous dites «si». Ce qui signifie que je ne suis même pas certaine d'être recrutée par votre organisation?

— Vous entrez dans la phase où nous allons vous examiner sous toutes les coutures. Si vous n'êtes pas acceptée, vous serez renvoyée chez vous après avoir juré de ne rien révéler de ce que vous aurez vu et entendu parmi nous.

Le moment de silence qui suivit faisait tinter un carillon de questions dans le cœur de la jeune femme.

— Si j'ai bien compris, finit-elle par suggérer, je n'ai qu'à me taire si je veux apprendre un jour dans quoi je me serai embarquée. Je vous l'ai déjà dit, c'est contraire à mes habitudes.

Et elle se recroquevilla contre la portière.

*

Au même moment, mais en fin d'après-midi en France, Henri Ramier rentrait chez lui à bicyclette. En traversant Riscle, le peintre entendait les rires de son enfance lui tintinnabuler aux oreilles.

Sur ses fondations surélevées, l'église Saint-Pierre dominait tout un peuple de toits de tuiles, pressés entre le Rieutort et le canal du Moulin. Henri roula devant la mairie, sur la place de l'Hôtel-de-Ville. À proximité, une halle débordant de rumeurs humaines et animales annonçait la fin de la journée.

Le cycliste s'enfonça dans des rues étroites et tournantes où chaque fenêtre avait malgré tout ses fleurs, vers l'avenue de l'Adour, une voie solennelle débouchant sur le fleuve du même nom. Par-delà, il emprunta la route de Tarsac pour s'engager dans une allée hachurée d'ombre et de lumière. Il s'arrêta devant un haut portail qu'il déverrouilla. Henri Ramier était arrivé chez lui, au Guibourg.

Comme tous les jours à cette heure, Célestine, la servante, avait disposé sur la table sous le préau tout ce qui était nécessaire à l'accomplissement du rituel de fin du jour de son maître. Une bouteille de pastis, un bol rempli d'eau et de glace, de même qu'un grand verre et un cendrier. Henri s'installa dans son fauteuil de rotin, bourra sa pipe et se prépara un apéritif.

En ces années, le Gers était le département le moins peuplé de France. Pourtant, Henri découvrait partout où il posait son regard les signes d'une civilisation très ancienne. Le doux vallonnement du paysage se découpait en parcelles vert et or, de petits châteaux se dressaient au sommet de collines boisées, ceux qui étaient en ruines incitaient plus que les autres le peintre à sortir ses pinceaux, de petits ponts franchissaient des rivières aux berges invitantes, des fermes cossues en pierres de calcaire, réchauffées par le soleil, se dressaient au cœur d'un vignoble touffu comme une toison de brebis. De loin en loin émergeaient des vestiges d'abbayes posées sur des coteaux.

C'était compter sans la guerre. Les Allemands occupaient maintenant les ultimes retranchements de la France libre. Après avoir été sous la coupe des Italiens, ce qui subsistait de la zone libre en France était désormais soumis aux mêmes calamités de l'envahisseur germanique que le reste du territoire. À tout moment, chacun devait être en mesure de justifier le moindre geste ou une simple parole prononcée sur un ton anodin. La situation se compliquait encore davantage quand il s'agissait de se déplacer.

Les rayons obliques du soleil illuminaient Henri sous son préau. En dépit de la situation désastreuse dans laquelle se trouvait son pays, le peintre se laissait bercer par l'harmonie qui l'entourait.

— La Damazan a encore téléphoné, annonça Célestine. Elle demande que vous la rappeliez.

— Je sais trop bien ce que me veut cette bonne femme et je n'ai pas envie de l'entendre. Elle croit avoir des droits sur moi parce que j'ai couché avec elle à quelques reprises.

La servante secoua la tête et trottina vers la maison.

Le lendemain, Henri se rendit tout de même à Pau en train, un trajet de soixante-dix kilomètres environ. Ce n'était pas une mince affaire en raison de l'Occupation. Il fallait être prêt à montrer patte blanche à tout moment. Henri s'était procuré un laissez-passer sous le prétexte qu'il devait se présenter deux fois par mois au bureau d'un médecin dans cette ville.

À Pau, entre la place Georges-Clemenceau et la petite place Saint-Louis-de-Gonzague, s'ouvrait un quartier composé d'immeubles prestigieux flanqués de beaux arbres. Le peintre s'engagea dans la courte rue Latapie et franchit la porte d'un édifice à logements. La concierge le reconnut. Il la salua sans la regarder.

Il grimpa au troisième. Une grande femme gréée comme une caravelle lui ouvrit et l'embrassa sur la bouche. Henri en fut barbouillé de confusion. Cette personne rayonnait. Sa chevelure rugissait. Son opulente poitrine le troublait et son rire grave lui chatouillait le bas-ventre.

Laetitia Damazan enseignait au lycée voisin. Trop gourmande pour se contenter d'un seul homme, elle avait reporté sur la séduction l'instinct qui inspire aux femmes le goût des enfants. Elle cultivait les conquêtes. Henri figurait sur la liste de ses amants occasionnels.

La maîtresse des lieux s'installa au salon. Des tentures de velours enchâssaient un piano demi-queue et des vitrines de verre bombé débordantes de bibelots. Deux chats imposaient leur domination sur les lieux. L'hôtesse retira ses bagues et ses bracelets avant de poser les mains sur le clavier.

Elle attaqua la sonate en *si* mineur de Liszt. Elle tirait de l'instrument toutes les nuances de la voix humaine. Le lyrisme de la composition embrasait la pièce d'une lumineuse sonorité. Pour se conformer au rituel, Henri vint se placer derrière la musicienne et lui enlaça les épaules. Elle ronronna.

Après l'inévitable séance d'amour qui s'ensuivit, Laetitia Damazan se laissa choir dans un fauteuil faisant face au divan sur lequel son amant s'était réfugié. Henri appréciait la ferveur de leur relation physique, mais l'allure cérémonieuse que Laetitia donnait par ailleurs au moindre de ses gestes finissait par l'agacer. Ils fumaient tous les deux, lui sa pipe, elle une mince cigarette dont le peintre se demandait où elle se les procurait en ces temps de disette.

— Il faut bien redescendre sur terre, déplora Laetitia dans un geste de lassitude. Nous voici donc soumis aux mêmes tracasseries que tous les autres Français, et ce n'est pas le traître de Vichy qui va nous tirer d'affaire. Encore moins le grand fada qui se gargarise de discours à la radio, de l'autre côté de la Manche, chez les Anglais qui seront bientôt avalés eux aussi par l'ennemi. Si nous ne réagissons pas très vite, nous finirons nos jours dans la peau d'esclaves des nouveaux maîtres du monde.

— Il ne nous appartient pas à nous, les citoyens, de tenir tête aux occupants, intervint Henri. Nous n'avons ni la formation ni l'équipement pour y parvenir.

— À qui d'autre voudrais-tu confier cette mission?

Henri souffla un long jet de la fumée de sa pipe.

— À dire vrai, je ne vois pas. Ceux de Vichy sont des traîtres…

Laetitia acquiesçait.

— … et les résistants n'ont que de l'ambition, mais pas de moyens.

Son interlocutrice s'était levée. Elle écrasa son mégot dans un cendrier, alluma une autre cigarette, se versa une nouvelle rasade de Pousse-Rapière, oubliant de resservir son invité, et fit quelques pas dans la pièce pour tenter de dissiper le sentiment de contrariété qui l'envahissait. Au-delà du tapis, ses pas résonnaient sur le parquet.

— Tu ne dois pas parler comme ça! Ce n'est pas toi! lui opposa-t-elle.

— Que veux-tu que je te dise?

— Nous sommes un petit groupe, ici à Pau. Nous nous réunissons pour inventer des moyens de réagir contre la situation.

— Au point où nous en sommes, je me demande à quoi pourrait bien nous servir de réfléchir.

— À renvoyer les Boches chez eux, c'est-à-dire en enfer!

Elle fulminait. Il arrondissait le dos.

— J'ai beaucoup d'estime pour toi, lui assura-t-elle. J'aurais beaucoup de peine à me passer de nos séances d'entraînement physique. Surtout en ces temps où les événements nous accablent d'inquiétude.

— Je te promets de faire encore mieux la prochaine fois, répliqua Henri.

Laetitia faisait de grands signes de désapprobation de la tête.

— Mais l'heure n'est plus aux paroles! lui opposa-t-elle. Le temps est venu d'agir! Comme pour l'amour, tu vois?

*

L'après-midi tirait à sa fin. La Buick de Walter Sullivan s'immobilisa devant l'hôtel Royal York de Toronto. Depuis qu'ils avaient abordé le centre-ville, Mathilde avait vécu à la fine pointe de l'étonnement. Assise sur le rebord de la banquette, elle se tordait le cou pour tenter d'apercevoir à travers le pare-brise le sommet des gratte-ciel alignés en bordure de la rue.

— Vingt-huit étages, annonça Sullivan en désignant l'un des immeubles d'un signe de tête.

Quelques instants plus tard, en entrouvrant la portière avec précaution, la jeune femme allait prendre pied dans un monde qui l'effrayait car elle n'y retrouvait aucun de ses repères habituels. Le grondement engendré par le flot des voitures. La masse compacte des passants sur les trottoirs et au croisement des rues. Mathilde était une étrangère en pays inconnu.

Devant l'hôtel, un garçon vêtu comme pour le théâtre s'empara de sa valise. Comme elle demeurait figée sur le trottoir, ce personnage l'invita en anglais à le suivre. Comme elle ne bougeait toujours pas, le garçon exprima par des gestes le sens de ses paroles. Mathilde se mit en marche. Walter Sullivan venait derrière. Il paraissait détaché de l'action.

Dans le hall de l'hôtel, la jeune femme fut saisie d'effroi devant la démesure de tout ce qui l'entourait. Le brouhaha l'enveloppait comme l'eau d'un torrent au printemps. Le va-et-vient des personnes qui s'y trouvaient la déstabilisait. Le groom se dirigea vers le comptoir d'accueil. Sullivan lui adressa quelques paroles dans sa langue et prit la valise de Mathilde dans sa main avant d'inviter sa protégée à le suivre en direction des ascenseurs. L'une des portes de ces appareils s'ouvrit devant eux. Son guide inclina la tête pour lui signifier d'y pénétrer. Sitôt l'ouverture refermée, un autre individu vêtu lui aussi en personnage de contes pour enfants engagea une manette après que Sullivan lui eut indiqué, en anglais, le numéro de l'étage vers lequel ils se dirigeaient. Mathilde sentit son cœur s'envoler. L'arrêt subit de la cabine déclencha un éclair dans son ventre. Le préposé ouvrit la porte. Sullivan fit signe à la jeune femme de descendre.

Quelques pas plus loin, dans un corridor feutré, celui qui accompagnait la jeune femme tourna la poignée d'une porte de bois verni avant de s'écarter pour inviter cette dernière à pénétrer dans une pièce dont le sol était revêtu d'un tapis feutré. Outre le militaire qui les accueillit, Mathilde ne dénombra qu'un seul représentant de l'espèce mâle parmi les cinq femmes qui l'entouraient.

Sullivan, qui avait conduit Mathilde jusque-là, échangea alors quelques paroles en anglais avec l'individu qui semblait être chargé de mener la suite des événements. La jeune femme reconnut son nom dans ce charabia, puis les deux hommes se donnèrent une franche poignée de main. Celui qui avait guidé Mathilde se retira alors après lui avoir remis sa valise. Leur hôte s'adressa en français à la nouvelle venue :

— Nous n'attendions plus que vous.

L'homme, d'âge moyen, était vêtu d'un uniforme militaire. Il tira une feuille de papier plusieurs fois dépliée de la poche de sa chemise.

— Vous êtes sans doute mademoiselle Mathilde Bélanger?

L'intimée fit un signe positif de la tête. L'individu se tourna alors vers les autres.

— Nous allons pouvoir commencer.

Ils prirent place autour de la table. En comptant leur hôte, ils étaient maintenant huit dans la pièce. Celui qui les accueillait devait être dans la quarantaine. Il se présenta comme étant le sergent Archibald O'Schaughnessy. D'emblée, il annonça que le cours de leurs vies allait prendre désormais un tournant inattendu. Il parlait d'une voix ferme, les sourcils froncés, comme s'il entendait leur enfoncer quelque chose dans la tête.

Après leur avoir rappelé qu'en se présentant en ces lieux ils remettaient leur sort entre les mains des Services secrets canadiens, il les invita à se lever les uns après les autres et à venir jurer sur la Sainte Bible qu'il avait placée à sa droite sur la table de ne rien révéler de ce qu'ils allaient apprendre au cours des deux semaines qui venaient. Mathilde constata que le titre du livre saint était rédigé en anglais. Protestant, sans doute.

Quand ce rituel eut pris fin, O'Schaughnessy évoqua les terribles conséquences que pourraient entraîner toutes paroles ou tous gestes déplacés, de l'emprisonnement à la peine de mort. Puis il leur expliqua qu'ils seraient logés et nourris aux frais de l'armée au cours de la période d'évaluation qui commençait. Il précisa qu'ils recevraient même de légers émoluments en échange du respect des conditions qu'on leur imposait.

— Ceux qui seront retenus poursuivront leur entraînement, précisa-t-il. Les autres s'en retourneront chez eux après avoir juré de ne rien révéler de ce qu'ils auront appris ici. Nous sommes en guerre et les règles qui régissent la société canadienne n'ont plus cours. Les contraintes militaires sont de rigueur. La survie et l'éventuelle victoire du monde libre dépendent désormais de votre silence.

Et il les invita à le suivre, les ramenant en ascenseur vers le grand hall qu'ils franchirent en direction de la sortie.

Dehors, il les fit monter dans une fourgonnette dont rien ne désignait l'usage militaire auquel elle était destinée. O'Schaughnessy se mit lui-même au volant.

Après être sorti de la ville, le véhicule s'engagea dans la direction d'où Mathilde était venue. Un profond silence régnait dans la fourgonnette. La jeune femme ne pouvait s'empêcher de se raidir à l'idée qu'elle allait devoir se soumettre à toute personne qui lui adresserait un commandement. Cela contredisait les principes que son père lui avait inculqués.

Après environ quarante-cinq minutes, Mathilde constata que le véhicule s'était engagé dans un secteur rural. Ils roulaient sur une route de terre comme il s'en trouvait dans toutes les campagnes du pays. Au passage, à une intersection, la jeune femme put apercevoir un panneau indiquant qu'ils se trouvaient sur Thornton Road. L'endroit était ceinturé d'une haute clôture grillagée. Plus loin, une voiture les croisa sur cette chaussée pratiquement déserte. La fourgonnette s'arrêta peu après pour faire demi-tour. Son conducteur revint pointer le capot de son véhicule devant la barrière de la clôture devant laquelle ils venaient de passer. De toute évidence, le conducteur de la camionnette n'avait pas voulu révéler aux occupants de l'autre véhicule qu'il se dirigeait vers cet endroit. On pouvait lire l'avertissement suivant sur un écriteau posé à l'entrée :

PROHIBITED AREA
DEPARTMENT OF NATIONAL DEFENCE

Une sentinelle jeta un coup d'œil à l'intérieur de l'habitacle de la fourgonnette puis elle fit signe à O'Schaughnessy de procéder. Le véhicule pénétra à l'intérieur du complexe dont Mathilde ne tarderait pas à apprendre qu'il portait le simple nom de Camp X.

Ce n'était ni un village ni une usine, mais plutôt un regroupement d'une dizaine de bâtiments, certains rattachés les uns aux autres, d'autres isolés, tous bas de structure et ne comportant aucune indication de leur usage. La fourgonnette s'immobilisa devant l'une de ces constructions. Les passagers en descendirent, chacun emportant sa valise.

Les nouveaux venus se retrouvaient dans l'entrée d'un des deux bâtiments réservés au logement des personnes invitées à séjourner au camp. On leur distribua les vêtements qu'ils devraient porter en tout temps. Puis on leur désigna le numéro du cubicule qui leur était destiné, les priant d'y déposer leur bagage et d'endosser leur tenue.

L'étroitesse de la pièce – elle estima que la chambrette ne devait pas mesurer plus de six pieds sur neuf –, la petite fenêtre donnant sur le mur d'un autre bâtiment, la proximité des voisins dont elle pouvait entendre chaque geste, tout repoussait Mathilde dans ses retranchements les plus intimes. L'austérité des lieux contrastait avec la franche ouverture du milieu dans lequel la jeune femme avait vécu jusque-là.

En retrouvant les autres au réfectoire, Mathilde ne reconnaissait plus ses compagnes et son compagnon sous leur nouvel uniforme. À table, elle estima que l'endroit pouvait accueillir pas moins de deux cents convives à la fois. En ce moment, il ne s'y trouvait qu'une vingtaine de personnes. Mathilde se sentit rassurée d'être assise entre le jeune homme et l'une de ses consœurs qui lui avait souri pendant le transport.

— J'imagine bien que nous allons être envoyés en France, commença-t-elle à l'intention de son voisin.

— Sûrement, confirma ce dernier, mais ne te réjouis pas trop vite. Le pire endroit au monde où tu pourrais te retrouver en ce moment, c'est bien la France. Dans ce pays-là, il est impossible de faire dix pas dans la rue sans tomber sur un Fritz.

— Un quoi ?

— Un Allemand, si tu préfères.

Le repas s'acheva dans un épais silence. Les quelques anciens observaient les nouveaux. Les premiers en auraient eu trop à dire, les seconds refoulaient leurs questions.

Le souper fut expédié en moins de temps qu'il n'aurait été nécessaire pour y procéder en temps normal. Les nouveaux arrivants furent envoyés à leur chambrette pour y faire leur lit, ranger leurs affaires et s'installer pour la nuit.

— Qu'est-ce qui m'a pris de me laisser conduire ici? se répétait Mathilde.

Pour se dépêtrer de cette question sans réponse, elle accomplit son rituel du soir avec autant de minutie que si sa survie en eût dépendu. Elle disposa sur son lit les draps, la couverture et l'oreiller revêtu de sa taie. Elle en aplanit tous les plis. L'attention qu'elle déployait pour accomplir le moindre geste la mettait à l'abri du doute qui l'assaillait.

Puis elle endossa sa chemise de nuit, vêtement familier dont l'odeur et la texture la ramenèrent en pensée au Panier percé. Elle revoyait la chambre du domaine où elle avait vécu en Mauricie, déjà petite et pourtant trois fois plus grande que celle-ci, avec son lit et son bureau de travail. C'est dans cet état d'esprit qu'elle s'allongea. Il faisait très chaud dans le cubicule. Elle s'endormit sur la couverture.

Une alarme se déclencha dans les ténèbres. Sans doute un incendie! Mathilde se retrouva dehors en robe de nuit. Une bousculade de coups d'épaules, au milieu de ses compagnes et de son confrère. Des regards désemparés dans la campagne bruissant de cris d'insectes. On ne voyait pourtant ni flammes ni fumée.

Le militaire qui les avait accueillis à leur arrivée se présenta devant eux, une lampe de poche à la main. Il éleva la voix.

— Pour ceux et celles qui s'en inquiéteraient, il n'y a pas d'incendie. Ce n'était qu'un exercice. Cela me fournit l'occasion de vous adresser une observation. Je suis persuadé que la plupart d'entre vous ont oublié de prendre leurs papiers. Vous vous retrouvez donc sans identité en territoire inconnu et peut-être même hostile. Je vous laisse imaginer les conséquences que cela pourrait entraîner. Retournez donc vous reposer un peu car, dès demain matin, nous allons commencer à vous inculquer les notions indispensables à votre survie en milieu étranger.

*

— Au cas où certains d'entre vous ne le sauraient pas encore, je vous annonce que nous sommes en guerre. Pour vous donner une idée de ce dans quoi nous sommes embarqués, je précise à titre d'exemple que plus de cent mille membres d'équipage de la Force aérienne canadienne, y compris environ quarante mille pilotes, ont été formés chez nous, au Canada, pour aller combattre dans les vieux pays. Mais les guerres ne se gagnent pas uniquement sur les champs de bataille. Vous êtes ici pour apprendre à faire obstacle à la fureur du Führer en vous préparant à jouer un rôle dans les forces secrètes dont la mission est de rendre la vie impossible aux troupes d'occupation en Europe et principalement en France. Je vous préviens tout de suite, la fonction que vous serez appelés à assumer est peut-être encore plus dangereuse que celle des soldats sur les champs de bataille.

Mathilde avait constaté que les anglophones formaient la majorité des inscrits au camp. Il s'y trouvait toutefois bon nombre de francophones et plusieurs d'entre eux ne connaissaient que les *yes* et *no* de la langue dominante du pays. Pour la première fois de sa vie, la jeune femme s'inscrivait dans un milieu qui constituait une minorité parmi la masse de ceux qui l'entouraient. D'où le sentiment d'inconfort qui la tiraillait.

— Je suis le sergent Jean-Guy Desharnais, annonça celui qui se tenait debout devant les six femmes et le jeune homme, installés autour de la grande table au centre de la pièce. Je suis chargé de vous tenir la bride serrée pendant les deux semaines au cours desquelles vous serez examinés sous toutes les coutures. On vous l'a sans doute déjà dit et je me permets de vous le répéter, vos faits et gestes, et même vos pensées les plus intimes, seront scrutés à la loupe.

Mathilde jouait avec le crayon qu'elle avait trouvé sur le cahier posé sur la table devant elle.

— Ceux d'entre vous qui ne peuvent s'empêcher de faire des petits gestes désordonnés sont priés de refréner leur nervosité. Désormais, aucun de vos mouvements ne doit trahir votre état d'esprit.

Mathilde posa d'abord les mains à plat sur la table avant de les joindre.

— Au terme des deux premières semaines, continua le sergent Desharnais, ceux qui seront retenus pour poursuivre leur formation seront confrontés à des situations où leur moindre geste pourra faire toute la différence entre la vie et la mort.

Il avança d'un pas pour se rapprocher d'eux, le ventre maintenant appuyé sur le rebord de la table.

— Il y a deux sortes de guerre, annonça-t-il, celle qui se joue sur les champs de bataille et l'autre, plus exigeante encore, qui soutient la première dans les coulisses. Autrement dit, la guerre des tranchées et celle du maquis. Vous savez ce que signifie le mot « maquis »?

Ils échangèrent des regards, certains haussant les épaules, d'autres l'air absent. Le sergent répondit lui-même à sa question :

— Le terme « maquis » vient de la France. Il désigne les endroits secrets, les forêts et les broussailles où des groupes de résistants se camouflent pour lutter contre l'occupant allemand. Les maquisards, c'est-à-dire ceux et celles qui font partie d'un maquis, organisent des coups pour déstabiliser l'ennemi. En d'autres mots, ils mènent une guerre clandestine. Les maquisards agissent parfois seuls, ou encore en petits groupes. Ils font sauter les ponts où doivent passer les troupes allemandes. Ils détruisent également les rails sur lesquels circulent les trains de l'occupant. La plupart du temps, ces initiatives clandestines ont plus d'effet que bien des affrontements armés. À l'issue de votre formation ici, certains d'entre vous seront parachutés en France pour mener des opérations de ce genre.

Les occupants de la salle échangèrent des regards comme s'ils cherchaient à déterminer lesquels d'entre eux seraient amenés à exercer une fonction aussi exigeante. Le sergent Desharnais poursuivit son exposé comme s'il n'avait pas remarqué leur intérêt.

— Il y a une autre responsabilité qui s'exerce dans la Résistance, c'est celle des opérateurs radio. La plupart du temps, ce sont des femmes qui l'assument. La mission des opératrices consiste à informer les dirigeants des forces alliées des faits et gestes de l'ennemi ainsi que de l'état des lieux où ils sont déployés. Cette activité de renseignement est essentielle pour guider les haut gradés des armées dans leurs prises de décision. En d'autres mots, les opérateurs radio sont les yeux et les oreilles de ceux qui donnent les ordres en haut.

Certaines des personnes assemblées autour de la table adoptaient une attitude qui montrait qu'elles estimaient ou rejetaient ce genre d'activité. Celui qui présidait la formation n'en tint aucun compte.

— En aucun cas vous ne serez appelés à choisir vous-mêmes la fonction que vous exercerez, précisa-t-il. Ceux qui seront chargés de votre formation pendant les deux semaines qui viennent prendront la décision pour vous. Leur choix sera sans appel et nous n'avons pas encore vu de cas où leur recommandation était contraire aux dispositions des candidats concernés.

L'animateur de la séance se recula d'un pas, comme pour signifier qu'il rejetait les objections manifestées sur les traits du visage de quelques-uns.

— Au cours de votre initiation, certains exercices pratiques dans lesquels nous vous entraînerons pourront vous sembler étrangers au service vers lequel vous vous sentez disposés. Il ne vous appartiendra pas non plus d'en discuter. Tout ce que l'on vous enseignera ici vous servira un jour ou l'autre, soyez-en assurés.

Mathilde leva la main pour signifier qu'elle demandait la parole. Sans attendre qu'on l'y ait autorisée, elle formula sa question :

— Oui, mais tout de même, en cours de route, il pourrait arriver que l'une ou l'autre d'entre nous s'aperçoive qu'elle n'est pas affectée à une fonction qui lui convient vraiment. Avez-vous prévu un mécanisme qui nous permettrait de demander à être déplacé vers un autre domaine que celui auquel vous nous avez affecté?

Le sergent Desharnais durcit les traits de son visage.

— Vous n'êtes pas ici pour quémander un emploi dans une manufacture de chaussures, mademoiselle. Vous allez vous trouver impliquée dans la plus grande guerre que l'humanité ait jamais connue. Vous en constituerez un rouage essentiel. A-t-on jamais vu un piston, dans le moteur d'une automobile, demander à être muté à la fonction de carburateur?

Un éclat de rire accueillit cette remarque. Mathilde se mordit les lèvres pour ne pas répliquer.

*

Ce matin-là, après avoir avalé un bout de pain et une tasse de succédané de café, Henri Ramier monta à l'étage de la maison qu'il avait héritée de son père à Riscle. Il en avait transformé toute la partie nord en un vaste atelier. Des dizaines de toiles appuyées les unes contre les autres le long des murs. Un imposant chevalet dressé au centre de la pièce supportait une œuvre inachevée représentant une femme nue crucifiée. Dans l'esprit du peintre, ce témoignage sur les temps présents s'intitulerait *Ma France en guerre.*

Henri s'installa sur une chaise à fond d'osier dont certaines bandes s'échiffaient après avoir été détressées. Le siège était posé à deux mètres du chevalet. Le peintre sortit sa pipe et son tabac de la poche de son pantalon, la bourra et l'alluma. De rondes volutes s'élevèrent de son fourneau.

Il n'avait pas le cœur à l'ouvrage ce jour-là. Comment pouvait-on se sentir inspiré pour représenter le monde sur un bout de toile quand celui-ci se décomposait autour de vous? Espérant réorienter la dérive de sa pensée, Henri se laissa entraîner sur les sentiers de sa vie passée. Ce qui n'arrangea guère les choses.

Une enfance sous la tutelle d'un père en constant désaccord avec le sort que la vie lui avait réservé. Le paternel était représentant de commerce parce que son propre géniteur l'avait été avant lui. Une mère soumise à l'esclavage des tâches ménagères. Deux frères et une sœur, plus âgés que lui, dont l'unique préoccupation semblait être de quitter le nid le plus tôt possible. Et lui, poussin à la couleur différente de celle des autres, doté d'un talent qui le rendait suspect aux yeux de sa famille.

Comme ses frères avant lui, Henri avait été contraint très tôt de s'initier à la profession de son père en accompagnant ce dernier dans ses tournées de représentant de commerce. L'aspect servile de la profession, toujours souscrire aux opinions de la clientèle, lui répugnait. De retour à la maison, présenter aux membres de la famille les concessions qu'on avait dû faire comme autant de stratégies déployées pour emmener les acheteurs à signer une commande juteuse. Dès qu'il avait été en âge de tenir tête à son père, Henri avait refusé de l'accompagner dans ses tournées.

Encore fallait-il se trouver une occupation. Le garçon avait fini par dénicher un emploi au bureau de tabac. Douze heures chaque jour derrière le comptoir à feindre la bonne humeur en écoutant le même verbiage de semaine en semaine. Ce n'était pas une occupation, encore moins une situation qui lui garantirait un avenir.

Puis la vie avait brassé pour lui les cartes. Son père était décédé au mitan de la cinquantaine. Ses frères ayant quitté l'un après l'autre la maison, le jeune homme se retrouvait avec sa mère et sa sœur sur les bras. Pour assurer leur subsistance, Henri se fit horticulteur.

La maison familiale se dressait à l'écart du bourg, au centre d'assez vastes parcelles de terre que le jeune homme transforma en jardins potagers. La vente de ses récoltes entraîna une rentrée d'argent suffisante pour assurer sa survie et celle des deux personnes qui dépendaient maintenant de lui.

Cette situation présentait un autre avantage : Henri put désormais consacrer ses hivers à la pratique de l'art qui donnait un sens à son existence. Il avait transformé en atelier l'une des chambres de l'étage. Il s'y enfermait du matin jusqu'au soir, produisant quantité de croquis, de petites esquisses puis des œuvres de plus grande dimension. Sa vie s'alignait désormais sur deux saisons, l'été dans ses potagers, l'hiver dans son atelier.

Le jeune homme qui avançait en âge sentait bien parfois bouillir le désir dans ses replis intimes. Dans le milieu où il avait été élevé, on n'y satisfaisait pas avant d'avoir apposé sa signature au bas d'un contrat de mariage. Dans le même temps, Henri se rendait deux fois par semaine au bureau de tabac de Riscle. Il y avait fait la connaissance de la jeune fille qui y assumait la fonction qu'il avait lui-même occupée quelques années plus tôt. Elle se nommait Évelyne Delestrac. Elle était originaire du bourg voisin des Termes-d'Armagnac, à proximité duquel ses parents exploitaient une ferme. Henri la courtisa, lui fit une proposition et finit par l'épouser.

La vie du jeune homme avait pris un cours familial. L'été dans ses potagers, l'hiver dans son atelier, matin, midi et soir sa femme au fourneau, lui assis devant la table où les fantômes de sa parentèle continuaient d'occuper leur place habituelle. Henri jouait au jeu des souvenirs avec ses disparus, père et fratrie.

Mais sa propre compagne était de santé fragile. Elle décéda une dizaine années plus tard sans lui avoir donné d'enfant. Comme un départ ne vient jamais seul, sa mère, qui vivait avec eux, mourut peu de temps après. Sa sœur qui partageait les lieux ayant épousé un maçon de Cahuzac-sur-Adour, Henri se retrouva donc seul au Guibourg. Il en tira une conclusion qui lui souriait. Il pourrait désormais réduire ses activités horticoles pour les remplacer par de plus intenses périodes de production artistique.

Au cours de l'un des étés suivants, un matin qu'il entrait comme à son habitude chez le marchand de tabac, la tenancière qui était maintenant une dame âgée lui apprit qu'elle avait eu une conversation à son sujet avec un visiteur étranger. L'homme se présentait comme représentant en vins ou en tabac, avec cette particularité qu'il portait un grand intérêt aux œuvres d'art. La tenancière avait alors annoncé à l'inconnu que Riscle comptait un artiste parmi ses habitants. Sans accorder trop d'importance à ce qu'il disait, l'agent avait suggéré à la buraliste d'inviter le peintre à venir le rencontrer au Relais des Arcs. Henri s'y était rendu à bicyclette le lendemain. Un déclic de sympathie se fit entre les deux hommes. Le lendemain, Henri montra ses œuvres au marchand d'art. Celui-ci fut séduit. En rentrant vers la capitale, il emportait quelques-uns des tableaux les plus représentatifs du talent du peintre gersois. La suite ne fut qu'une succession de succès.

Les critiques d'art attirèrent l'attention sur Henri Ramier lors d'un des salons d'automne du Grand Palais. Puis le galeriste avait pris quelques-unes des œuvres de son poulain dans ses bagages à l'occasion d'un de ses voyages aux États-Unis.

L'année suivante, Henri fut invité à se rendre lui-même dans la métropole américaine pour participer à l'inauguration d'une exposition qui lui était consacrée. Au retour de ce séjour, il avait fait le détour par le Canada. Henri avait été séduit par la nature sauvage de la province française du Québec. Il s'était aussitôt employé à la transposer sur sa toile.

En même temps, la rencontre que le peintre avait faite dans une région nommée Mauricie d'une jeune femme dotée d'un caractère original avait ravivé en lui un appétit qu'il croyait à jamais perdu. Le goût d'aimer et d'être aimé. Elle se nommait Mathilde Bélanger. Elle déployait toute l'énergie indomptée dont les premiers colons français avaient fait preuve pour s'implanter sur ces terres lointaines.

Henri avait commencé à jongler en secret avec l'idée qu'il pourrait s'établir en Mauricie aux côtés de cette personne qui possédait un tempérament hors du commun. Outre le bonheur qu'il espérait retirer de cette fréquentation, ce changement de vie donnerait à son œuvre une impulsion inespérée. Mais les premiers échos d'une guerre qui menaçait d'éclater en Europe et plus particulièrement en France avaient porté un coup fatal à ce trop beau rêve. Le Français n'avait pas eu d'autre choix que de rentrer dans son pays, plus seul que jamais.

Au Guibourg, il se leva de sa chaise. Le cœur flasque, il fit quelques pas dans son atelier. Leva le regard sur le tableau posé sur le chevalet au centre de la pièce. Il avait peint la femme crucifiée pour imposer une image forte de la guerre. En même temps, il se retrouvait devant une cruelle illustration de la manière dont s'était terminée sa relation avec la jeune Canadienne. Comment pouvait-il présenter un portrait aussi désolant de l'existence sans renoncer à tout l'amour qu'il portait en lui? Pendant un instant, la pensée d'achever cette œuvre lui parut insupportable.

Un coup frappé à la porte de son atelier le fit sursauter. Célestine, la bonne, entra en s'essuyant les mains dans son tablier. Elle annonça que le téléphone venait de sonner. Henri l'avait bel et bien entendu, mais il avait choisi de l'ignorer. Comme prévu, Célestine s'était empressée de répondre afin que le peintre ne soit pas dérangé dans son travail. La teneur du message avait cependant incité la bonne à venir en faire part aussitôt à son patron. Mme Laetitia Damazan réclamait la présence d'Henri à une rencontre d'une extrême importance qui se tiendrait chez elle, le soir même à Pau.

*

On était au cœur de juillet. Tout le jour, la chaleur avait épaissi l'air dans l'appartement de Laetitia Damazan. Les invités arrivèrent l'un après l'autre, en retard comme les convenances l'exigeaient en France. Seul Henri s'était présenté à l'avance.

Pendant qu'ils étaient encore tous les deux ensemble, Laetitia Damazan lui avait fait des minoucheries. Le peintre ne se sentait pas d'humeur à se reculotter au premier bruit de pas sur le palier. Il s'était donc contenté de peloter Laetitia en pouffant de rire.

Le notaire Jérémie Dandirac arriva le premier. Laetitia fit les présentations. Le paperassier au bedon rebondi dégoulinait de sueur.

— Pourquoi n'irions-nous pas nous asseoir dans le parc à l'ombre des grands arbres? s'enquit-il.

Laetitia s'était contentée de hausser les épaules en filant à la cuisine. Henri supposait que leur hôtesse préférait les garder sous sa main, se proposant sans doute de partager avec eux un projet qui réclamerait toute leur attention. En vérité, il ne savait pas davantage que le nouveau venu ce que Laetitia souhaitait leur apprendre ce jour-là.

Le second arrivant, Maurice Lespeyre, un maraîcher, tenait un étal au marché public de la ville. Il avait les joues roses et une forte moustache grise. Sa langue pittoresque dressait tous les « r » de ses mots comme les fûts des grands pins des Landes. Henri en fut quitte pour entretenir ce nouvel invité en même temps que le premier.

Le dernier à se présenter à l'appartement était un petit jeune homme que le hasard avait jeté là sans qu'il sût ni pourquoi ni comment. Ce Julien Dandrieu était affligé d'une timidité hors du commun. Les trois ne se connaissaient pas, ou peut-être seulement de vue pour deux d'entre eux. Chacun se demandait ce qu'il était venu faire parmi les autres.

Après l'arrivée du troisième invité, Laetitia Damazan revint de la cuisine pour poser un plateau couvert de bouteilles et de verres sur la table basse au centre de la pièce. En ces temps de disette, pareille opulence n'était pas usuelle. L'hôtesse redisparut aussitôt pour réapparaître avec un grand plat de service garni de bouchées.

— Je présume que vous avez fait connaissance, lança Laetitia à ses visiteurs. Servez-vous donc. Et toi, ajouta-t-elle à l'intention d'Henri, aide un peu nos invités à se sentir à l'aise.

D'abord un peu embarrassés, les quatre hommes et leur hôtesse firent couler de l'armagnac et du génépi dans leur verre. Puis ils commencèrent à échanger des propos sans conséquence pour chercher à discerner leurs points communs et déceler leurs divergences. Henri lui ayant présenté un verre, la maîtresse des lieux éleva la voix :

— Chers amis, annonça-t-elle en portant son génépi à la hauteur de ses yeux, nous allons aborder le sujet qui nous rassemble ici aujourd'hui.

Et comme ils ne répondaient pas assez vite à son invitation, elle insista :

— Sans façon ! Asseyez-vous !

Ils s'exécutèrent en faisant de lents mouvements, le notaire profitant du déplacement pour reprendre en aparté le fil de la conversation qu'il avait amorcée avec le maraîcher, ce qui avait renvoyé le petit jeune homme à lui-même, comme à l'habitude. Laetitia leur lança le regard de maîtresse d'école dont elle détenait le secret. L'homme de loi ne se rendit pas compte qu'il était le seul à finir sa phrase à voix haute dans le silence encore frais.

— … sans qu'il se soit rendu compte du mauvais tour que je venais de lui faire.

— Merci, messieurs, prononça Laetitia Damazan en même temps que le notaire parlait encore.

Elle leva les yeux vers ce dernier.

— L'un d'entre vous me connaît peut-être un peu. Les deux autres, pas du tout.

Elle tourna la tête vers Henri.

— Quant à ce monsieur, il n'est pas d'ici et c'est pourtant un vieil ami à moi.

Elle dirigea tour à tour son regard sur l'un et l'autre d'entre eux.

— Nous vivons des temps qui nous posent des défis auxquels nous n'étions pas préparés. Rassurez-vous, je ne vais pas m'attarder à répertorier nos malheurs. Je me contenterai de vous rappeler que l'Armagnac et les Pyrénées sont maintenant sous la férule allemande, comme tout le reste de la France. J'ajouterai que des individus aussi lâches que profiteurs lèchent les bottes des Allemands en échange du privilège de se bomber le torse en public. La guerre n'est plus désormais le grand jeu militaire dans lequel le destin accordait tour à tour l'avantage aux deux parties. C'est entre Français que nous nous battons maintenant.

— Oui, se permit de commenter le notaire, et ce climat cent fois plus néfaste que la guerre me fait regretter le temps où l'ennemi portait un uniforme facilement identifiable. Alors qu'aujourd'hui, et je le dis en m'excusant auprès de vous, l'adversaire a le même visage que vous et moi.

Laetitia opina de la tête en faisant tinter ses bijoux pour manifester son adhésion à ce déplorable constat. Elle reprit aussitôt le cours de son propos :

— Nous sommes tellement suspicieux que nous ne reconnaissons même plus nos amis. Au rythme où vont les choses, nous n'oserons bientôt plus nous confier à nous-mêmes nos propres pensées. Et ce n'est pas le grand bonimenteur qui vient de s'installer en Afrique du Nord après avoir postillonné à la radio anglaise qui viendra nous tirer de ce mauvais pas.

Ce portrait de la situation incita les personnes présentes à noircir encore davantage le tableau en y ajoutant leurs commentaires les plus affligeants. Il y eut des « … trahis par ceux qu'on a laissés s'installer à Vichy!» et autres «… pays occupé par deux ennemis à la fois, l'envahisseur et les collabos!». Laetitia se pencha vers ses invités et elle baissa le ton pour retenir leur attention.

— Ne comptez surtout pas sur les traîtres qui se sont emparés des vestiges du pouvoir pour vous redonner votre dignité perdue. Nous ne devons désormais fonder notre dignité que sur nos seules convictions personnelles.

Dans les fauteuils et sur le divan, on échangeait des regards pour tenter de déchiffrer la pensée de son voisin.

— Mais il subsiste une lueur d'espoir au fond de certains esprits, prononça Laetitia Damazan d'une voix soudain plus assurée.

Des mouvements de jambes et des redressements du dos accueillirent cette affirmation.

— Sans trahir des secrets que j'ai juré de ne pas révéler, enchaîna sans attendre Laetitia qui inclinait maintenant le buste vers eux, on m'a fait comprendre que le moment était venu de prendre l'initiative que voici.

Les convives plissaient le front et tendaient le cou en direction de la poitrine de la maîtresse de la maison que l'échancrure de son vêtement mettait en évidence.

— Le dernier recours de la patrie, c'est vous et moi, enchaîna cette dernière, c'est-à-dire les quelques honnêtes citoyens qui sont encore disposés à mettre leur cœur et leurs bras au service du pays.

— Vous n'allez tout de même pas nous demander de renvoyer l'ennemi chez lui en lui donnant des claques au visage avec nos mains nues? protesta le maraîcher.

— Certes non! riposta Laetitia. Mais nous pouvons commencer dès maintenant à lui rendre la vie si insupportable qu'il n'aura bientôt plus qu'une idée en tête : rentrer chez lui le plus tôt possible, le dos rond.

Les invités fronçaient les sourcils en échangeant des regards. L'un d'eux se grattait le menton. Un autre faisait tourner son alliance dans son doigt. Laetitia agita une main grande ouverte au bout de son bras en faisant cliqueter ses bracelets pour accroître le niveau d'intérêt qui venait de s'installer dans le salon.

— Je sais, reconnut-elle, il est toujours plus difficile de prendre soi-même les choses en main plutôt que de chercher à qui les confier.

Un silence à fort relent d'incompréhension se répandit dans la pièce. Laetitia Damazan jouait avec le chaud et le froid. Cela finit par produire son effet : le jeune homme qui n'avait encore rien dit frappa du poing dans son autre main ouverte en poussant une exclamation.

— Vous avez raison, madame ! Qu'attendons-nous pour réagir ? Si nous ne voulons pas finir nos jours dans la peau d'esclaves au service des envahisseurs, nous devons harceler l'occupant de toutes les manières possibles. Il finira bien par retourner s'enfouir dans son terrier.

— Ce garçon a parfaitement raison, triompha Laetitia Damazan. Il vient de résumer les propos que je vous réservais.

*

Au Camp X, en bordure du lac Ontario, dans la province du même nom au Canada, on avait atteint le milieu d'une journée laborieuse. Pendant la plus grande partie de la matinée, Mathilde avait joué avec les doigts sous la table et elle avait serré les dents de temps en temps, s'efforçant de ne pas trop se montrer hostile à l'endroit de l'instructeur qui prononçait chacun des mots de la langue française avec un fort accent britannique. La jeune femme en était venue à se demander si ce supplice ne constituait pas une stratégie mise au point par les dirigeants du camp pour évaluer la faculté des recrues à ne rien laisser paraître de leurs sentiments.

Elle s'en était ouverte à ce garçon qui la suivait comme un chevalier servant. Celui-ci s'était dit d'avis que la seule façon de survivre à leur séjour dans ce centre de formation se résumait à débrancher sa machine à penser pour adopter la conduite du petit chien qui trotte avec docilité aux côtés de son maître.

— Je veux bien servir mon pays, avait protesté Mathilde, mais je ne vais tout de même pas laisser ces gens-là me dépouiller de ce qui fait de moi la personne que je suis.

— Pour survivre, avait insisté le jeune homme, tu dois te montrer plus finaude qu'eux. Soumise en apparence et indépendante au plus profond de toi.

Cette proposition n'avait réconforté Mathilde qu'à moitié. Pour l'heure, les tripes lui gargouillaient. Il était près de midi. C'était l'heure où l'on avait l'habitude de manger dans ce pays. La jeune femme se mêla au groupe des recrues qui sortaient de la salle. Ensemble, ils s'engagèrent dans le corridor en direction du réfectoire. Un cri poussé par l'un des surveillants qui étaient chargés de diriger leurs activités les figea sur place.

— Où allez-vous comme ça? Tout le monde dehors! Nous désirons vous proposer une petite activité qui vous ouvrira l'appétit.

Les six femmes et le jeune homme furent invités à s'entasser dans l'espace de chargement d'un pick-up. Le véhicule s'éloigna des bâtiments en suivant un tracé qu'ils n'avaient pas emprunté jusque-là. Personne ne dit mot pendant le trajet. Encore moins après qu'ils eurent aperçu dans le lointain une haute tour faite de bois qui se dressait au milieu de nulle part. On les invita à descendre au pied de l'installation. Tous les sept examinaient la structure en silence.

— Quatre cent cinquante pieds, annonça le militaire qui les accueillait. Juste assez pour que le parachute ait le temps de s'ouvrir. Rassurez-vous cependant. Votre instrument de protection est rattaché à un câble qui descend en s'éloignant de la tour jusqu'au sol. Vous éprouverez la sensation de sauter dans le vide tout en évitant de vous écraser au sol. Qui veut faire l'expérience en premier?

Il faisait un temps radieux. Plein soleil, aucun souffle de vent. Ils se sentaient le ventre plus creux que jamais.

Ce qu'on venait de leur annoncer leur serrait le cœur. Comme personne ne répondait, l'instructeur prit la suite des événements en main.

— Nous allons donc procéder en suivant l'ordre alphabétique, annonça-t-il.

Et il s'approcha tour à tour de chacun d'eux en réclamant qu'ils prononcent leur nom. «Desnoyers», «Laframboise», «Bélanger»… L'instructeur fit un pas pour se positionner devant Mathilde.

— C'est donc vous, mademoiselle, qui allez avoir l'honneur de montrer le chemin aux autres.

La jeune femme était trop saisie d'étonnement pour réagir. L'instructeur ajouta en désignant la tour d'un signe de tête.

— Je vous accompagne là-haut. On n'est jamais trop minutieux en endossant son parachute.

Et il se dirigea vers la structure tout en se retournant pour s'assurer que sa première cobaye le suivait bien. Une échelle était fixée à l'enchevêtrement vertical de poutres qui composait l'un des pans de la tour. L'instructeur s'écarta pour laisser Mathilde y grimper en premier.

La jeune femme posa les deux mains sur le barreau qui se trouvait à la hauteur de sa poitrine. Le militaire se tenait toujours derrière elle.

— Après vous.

Mathilde prit alors une profonde inspiration et mit un pied sur le premier barreau de l'échelle. Un cri d'alarme la déchirait en dedans. Elle gravit quelques échelons et tourna la tête pour s'assurer que son guide la suivait bien.

— Ne craignez rien. Pour rien au monde je ne voudrais manquer le visage que vous ferez quand vous vous jetterez dans le vide.

Et il lui fit signe de poursuivre son ascension. Mathilde empoignait l'un après l'autre les barreaux qui se trouvaient devant ses yeux. Ses pieds suivaient au même rythme. Elle avait commencé à compter les échelons. Il n'en fallut pas plus d'une vingtaine pour qu'elle cesse de le faire.

L'angoisse lui déchirait la poitrine cependant que son cœur cherchait à s'évader par cette ouverture. Elle en était environ à mi-course de l'escalade quand elle se retourna pour regarder en bas, par-dessus son épaule. Regrettable geste. Une décharge de panique la traversa.

Les jambes en guenilles, les bras soumis à de violentes vibrations, elle songea que la détresse pourrait l'inciter à lâcher prise. Elle ferma les yeux et s'étonna d'être encore accrochée à la vie. Une décision la rasséréna. Il n'y avait pas d'autre issue que devant. Elle se remit donc à poser les pieds et les mains en alternance sur les barreaux et les montants de son instrument de supplice.

Elle finit par constater que la plate-forme qui coiffait la tour se présentait au-dessus de sa tête. Cette vue lui insuffla une bouffée d'espoir. Elle se remit à grimper. Sans avoir le temps de s'en rendre compte, elle franchit l'ouverture qui donnait sur le plateau. Deux militaires s'y trouvaient déjà. L'instructeur qui l'avait suivie dans l'échelle s'y hissa à son tour. À quatre, ils emplissaient tout l'espace, Mathilde au milieu. Elle se permit un regard aux alentours, étonnée d'être séduite par ce qu'elle voyait.

Au loin, la terre ressemblait à une tapisserie ou même à un tableau des peintres anciens dont elle avait entrevu quelques reproductions dans les livres. S'étant approchée de la rambarde pour regarder vers le sol, elle reçut un autre coup de poignard en pleine poitrine. Porter les yeux vers le lointain pouvait toujours entraîner un sentiment d'admiration. Mesurer la distance qui séparait le sommet de cette tour du sol relevait tout simplement de la démence.

En même temps, les deux militaires qui se tenaient à ses côtés commençaient à l'aider à endosser une combinaison qui la recouvrit entièrement. Puis ils se mirent en frais de fixer un parachute sur son dos. Tout un assortiment de lanières et de harnais. La jeune femme levait un bras ou courbait les épaules comme on lui commandait de le faire. Les hommes serraient les sangles sans ménagement. L'instructeur qui se tenait responsable de la réussite de ce premier saut vérifia ensuite tous les points d'attache. En même temps, il s'était arrangé pour emmener Mathilde à se placer devant une ouverture dans la rambarde. Tant qu'elle regardait au loin, la néophyte n'éprouvait ni peur ni vertige. L'instructeur lui mit la poignée d'une corde dans la main et serra pour s'assurer que la prise était bonne.

— Une fois que vous serez dans le vide, vous compterez jusqu'à cinq et vous tirerez sur cette corde. Jusqu'à cinq, insista-t-il en la regardant dans les yeux. Pas avant, ni après. En arrivant au sol, vous pourrez vous rouler en boule si vous en éprouvez le besoin. Je compte avec vous jusqu'à cinq et vous sautez en comptant de nouveau jusqu'à cinq.

Elle le regarda comme s'il lui avait parlé en latin. Il s'assura qu'elle avait bien gardé les bras le long du corps, la corde toujours dans la main droite.

— *One, two, three...*

Et il lui donna une grande poussée dans le dos.

Contrairement à ce qu'elle prévoyait, Mathilde n'éprouva pas la sensation de tomber dans le vide. Il lui sembla même qu'elle flottait dans l'air. Elle percevait sur ses vêtements le frottement de l'air qu'elle traversait.

Une décharge d'émotion lui traversa le cœur comme dans son enfance, quand son père lui donnait des élans si vigoureux qu'elle se retrouvait presque à l'horizontale sur le siège de la balançoire, les mains accrochées aux câbles, persuadée qu'elle allait s'envoler dans le firmament. Ce qui était le cas maintenant. Le temps avait cessé d'exister. En regardant en bas, Mathilde éprouva la dérangeante impression que la terre montait vers elle. Elle se ressaisit bien vite. D'un geste sec, elle tira sur la corde qu'elle tenait à la main. L'instant d'après, elle se sentit ralentir.

La descente se stabilisa. Mathilde pouvait voir les berges du lac Ontario vaste comme la mer, l'agglomération du camp avec les toitures de ses bâtiments et l'éventail des champs tout autour. Sans oublier une grappe d'individus qui levaient la tête dans sa direction, en bas, non loin de l'endroit vers lequel elle se dirigeait.

Un léger sentiment d'apaisement aussitôt suivi d'un vif étonnement. La surface de la terre approchait à une vitesse déconcertante. Un choc. Elle roula et se retrouva allongée sur le côté, traînée pendant quelques instants sur l'herbe par le parachute qui avait atteint rapidement l'extrémité de la corde qui le retenait. Mathilde ouvrit les yeux pour apercevoir, juste à côté de son visage, les grosses bottines d'un militaire qui s'employa à la libérer de son harnachement. Ses compagnes et son compagnon l'entourèrent.

— Pas mal pour une débutante, lui déclara le militaire qui achevait de la délivrer de ses sangles. En général, ceux qui sautent bien la première fois sont retenus après leurs deux semaines d'évaluation.

*

Henri Ramier s'enfonçait dans la causeuse. Assise sur le rebord du divan devant lui dans l'étroit salon, Laetitia Damazan lui avait mis la main sur un genou. Ce faisant, elle s'inclinait vers lui. De ce point de vue, il pouvait contempler une fois de plus la généreuse poitrine de son amante. Celle-ci rejeta sa chevelure en arrière. Elle embrassait l'air.

— Depuis que les Chleuhs ont envahi ce qu'il nous restait de la France libre, je ne peux plus supporter l'idée de finir mes jours en esclavage dans mon propre pays, déclara-t-elle. Tu l'as bien vu pendant la réunion, on ne pourra pas dire que je n'aurai pas tout tenté pour contribuer à sauver notre Sud.

— Et moi, lui répondit Henri en se redressant sur son siège, je ne comprends toujours pas comment j'ai pu me laisser courtiser sans résister par une bande de va-t-en-guerre qui n'ont pas d'autre avenir que d'être exterminés par les Boches. Je ne suis pas Robin des Bois, tout de même !

Laetitia avait retiré sa main de son genou.

— Faudrait voir, marmonna-t-elle. Tu es lâche ou inconscient?

— Je m'efforce de regarder la réalité bien en face, rectifia-t-il.

— Bien entendu, lui opposa-t-elle, tu ne serais pas un artiste si tu voyais la vie avec les mêmes yeux que tout le monde.

— Si tu avais vraiment du respect pour celui que je suis, tu t'efforcerais de me tenir à l'écart de vos combines.

Laetitia s'était levée. Ses mains qui volaient autour de sa tête en disaient davantage que ses paroles. Henri leva vers elle un regard un peu inquiet.

— Si tu n'étais pas en accord avec nos projets, lui reprocha-t-elle, tu aurais pu à tout le moins nous en faire part pendant que nous en discutions tout à l'heure. Ce n'est plus le moment, maintenant que les décisions sont prises, de m'annoncer que tu ne te rallies pas à notre plan d'action.

Henri s'était mis debout à son tour.

— Porter du ravitaillement au maquis tout en faisant sauter un pont au passage, tu crois vraiment que c'est une activité qui me convient?

— Et tu es disposé à laisser un notaire, un maraîcher et un petit jeune homme à la conscience plus éveillée que la tienne prendre tous les risques à ta place? Mais pourquoi n'as-tu pas formulé tes objections devant les autres?

— Pour ne pas te faire perdre la face, marmonna-t-il.

— Dis plutôt que tu préservais tes arrières!

Laetitia leva les deux bras en secouant ses bracelets.

— Retrousser mes jupons, ça tu sais le faire! Manger le chou tout en t'efforçant d'attraper la chèvre en même temps, aussi! Je me trompe ou tu excelles dans l'art de prendre le meilleur tout en évitant le pire?

Le ton avait monté. Ce n'était pas la première fois que cela se produisait entre eux.

— Je vais te faire changer d'idée, le menaça-t-elle.

Et elle se jeta sur lui pour lui mordre la bouche. Ils s'aimèrent comme le font les loups dans les bois, à la sauvette, à la fin du jour. Sans ménager l'autre, en cherchant chacun son propre plaisir. Les meubles en furent bousculés. Un verre tomba sur le tapis sans se casser. Pendant qu'ils se rhabillaient, Henri s'efforça de se justifier une fois de plus.

— Tu me connais depuis assez longtemps pour savoir que je suis un contemplatif.

— Et moi, s'offusqua-t-elle, tu crois que je suis une exaltée qui s'est mis en tête de redresser tous les torts du monde ?

— Je n'ai jamais pensé cela !

— Alors, enchaîna-t-elle, nous pouvons conclure ensemble que la France ne se relèvera pas de son humiliation sans que nous y ayons mis notre grain de sel.

— Pour ça, tout à fait d'accord avec toi ! reconnut-il encore.

— Mais alors tu n'es pas contre nous !

— Je n'ai jamais dit cela ! Cependant, je me réserve le droit d'établir mes propres priorités sans dépasser les limites de ma compétence. Si elles sont respectées, je suis prêt à vous appuyer sans pour autant mettre mon art en péril.

— Tu serais prêt à t'impliquer à nos côtés ?

— Pas pour installer des bombes ni pour assassiner des collabos, rectifia-t-il. Recueillir des renseignements, peut-être. Vous faire rapport de ce que je vois et de ce que j'entends.

— Mais alors, on peut considérer que tu es toujours avec nous ?

— Dans la mesure où je demeurerai libre de mes pensées tout autant que de mes allées et venues, oui.

Laetitia saisit son vieux complice par les épaules.

— Tu aurais pu le dire plus tôt devant les autres.

— Cela aurait entraîné des explications que je n'avais pas envie d'étaler devant eux.

Laetitia sentait que le moment était trop délicat pour aller plus loin.

— Tu es vraiment un vieux loup solitaire ! proclama-t-elle. C'est en grande partie pour cela que je t'admire. Pour célébrer notre réconciliation, tu vas dîner avec moi ce soir !

— Impossible. Je dois rentrer par le train de dix-neuf heures vingt-cinq.

Des rides froissèrent le front de Laetitia. Elle ne l'embrassa pas moins avec ferveur en le raccompagnant dans l'escalier.

*

Deux jours plus tard, après toute une suite de formations théoriques qui lui rappelaient les séances de classe dans l'école de son enfance, Mathilde se retrouva enfin dehors. L'instructeur n'annonçait jamais à l'avance ses intentions. Cette fois, il entraîna son petit groupe de postulants dans ce qui se présenta au premier abord comme une gentille promenade dans les champs environnants.

Ils déambulaient dans un pré sauvage dont la végétation n'avait pas été fauchée depuis le début de l'été. Mathilde supposa qu'on souhaitait sans doute leur permettre de laisser reposer leur cerveau surchauffé par tout ce qu'on y avait emmagasiné. Elle s'engagea dans cette balade comme on se jette dans l'eau d'une rivière. Cependant, quand ils furent à bonne distance des bâtiments du Camp X, leur accompagnateur regroupa ses bleus autour de lui.

— Vous voyez cette tour, là-bas?

Ils levèrent les yeux. La structure du haut de laquelle ils avaient exécuté leur premier saut en parachute se dressait à l'autre extrémité du champ d'herbes sauvages. Ils se trouvaient donc au nord de la position à laquelle ils avaient accédé précédemment par le sud.

— C'est dans cette tour que se dissimule l'ennemi, annonça l'instructeur. La sentinelle qui y est de garde n'a qu'une consigne : vous empêcher d'avancer dans sa direction. Vous ne pouvez pas le constater d'ici, mais je dois préciser que ce soldat tient une mitrailleuse dans ses mains. Par respect pour les parents que vous avez laissés derrière vous, nous sommes parvenus à le convaincre de ne pas utiliser des balles réelles. Cependant, quelques-uns d'entre nous serons postés en bordure du terrain. Vous serez prévenus quand nous estimerons que vous aurez été touchés.

Mathilde fronça les sourcils en direction du jeune homme qui n'avait pas cessé de la chaperonner depuis son arrivée. Sa constante présence à ses côtés commençait à lui peser.

— On peut présumer que vous finirez toutes et tous par être abattus, poursuivit l'instructeur. Quand il ne restera plus personne de vivant dans votre groupe, nous tirerons ensemble les conclusions qui s'imposeront.

Et leur instructeur s'éloigna à grands pas après leur avoir enjoint de se disperser en se dissimulant dans les hautes herbes.

— Feu ! l'entendirent-ils clamer peu après.

Une fois de plus, le chevalier servant de Mathilde s'était posté près d'elle. La jeune femme entreprit alors de se déplacer vers sa droite pour s'éloigner de lui. Les premiers coups de feu retentirent. Plus rien ne bougea dans l'herbe haute qui mûrissait dans la torpeur de l'été.

Comme dans tous les tournants difficiles de sa vie, Mathilde s'était raccrochée aux enseignements que son père lui dispensait quand ils allaient à la chasse ensemble. Bien examiner la situation, ne faire aucun mouvement tant qu'elle ne serait pas certaine de ne pas attirer l'attention. Et surtout, ne rater aucune occasion de réussir l'exploit qu'elle devait accomplir.

Posté au premier tiers de la tour, le tireur décelait sans doute facilement l'ondulation de l'herbe haute. Des coups de feu se succédèrent à droite et à gauche. Mathilde en déduisit qu'elle ne devait se déplacer qu'après que le tireur eut dirigé un projectile de son côté. Sans doute réalignerait-il alors son arme dans une autre direction. Elle put ainsi progresser à deux reprises d'une quinzaine de pas. Déjà, deux de ses collègues avaient été atteints. L'instructeur les avait contraints à se tenir debout à l'endroit où ils étaient tombés. Il restait moins de cibles invisibles dans le pré, ce qui donnait un avantage au tireur.

Sans être produites par des balles réelles, les détonations de la mitrailleuse n'engendraient pas moins des claquements impressionnants. Progressant avec succès selon le plan établi, Mathilde n'avait cessé de surveiller les mouvements du concurrent qui se rapprochait de sa gauche. La jeune femme rageait d'être une fois de plus poursuivie par son protecteur autoproclamé. Afin de ne pas se laisser distraire par cette nuisance, elle se réfugia dans la Haute-Mauricie de son enfance.

Son père l'emmenait à l'occasion à la chasse au chevreuil, parfois même à l'orignal. La vue de la Winchester de calibre 30-30 inspirait à la jeune fille des sentiments contradictoires de fierté et de crainte. On devait donc tuer pour vivre! La vue des carcasses des bêtes abattues la remplissait de désolation. Maintenant qu'elle se retrouvait dans le camp du gibier, Mathilde éprouvait à son tour la terreur que devaient ressentir les bêtes sauvages.

Pendant que le tireur dirigeait ses projectiles vers l'autre extrémité du pré, la jeune femme ramassa à ses pieds, parmi la végétation, une pierre qui lui tenait bien dans la main. Leur adversaire n'allait pas tarder à pointer de nouveau son arme dans sa direction. Mathilde lança son caillou vers l'endroit où elle estimait que son soupirant devait se terrer. L'initiative fut couronnée de succès. Le surveillant annonça qu'une nouvelle victime avait été atteinte. Dépité, le protecteur autoproclamé de Mathilde dut se dresser à son tour comme les autres vaincus.

Les tirs portaient pour le moment assez loin à sa gauche. La jeune femme rampa le plus lestement possible en direction de la tour qui se dressait devant elle. Elle dut de nouveau se tapir quand des projectiles éclatèrent de son côté.

Cependant, les tirs cessèrent pendant un moment. Mathilde en déduisit que le tireur avait sans doute déjà atteint la majorité de ses cibles éventuelles. Une voix s'éleva. C'était celle de l'instructeur qui menait l'opération.

— *Time out!* Il doit se trouver encore deux survivantes dans le champ. Veuillez vous relever. La pratique est terminée.

Mathilde hésita un instant avant de se redresser. Après l'avoir fait, elle put apercevoir derrière, à sa gauche, une grande fille aux cheveux coupés en garçon. Cette hommasse était donc l'autre survivante! Mathilde avait déjà dû faire face aux avances de cette dernière. Elles se retrouvèrent bientôt côte à côte au pied de la tour, en compagnie des «morts».

— Les deux héroïnes qui ne sont pas tombées sous les balles ennemies viennent de prendre une avance considérable sur les autres, annonça l'instructeur qui avait dirigé l'exercice. Celui et celles qui ont été descendus devront faire de sérieux efforts s'ils espèrent toujours figurer parmi les survivants du camp d'entraînement. Il est maintenant temps de rentrer si on veut qu'il nous reste quelque chose à manger.

En route vers le réfectoire, Mathilde put constater que ses compagnes et son compagnon l'observaient avec un certain air de méfiance. Sa séductrice ne la quittait pas non plus des yeux. Mathilde se retrancha dans une attitude de détachement que les autres interprétèrent comme une manifestation de distance à leur endroit.

*

Deux jours plus tard, après le repas du soir, les membres du petit groupe des potentiels agents secrets prenaient l'air devant le bâtiment pour se rafraîchir les idées. Ils déambulaient en bloc compact tout en conversant et en fumant. Ils échangeaient des commentaires sur leurs cours et soupesaient leur appréciation respective des stages d'entraînement, guérilla, activités terroristes et stratagèmes destinés à mettre des bâtons dans les roues à l'ennemi. Mathilde Bélanger se tenait à l'écart. Elle était la seule à ne pas fumer.

Déjà, les dispositions dont elle faisait preuve avaient incité ses formateurs à la diriger vers le domaine des communications, alors même que la période d'évaluation de son groupe n'était pas terminée. On voyait en elle un excellent agent de liaison parmi les éléments dispersés de la Résistance.

La jeune femme avait déjà fait quelques séjours dans l'édifice des communications, où elle avait pu regarder par-dessus l'épaule des nombreux claviéristes, les milles ou les kilomètres de rubans qu'ils expédiaient ou recevaient. Ces femmes et quelques hommes transmettaient des messages codés en direction de l'Angleterre et parfois même vers la Maison-Blanche américaine. Il se trouvait également de nombreux Français en exil à Londres avec lesquels on traitait dans leur langue.

Anticipant toujours les excellents résultats qu'elle récolterait à la fin de sa période d'évaluation, on avait commencé à lui apprendre le b.a.-ba du langage codé dans lequel elle transmettrait et recevrait ses futures communications. Il en résultait des documents composés de mots uniformes de cinq lettres dont les Allemands n'avaient pas encore percé le secret. Pour leur part, les alliés relevaient les épaules dans une attitude de fierté bien méritée après être parvenus à déchiffrer l'idiome de l'Hydre, la machine à encoder de leurs ennemis. Enfin, Mathilde avait déjà entrepris de se familiariser avec la mallette contenant le lourd appareil de radiocommunication qu'elle trimballerait un jour, à titre d'agent secret, en territoire occupé.

Le traitement particulier dont bénéficiait Mathilde la rangeait à part. Lors de leurs activités communes, ses compagnes et son compagnon lui jetaient des regards en coin. La jeune femme ne souffrait nullement de cette forme de mise à l'écart. Son milieu d'origine, une île au milieu d'une forêt, ainsi que ses tournées en qualité d'infirmière itinérante auprès des bûcherons isolés dans des camps reculés l'avaient préparée à assumer une très grande autonomie dans l'exercice de ses fonctions.

C'est dans ce contexte particulier qu'elle fut abordée ce soir-là par l'hommasse dont elle avait déjà dû subir à quelques reprises les avances. Cette garçonne s'était placée sur le parcours de sa déambulation solitaire.

— Tu te crois au-dessus de tout le monde, lui avait lancé cette femme dotée d'un tempérament d'homme, en lui soufflant au visage la fumée de sa cigarette.

— Je mène ma vie comme je l'entends, avait riposté Mathilde en détournant la tête.

En même temps, elle avait fait un pas en arrière. Son agresseuse s'était aussitôt rapprochée d'elle.

— Tu nous traites comme si on était de la merde, et c'est toi qui nous fais chier avec tes airs de sainte-nitouche!

— Je ne peux pas changer vos sentiments à mon endroit, lui répliqua Mathilde.

— Veux-tu bien me dire ce que tu as de plus que nous autres pour te pavaner comme si tu revenais de dîner avec le roi d'Angleterre!

Mathilde n'eut pas le temps de prononcer la réplique qui lui emplissait déjà la bouche. Les autres s'étaient approchés. Ils formaient un cercle autour des deux antagonistes. L'une d'elles lui coupa la parole.

— Ouais! Qu'est-ce que tu lui as fait à ton instructeur pour qu'il te chouchoute comme si t'étais la petite fille à son papa?

— Tu lui as chanté une petite messe basse à genoux? insinua la gouine.

— Faudrait que tu nous expliques comment tu fais, réclama une autre. On pourrait profiter de tes petits secrets.

Le seul garçon de la bande n'allait pas demeurer muet.

— Laissez-la donc tranquille! Elle a le droit d'être comme elle est!

— Toi, riposta la lesbienne, contente-toi d'être ce que tu es sans essayer de nous faire croire que t'es un homme!

Le garçon recula de quelques pas pour se réfugier derrière les filles. Pendant ce temps, l'assaillante poussait Mathilde dans ses retranchements.

— Et puis toi, t'es ni un homme ni une femme. T'es même pas capable de te défendre! Tu veux que je te dise? T'es juste un petit chien de poche qui suit son maître la queue en l'air. Une lèche-cul! Nous autres, on veut pas de ça ici, des téteux d'instructeurs.

Mathilde en avait plein les bottes. Les poings durcis au bout des bras. Le visage à deux pouces de celui de l'hommasse.

— Bon, ça suffit! Va t'amuser avec quelqu'un d'autre que moi! enjoignit-elle à cette grossière personne.

Pour toute réponse, cette dernière lui asséna une claque au visage. Mathilde allait saisir son adversaire par le col de la chemise. À cet instant, l'un des instructeurs qui sortait du bâtiment occupé par les novices comprit ce qui se passait dans le groupe. Il se précipita de ce côté.

— *Time out!* clama-t-il d'une voix puissante. Vous vous trompez de rôle. C'est pas entre vous autres que vous devez vous battre. C'est aux Chleuhs qu'il faut chauffer les oreilles. Dispersion! Plus vite que ça! J'ai autre chose à faire que de surveiller des enfants dans la cour de l'école!

L'hommasse s'éloigna la tête haute, suivie de sa cour. Après quelques pas, elle tourna la tête pour lancer un avertissement à son adversaire:

— Toi, fais bien attention à ton petit derrière si tu veux pas que je m'en occupe moi-même!

L'instructeur se retrouvait seul devant Mathilde.

— Merci de votre aide, fit cette dernière, mais je tiens à ce que vous sachiez que je me serais très bien débrouillée toute seule.

— Je n'en ai pas douté un seul instant, lui assura l'instructeur.

*

Henri avait entrepris de sonder la conscience de ses concitoyens de Riscle. Il désirait connaître leurs vues sur le sort que leur réservait l'occupant. Il commença par appuyer sa bicyclette à la devanture de la boutique du cordonnier. L'établissement frôlait les limites de l'humilité. Sa porte basse donnait sur un intérieur sombre. N'eût été l'odeur, une agréable fraîcheur s'en dégageait.

Un comptoir séparait l'atelier proprement dit de la section réservée aux visiteurs. Des clous, des bobines de fil, des lacets et tout un assortiment de pièces de cuir éparpillés partout. La simplicité dans toute sa splendeur.

L'artisan trônait devant une antique machine à coudre qu'il mettait en marche en actionnant de la main une roue dont il entretenait l'élan en pressant alternativement la pointe des pieds et les talons sur un pédalier. Après les salutations d'usage, les deux hommes se lancèrent dans une conversation à bâtons rompus dont les questions et les réponses rappelaient au visiteur les coups que l'on échangeait à la pelote basque.

— Si j'osais, commença Henri, je me permettrais de vous demander comment vous voyez la situation.

— Crédiou! lui répliqua l'artisan, croyez-vous que j'ai les moyens de prendre parti?

— Avec toutes les personnes qui passent dans votre boutique, vous devez entendre une chose et son contraire!

— Par les temps qui courent, répondit le rafistoleur de chaussures, les gens parlent des deux côtés de la bouche en même temps.

Henri s'était mis en frais de bourrer sa pipe. Le retapeur de godasses mordait à belles dents sur le tuyau de la sienne. Chacun des deux devait se demander où l'autre se procurait son tabac. Des secondes chargées de supputations s'égrenèrent.

— Je ne cesse de me poser la question, enchaîna Henri en laissant échapper une succession de petites bulles de fumée par le même chemin que prenaient ses mots, finira-t-on par retrouver un jour la France que nous avons perdue?

— Certains s'arrangent hélas trop bien avec celle qu'on a! répliqua le cordonnier.

— Dans cette boutique, vous êtes bien forcé d'écouter chacun de vos clients, s'enquit Henri.

— Au cours d'une même journée, on me répète dix fois une chose et dix fois son contraire.

Henri tira une paire de godillots de la besace qu'il portait en bandoulière.

— Bon sang! s'exclama l'artisan qui en avait pourtant vu d'autres, vous me croyez capable de ressusciter les morts!

— Je n'en suis pas encore à cette extrémité, finassa Henri, mais je tiens tout de même à faire ma part pour que la France se relève. Qu'il s'agisse de godasses ou d'un pays, tout dépend du soin que l'on met à entretenir ses affaires.

En une petite poignée de mots, le peintre aux chaussures éculées venait de dévoiler le panorama de ses convictions.

— Si tout le monde pensait comme vous, s'exclama le cordonnier, le pays ne serait jamais tombé aussi bas qu'il est en ce moment! Revenez donc me voir dans deux ou trois jours. J'aurai quelque chose d'intéressant à vous montrer.

Le lendemain, Henri entreprit la tournée qu'il faisait au moins deux fois par mois dans les fermes de la campagne environnante pour contourner le rationnement. Célestine, la vieille servante, n'en finissait pas de grommeler qu'on lui demandait d'accomplir des prodiges avec des riens. Henri ripostait que jamais la vie ne leur avait donné une aussi belle occasion de racheter les excès du passé.

— Comment voulez-vous préparer un petit déjeuner s'il n'y a plus de pain! s'insurgeait la ménagère.

Le maître souriait avec compassion. Outre la distribution du pain qui était désormais restreinte, la liste des produits rationnés s'allongeait chaque jour. Le gouvernement de Vichy avait décrété que de neuf cent à mille deux cents calories suffisaient pour entretenir une activité normale chez un adulte. Encore fallait-il trouver à se procurer les denrées qui assureraient ce maigre apport. Les boucheries demeuraient fermées trois jours par semaine, les mercredis, jeudis et vendredis. On ne pouvait acheter de la charcuterie les jeudis et vendredis, ni des tripes le vendredi.

Le Service du ravitaillement général distribuait des cartes d'alimentation comportant un certain nombre de tickets sur lesquels apparaissaient des séries de lettres et de chiffres. Henri relevait de la catégorie T, soit celle des travailleurs de 21 à 70 ans. Même munis des documents requis, les citoyens ne pouvaient se procurer tous les produits dont ils avaient besoin. Ils devaient s'inscrire auprès d'un commerçant qui n'était pas autorisé à leur vendre pour plus de vingt francs de denrées à chacune de leurs transactions. Un bout de baguette par jour, un morceau de fromage et une ration de viande par semaine, un litre de vin tous les dix jours. En se conformant à ce barème, on ne vivait pas. Pour surmonter la disette, Henri partait donc en tournée dans les fermes environnantes.

Il se gardait bien d'utiliser sa voiture. En agissant ainsi, il économisait l'essence et évitait en même temps de donner aux paysans avec lesquels il traitait l'impression qu'il disposait de moyens financiers suffisants pour acheter du carburant. D'autant plus qu'il n'était jamais facile de se procurer ce précieux liquide.

Henri enfourchait donc sa vieille bicyclette pour se lancer à l'assaut des collines. Quand la montée devenait trop raide, il marchait à côté de sa monture. Le cycliste se réconfortait à la vue des parcelles cultivées, prés débordant d'une herbe malgré tout généreuse, vignobles toujours exubérants et potagers plantureux. La guerre touchait surtout les humains, un peu moins la nature. Cependant, les produits d'un environnement somme toute égal à lui-même ne tombaient pas dans le panier à provisions de l'honnête citoyen. Les mieux nantis se les accaparaient. Dans la plupart des cas, c'étaient ceux qui pactisaient avec l'occupant.

Pour parvenir au terme de sa tournée, Henri devait pédaler sur une quinzaine de kilomètres, sans compter le retour. Il avait établi son itinéraire en fonction des anciennes amitiés de ses parents et de ses propres relations. En entrant dans la cour des fermes, le peintre se métamorphosait en un autre malheureux citoyen maltraité par le sort. Certaines

de ses haltes devenaient toutefois des occasions de réjouissances et de libations qui lui faisaient prendre du retard
dans son parcours. La prudence la plus élémentaire commandait que l'on évite de contrarier les gens qui avaient les
mêmes vues que soi sur la dérive de la France.

— On les aura! Ceux de Vichy comme ceux de Berlin!
Nous autres, les Gascons, on a déjà supporté la présence
des Anglais pendant cent ans!

Ou encore…

— Quand ce sera terminé, nous remettrons le pays sur
pied et nous vivrons tranquilles jusqu'à la fin des temps!

Dans les fermes où l'amitié était célébrée, la rencontre
prenait un tour encore plus réconfortant:

— Cachez donc comme il le faut cette motte de beurre
au fond de votre sac, insistait une paysanne. Grand-mère
sera contente de savoir que le peintre de Riscle met un peu
de consolation sur son pain.

Et ils se quittaient sur des «adiou!» pleins de réconfort.

À d'autres endroits, pour obtenir certains produits qu'on
ne trouvait pas ailleurs, Henri devait adopter une réserve
plus prudente. Il fallait parfois traiter avec des agriculteurs
dont la seule ambition semblait se résumer à tourner la
situation à leur plus grand avantage. On vendait au double
du prix des victuailles sur lesquelles on trichait encore en
lésinant sur le poids et la qualité.

— Mon pauvre monsieur! Je voudrais bien faire mieux,
mais je ne peux pas enlever le pain de la bouche de mes
enfants. Vous trouvez que c'est cher? Pensez à ce qu'il m'en
coûterait si j'étais pris à vous vendre toutes ces merveilles!

Le Risclois attendait que la nuit soit tombée pour rentrer,
afin de ne pas attirer l'attention sur les sacs et les paniers
accrochés au guidon de sa bécane. Par temps trop sombre,
il marchait à côté de l'engin pour tâter le chemin du pied.
Au Guibourg, son retour donnait le signal des réjouissances.
Pour lui-même et la servante, manger à leur faim constituait
un triomphe sur les grimaces que leur faisaient les temps
qu'ils traversaient.

*

Quelques jours plus tard, Henri s'autorisa à retourner au cœur des petites rues de Riscle. Il ne devait pas y paraître plus souvent qu'il ne l'aurait fait en temps ordinaire. Cela l'aurait rendu suspect aux yeux de ceux qui s'étaient investis de la fonction de surveiller les allées et venues de leurs concitoyens. Chaque fenêtre constituait un poste de guet. Le choix des établissements commerciaux que vous fréquentiez vous rangeait à l'une ou l'autre extrémité de l'échelle des sentiments à l'endroit de l'occupant : en se présentant chez le cordonnier, on révélait son adhésion aux visées de la Résistance ; en entrant chez le notaire, on témoignait de son acceptation de l'occupation ; en poussant la porte de la pharmacie, on pénétrait dans l'antre des collaborateurs… Henri dut pourtant se résoudre à passer le seuil de ce dernier établissement.

Célestine, sa bonne, était affligée d'une angine de poitrine qui la forçait parfois à s'arrêter net alors qu'elle se dirigeait vers la table en portant la soupière. Elle vacillait sur ses vieilles jambes en présentant un masque douloureux sur son visage. Henri, qui était familier du phénomène, se précipitait pour prendre le bol brûlant des mains de la servante. Il le posait sur la table et installait la malheureuse sur un fauteuil qu'il avait disposé dans un angle de la pièce à cette fin. Pour se procurer les médicaments qui soulageraient sa vieille domestique, Henri n'avait pas eu d'autre choix, ce matin-là, que de pénétrer dans l'établissement du pharmacien collaborateur.

— Je vois que vous vous êtes enfin résolu à pousser ma porte ! proclama Irénée Bazas en apercevant celui dont il estimait que des enfants auraient pu facilement produire des barbouillis aussi dépourvus de signification que les siens. Les temps nouveaux qui se présentent à nous vous auraient-ils rendu plus raisonnable ?

— Mes sentiments ne sont pas en cause ici, répliqua le peintre. Je ne peux tout simplement pas laisser ma vieille servante souffrir comme une martyre. Elle a toujours ses crises d'angine et le remède que vous lui avez prescrit est déjà épuisé. Pouvez-vous refaire sa provision?

— Il faudrait voir, finassa le pharmacien. Par les temps qui courent, le réapprovisionnement n'est jamais assuré.

Et il ouvrit le boîtier dans lequel étaient alignées les fiches de ses clients.

— Auresan, Célestine, mademoiselle, ânonna l'apothicaire en tirant une fiche de la boîte. Il y a longtemps que nous lui avons servi une provision de ce médicament. J'en avais déduit que ses malaises avaient disparu.

— Les personnes de son âge n'ont pas l'habitude de soigner leurs maux.

— Ce phénomène est hélas trop répandu, se désola l'apothicaire. Un certain nombre de nos concitoyens, notamment les plus âgés, préfèrent se laisser mourir à petit feu plutôt que de reconnaître leur vulnérabilité.

Henri portait le poids de son corps d'une jambe sur l'autre.

— Pourriez-vous vérifier si vous disposez d'une certaine quantité de ce médicament dans vos réserves?

Le pharmacien inclina la tête et disparut derrière un rideau. Henri mit les mains dans les poches de son pantalon pour les en retirer aussitôt. Il cherchait à se donner une attitude décontractée. Il fit trois ou quatre pas en rond devant le guichet. Tout était trop bien rangé autour de lui. La marque d'un esprit étroit. La draperie pendue devant l'ouverture s'enfla et le pharmacien réapparut, portant une soucoupe au centre de laquelle étaient posés une dizaine de comprimés bien ronds.

— La bonne nouvelle, annonça le pharmacien, est qu'il me reste une petite quantité de ce que vous réclamez. La mauvaise, qu'il me peine de vous annoncer, est qu'il est devenu extrêmement difficile de se réapprovisionner par les temps qui courent. Les affections physiques n'épargnent pas nos nouveaux maîtres. En d'autres termes, la population de la France s'est considérablement accrue, et je me dois de servir en priorité ceux qui mènent aujourd'hui le pays si nous voulons qu'ils nous traitent avec considération.

Henri ne cachait pas son exaspération.

— Vous me les vendez, ces médicaments?

— Je veux bien y consentir, mais il vous faudra me verser la même somme que celle que me proposent nos dirigeants.

Henri fronça les sourcils en s'efforçant d'apaiser les plis qui lui brouillaient le visage.

— Dites-moi le prix, ronchonna-t-il, que je vous paye et que je m'en aille!

Et il sortit sans saluer, pressé de quitter cet endroit. Il se rendit alors chez le cordonnier d'un pas que certains auraient été étonnés de le voir emprunter. Il poussa la porte dont il savait qu'elle allait lui résister, étant suspendue à des charnières mal alignées. Devant le bruit que faisait Henri, l'occupant des lieux avait sursauté. Son visage exprimait encore un sentiment d'inquiétude alors que son client pénétrait dans l'établissement.

— Je vous ai fait peur, s'excusa ce dernier. Entrer ici est un privilège qui n'est pas donné à tout le monde, si on en juge par l'état de la porte.

— Ce qui ne s'applique nullement à vous, affirma le retapeur de chaussures. Mon cœur bondit de joie chaque fois que vous mettez les pieds dans ma boutique. Par les temps qui courent, on n'a plus beaucoup d'amis sur lesquels on peut compter. Corrigez-moi si je me trompe.

Henri avait appuyé sa bedaine sur le rebord du comptoir qui le séparait du tenancier. Les mains à plat sur le plateau, il se pencha en avant pour bien démontrer qu'il partageait le point de vue que l'autre venait d'exprimer.

— Après ce qui vient de m'arriver chez le pharmacien…

— Vous ne devriez jamais mettre les pieds dans ce repaire de collabos.

— … j'avais bien besoin de me retrouver en terrain hospitalier.

Le cordonnier avait quitté le banc sur lequel il s'asseyait pour procéder à son rituel qui consistait à se poster devant son visiteur, du côté du comptoir opposé à celui où se tenait ce dernier. Le rafistoleur de semelles avait le dos courbé. Il était nettement de plus petite taille que son interlocuteur, lequel n'en imposait pas lui-même. Le cordonnier accentua cette différence en se penchant en avant pour s'adresser à Henri d'une petite voix qui fleurait la confidence.

— Je vous avais annoncé l'autre jour que j'aurais quelque chose à vous montrer.

Henri opina de la tête.

— Je ne peux cependant pas vous inviter à passer dans mon arrière-boutique sans m'être assuré que vous partagez certaines de mes convictions.

Henri laissa une expression amicale se profiler sur son visage.

— Nous vivons des temps encore plus difficiles que ceux que nous avons connus pendant la guerre, affirma le peintre. L'ennemi est devenu notre maître. Si nous n'agissons pas, nous sommes condamnés à demeurer dans cet état pendant une période qui risque de s'éterniser. Il n'est évidemment pas question de prendre ouvertement les armes contre l'occupant, mais nous connaissons d'autres moyens qui pourraient l'inciter à rentrer chez lui.

Le cordonnier faisait de vigoureux signes d'assentiment.

— Je vois, conclut-il. Nous sommes faits pour nous entendre. Suivez-moi.

Et il souleva la partie amovible du comptoir qui les séparait, permettant ainsi à Henri de passer dans l'atelier proprement dit. Le cordonnier le précéda dans une pièce qui s'ouvrait à l'arrière de la boutique. Un fouillis. Un lit, une table sur laquelle se voyaient les vestiges d'un repas et des empilements de toute nature dans les coins.

Le cordonnier se dirigea vers l'une des extrémités de la pièce où il entreprit de déplacer des cartons empilés. Il finit par mettre au jour une caisse de bois recouverte d'une toile huilée qu'il souleva sous le regard de son visiteur.

— Vous savez ce que c'est?

— Bien sûr, acquiesça Henri en s'efforçant de ne pas paraître trop étonné. Ce sont des bâtons de dynamite. Et il y en a beaucoup.

*

De jour en jour, les rapports de Mathilde Bélanger avec les membres du groupe dont elle faisait partie engendraient des différends, parfois même des affrontements. Par conséquent, la jeune femme ne participait plus aux mêmes activités que les autres. Les autorités du camp avaient pris la décision d'accélérer la mutation de cette postulante en opératrice de radiocommunication. Elle avait toutes les dispositions requises pour remplir cette fonction à la perfection.

Mathilde prenait cependant toujours ses repas en compagnie de ses consœurs et de son confrère. Elle dormait dans une chambrette voisine des leurs. Elle passait toutefois le plus clair de ses journées dans l'édifice des communications. Elle était même autorisée à s'aventurer, accompagnée d'un supérieur, dans le bunker ultrasécurisé où trônait l'Hydre, un volumineux appareil de radiocommunication sans fil qui pouvait tout aussi bien recevoir qu'expédier des messages codés depuis et vers l'Amérique du Nord, du Sud et l'Europe.

Les autres avaient fini par la laisser tranquille. Ce soir-là, après le souper, la future radiocommunicatrice cherchait à atténuer les quelques doutes qui subsistaient dans les replis de sa conscience en déambulant sur les berges du lac Ontario. L'endroit s'ouvrait sur la démesure d'un plan d'eau dont trois des horizons ne révélaient pas leurs limites.

— Je n'étais pas venue sur la terre pour faire la guerre! rabâchait-elle pour elle-même.

Un bruit de pas dans son dos l'incita à se retourner. L'instructeur qui l'avait initiée au saut en parachute s'efforçait de la rejoindre. La jeune femme ralentit sa marche pour lui faciliter la chose.

— Vous vous déplacez avec autant d'aisance que vous sautez dans le vide, lui fit observer le militaire en arrivant à ses côtés.

— J'ai ralenti quand j'ai remarqué que vous me suiviez, répondit-elle. Avant d'aller plus loin, vous pourriez me dire votre nom?

— Ici, lui répliqua le gradé, la fonction que nous occupons se décline bien avant notre identité. Tout de même, si vous tenez à le savoir, je suis le lieutenant Harry Curtwain.

Et il se raidit devant elle dans une attitude toute martiale. Mathilde sourit.

— Je viens ici de temps à autre, le soir après le souper, pour me remettre les idées en place, lui confia-t-elle. Je ne soupçonnais pas que les militaires de carrière pouvaient éprouver le même besoin.

— Il faut que vous le sachiez, lui répliqua le lieutenant Curtwain, je ne suis pas sur vos traces pour me refaire une santé physique ou mentale. Je souhaitais plutôt m'entretenir avec vous en privé.

La jeune femme rentra le sourire qu'elle avait laissé se dessiner sur son visage.

— À moins que vous ne portiez un microphone sur vous, se permit-elle de répliquer, nous sommes ici dans la plus parfaite intimité. Il est peu probable que les buissons environnants soient truffés d'oreilles mécaniques.

— Électriques, rectifia le lieutenant. Mais rassurez-vous, je ne suis pas là pour tenter de découvrir des petits secrets à votre sujet. On m'a chargé de vous informer de ce qui vous attend. Je dois en même temps m'assurer que vous êtes toujours déterminée à poursuivre dans la direction où nous avons l'intention de vous orienter.

Mathilde se remit en marche. Le lieutenant ajusta son pas au sien. Il n'était pas beaucoup plus âgé qu'elle. Les nuages auraient pu voir en eux des amoureux. Comme elle se taisait, il prit la parole :

— Vous avez sans doute déjà compris que la mission que nous entendons vous confier n'est pas de tout repos.

— Personne n'a pris le temps de m'expliquer ce qu'on attendait de moi. Comment voulez-vous que je donne mon adhésion à un secret si bien gardé?

— C'est précisément ce qu'on vient de me charger de vous révéler. En partie, du moins.

— Vous tournez autour du pot, lui fit-elle observer. Avez-vous peur de m'effrayer?

Le lieutenant fit non de la tête tout en se tournant vers l'étendue du lac Ontario.

— Vous n'êtes pas ici depuis très longtemps et pourtant, ceux qui ont le mandat de vous former ont tout de suite décelé en vous des dispositions exceptionnelles. La preuve? Vous avez été autorisée à pénétrer dans la salle où se trouve l'appareil que l'on nomme l'Hydre. Vos formateurs sont unanimes, vous avez largement la compétence pour exercer la fonction de radiocommunicatrice. Je peux vous assurer que personne n'en doute.

— Ce que vous me dites me comble, prononça Mathilde.

— On m'a demandé de vous approcher pour préparer la suite, enchaîna le lieutenant. Les résistants français réclament à cor et à cri de nouvelles radiocommunicatrices. Or, pour qu'une opératrice radio puisse passer inaperçue dans la France occupée, elle doit parler le français comme tous les citoyens de ce pays. C'est entre autres pour cette raison que nous sommes devenus ici, au Canada, la principale ressource de formation d'opératrices radio francophones.

Mathilde opinait de la tête tout en marchant d'un pas déterminé.

— À ce que je sache, annonça-t-elle, les Français ne parlent pas leur langue de la même façon que nous.

— Nous nous efforcerons de vous enseigner les rudiments du français de France.

Mathilde laissa un petit sourire s'épanouir sur son visage.

— J'ai de bien meilleures ressources pour passer inaperçue en terre française, renchérit-elle. Il y a quelques années, je me suis liée d'amitié avec un peintre français qui a séjourné quelque temps dans nos forêts. À son contact, je me suis familiarisée avec la façon très particulière qu'ont les Français de France de pratiquer notre langue. À quelques mots près, je suis persuadée que je pourrais passer à peu près inaperçue parmi la population française.

— Voilà un point de la plus extrême importance qui nous avait échappé! s'exclama le lieutenant. À mon avis, vous venez de prendre votre billet pour la mission que nous entendons vous confier.

— Dans ce cas, intervint la jeune femme, qu'attendez-vous donc pour m'en apprendre davantage sur ce qui m'attend?

— C'est plutôt de vous que j'espère des précisions, répliqua le lieutenant Curtwain. On me demande de vérifier votre degré de motivation.

— Si vous y tenez tant, commençons donc par le commencement, enchaîna-t-elle. Vous le savez aussi bien que moi, personne ne rêve de partir à la guerre. Je parle des individus normaux.

— Sauf les militaires dont je suis, rectifia le lieutenant. Nous sommes formés pour cela.

— Eh bien quant à moi, ce que la vie m'a appris jusqu'ici, c'est de soigner les travailleurs qui sont forcés de s'engager dans les chantiers de coupe de bois pendant l'hiver pour assurer la survie de leur famille le reste de l'année. Cela se passe au fin fond des forêts québécoises. Oh! je n'ai peur ni du vent, ni du froid, ni des plus effroyables tempêtes de neige. J'ai la résistance physique et mentale qu'il faut pour affronter cela.

— Cela, enchaîna le lieutenant, nous le savons déjà. Mais la vie clandestine que vous serez appelée à exercer en territoire occupé vous mettra inévitablement dans des situations où les nerfs des plus endurcis peuvent flancher.

Mathilde tendit les paumes de ses mains ouvertes en direction de son interlocuteur.

— Si je vous racontais que j'ai coupé à froid, avec ces deux mains, la jambe d'un bûcheron qui s'était fait tomber un arbre dessus…

Elle ajouta, après un instant pendant lequel le militaire avait rejoué la scène dans sa tête :

— Et je suis fière de préciser que le bonhomme est encore en vie !

— Peut-être, insista le militaire, mais si c'était votre propre vie qui était en danger? Si l'on vous torturait pour vous arracher des secrets à propos du réseau dans lequel vous seriez impliquée?

Mathilde s'autorisa à se réfugier pendant quelques instants dans ses replis les plus intimes.

— Pour parler franchement, je ne sais pas si je serais capable de demeurer muette pendant qu'on m'arracherait les ongles.

Et elle enchaîna après un autre moment de réflexion :

— Savez-vous ce que je ferais? En arrivant en France, je m'arrangerais pour me procurer un comprimé de je ne sais trop quelle substance qui peut donner la mort en quelques instants. J'ai cru comprendre que cela existait.

Le lieutenant laissa un sourire triste se dessiner sur son visage.

— Nous ne vous laisserions pas partir en mission en terre occupée sans vous avoir remis ce laissez-passer vers un monde meilleur.

Ils avaient déjà parcouru une assez bonne distance sur la berge du lac.

— Si vous le voulez bien, suggéra le militaire, je propose que nous retournions vers notre point de départ. J'en ai déjà assez entendu pour considérer que ma mission est mieux que remplie. Je ferai rapport à mes supérieurs qui se chargeront de vous informer de ce qui vous attend pour la suite.

Mathilde fit un autre petit oui de la tête. Le lieutenant Curtwain ne souhaitait pas que le silence puisse se réinstaller entre la jeune femme et lui. Il poursuivit :

— En raison des circonstances qui n'en finissent pas de se détériorer outre-mer, il se pourrait que votre ordre de mission vous soit remis plus tôt que vous ne le prévoyez.

— Si votre décision est prise, pourquoi ne me révélez-vous pas tout de suite le quoi et le quand?

— Je vous le répète, lui rappela le militaire, même si je le savais, je ne me permettrais pas de vous annoncer ce que mes supérieurs se chargeront de vous faire connaître en temps et lieu.

Le silence marqua les quelques pas qui suivirent.

— Il y a cependant un détail que je n'ai pas le droit de taire, ajouta soudain le lieutenant. La moitié des agents que nous envoyons en territoire occupé n'en reviennent pas.

Mathilde s'enfonça dans un mutisme auquel celui qui progressait à ses côtés se conforma pendant le reste du trajet de retour vers le camp.

*

Situés à la frontière entre le Canada et les États-Unis, les cinq Grands Lacs constituent la plus grande réserve d'eau douce au monde. En remontant le courant, la première de ces mers intérieures porte le nom de la province canadienne qu'elle borde, l'Ontario. Les nuages se reflètent dans cette vaste étendue liquide sur une distance de quatre-vingt-cinq kilomètres entre le Canada et les États-Unis.

Avant de prendre la décision d'établir le Camp X en bordure nord de ce grand lac, on avait songé à demander l'avis des experts en communications radio. Ces derniers avaient affirmé que l'endroit constituait l'un des meilleurs emplacements au monde pour favoriser les transmissions sans fil entre les États-Unis, le Canada et l'Europe.

En conséquence, d'imposantes antennes avaient été érigées à proximité. Pour faire taire les rumeurs et apaiser la curiosité des personnes qui commençaient à s'étonner de la présence de ces structures en cet endroit auparavant désert, on avait fait circuler le bruit que ces installations diffusaient les ondes de la radio nationale.

— Avez-vous une petite idée du volume d'échanges de communications radio auxquels nous procédons dans une seule journée? s'enquit le sergent Thomas.

Ce militaire spécialisé dans les technologies les plus avancées se tenait debout aux côtés de Mathilde dans la salle où s'alignaient les machines destinées aux communications du camp. Ce matin-là, on l'avait chargé de commencer à révéler à la jeune femme tous les secrets de cette science en pleine évolution.

On n'avait pas encore fini de s'étonner des prodiges de la nouvelle discipline qui permettait de parler devant un microphone et d'être entendu sur un autre continent. Finissant par répondre sans le faire à la question de son instructeur, Mathilde se contenta de hausser les épaules pour signifier qu'elle n'avait aucune idée du nombre de communications expédiées chaque jour par le personnel préposé à cette fonction.

— Tout ce que nous expédions ou recevons est codé par la machine en mots uniformes de cinq lettres, poursuivit le sergent. On estime qu'il faudrait une vie entière pour tenter de combiner ces lettres dans un sens intelligible.

Mathilde écarquillait les yeux. L'instructeur se rengorgeait.

— Vous savez, nous en sommes arrivés récemment à transmettre un million de ces blocs de cinq lettres par jour.

Le militaire redressait les épaules pour marquer sa fierté d'appartenir à un organisme capable d'un tel exploit. Pour sa part, Mathilde fronçait les sourcils dans un effort de concentration.

On lui avait déjà fait visiter les lieux peu de temps après son arrivée au camp. Elle avait bien remarqué que le mur du fond de la pièce était couvert d'une succession d'appareils plus hauts que la taille d'un homme et pourvus d'un nombre incalculable de boutons. Elle en avait été fort impressionnée, sans toutefois s'y attarder. Cette fois, l'occasion était belle de pousser plus loin sa découverte.

— Nous avons nommé cette machine l'Hydre, déclara le sergent. Elle est considérée comme l'un des centres de communication les plus perfectionnés au monde. À l'aide de cette imposante machine, vous pouvez envoyer des messages jusqu'au fin fond de la France. Il suffit d'appuyer sur ce bouton.

Ce qu'il se garda bien de faire.

— Je veux bien vous croire, renchérit la jeune femme, mais il me faudra un certain temps pour m'initier au maniement de cet appareil.

Le sergent Thomas réprima un sourire.

— Pour simplifier votre apprentissage, expliqua-t-il, nous nous sommes procuré un certain nombre d'instruments d'un format semblable à celui des valises que les maîtresses de maison utilisent pour aller prêter main-forte à une belle-sœur sur le point d'accoucher. Quand vous serez en fonction dans les territoires occupés d'outre-mer, l'appareil dissimulé dans votre mallette vous servira à décrire ce que vos yeux verront et vos oreilles entendront autour de vous. Vous communiquerez ces informations à nos collègues de Londres, qui vous transmettront leurs directives et éventuellement les nôtres.

Mathilde arrondissait les yeux. Le sergent souleva la valise grise pour la tendre à la jeune femme.

— C'est un peu lourd, j'en conviens. Dorénavant, vous ne devrez jamais quitter cet appareil des yeux. Si jamais vous le perdiez en territoire occupé, vous vous retrouveriez dans la situation d'un marin qui serait passé par-dessus la rambarde d'un navire sans gilet de sauvetage en pleine nuit au beau milieu de l'océan.

Et il ajouta, après avoir hoché la tête:

— Sans compter que vous fourniriez l'occasion à l'ennemi de l'examiner de près.

La jeune femme approuvait.

— On peut regarder? s'enquit-elle.

Pour toute réponse, le sergent reprit la mallette des mains de Mathilde et la posa sur une table. Il en défit alors les fermoirs et se recula d'un pas pour permettre à son élève de procéder à l'examen de son contenu.

Tout un assortiment de manettes et de boutons. Un casque d'écoute. Une technologie prodigieuse. La jeune femme ouvrait des yeux éberlués.

— Nous allons consacrer tout le temps qu'il nous reste avant votre départ à vous apprendre à vous en servir, lui assura l'instructeur.

Le sergent referma la valise, qui reprit son allure inoffensive. Il la tendit à Mathilde.

— Et surtout, commencez dès maintenant à cultiver le réflexe de ne jamais la perdre des yeux. C'est votre gage de survie.

*

La présence des Allemands s'intensifiait à Pau. On voyait défiler les véhicules de l'occupant dans les rues et s'ébranler des convois de camions bâchés. Des chars, des chenillettes et des canons portés sur des remorques encombraient les carrefours. Des groupes de militaires, bottes et casques luisants, arpentaient la ville en déployant une arrogance de maîtres.

Les Palois dissimulaient leurs sentiments devant ce comportement, les épaules voûtées et les yeux baissés sous le béret ou le chapeau. De leur côté, ceux que la présence allemande réjouissait attendaient une meilleure occasion de se manifester. D'autres enfin, que l'intrusion de l'ennemi dans leur quotidien révoltait, refoulaient leur impatience en reportant leur dépit sur ceux qui l'avaient facilitée. Entre tous ces clans, une part importante de la population vivait la tête dans les épaules. En cet été de 1943, chacun campait sur ses positions, mais on n'affichait ses convictions qu'en présence de quelques partisans sûrs.

Tout comme Henri, mais dans un état d'esprit opposé, Irénée Bazas faisait lui aussi de fréquents séjours à Pau, où il participait depuis plus d'un an aux réunions du Service d'ordre légionnaire. D'une maigreur surprenante, le pharmacien parlait autant avec ses yeux qu'avec sa bouche. Dépouillé de sa blouse blanche, il ressemblait au premier venu. Tout en partageant les mêmes opinions politiques que lui, ceux qui l'entouraient ne pouvaient s'empêcher de l'aborder avec un peu de méfiance.

Le Service d'ordre légionnaire avait été mis sur pied pour favoriser le rapprochement franco-allemand, tout en luttant contre les communistes qui avaient fui le nord du pays pour se terrer à proximité des Pyrénées, par où ils pourraient toujours filer en Espagne en cas de danger. Les partisans du mouvement avaient pour mission de repérer les foyers d'opposition à l'occupation, de suivre de près leurs activités et de les réprimer au besoin. L'organisation reposait sur des entités de base appelées dizaines. Huit membres composaient chaque unité, sous la direction d'un chef de dizaine et de deux chefs de main.

À près de quarante ans, Irénée Bazas était le plus âgé de son groupe. Ses acolytes étaient dans la vingtaine pour la plupart. Ils se distinguaient par une forte constitution athlétique. Les dirigeants du Service d'ordre venaient de rapprocher l'organisme d'une milice nouvellement constituée et la nature des missions qu'on entendait confier à ce corps d'élite exigeait des dispositions physiques qualifiées de sportives. En dépit de ses carences dans ce domaine, le pharmacien sédentaire avait conservé sa place parmi eux en faisant valoir ses talents d'informateur. C'était justement à ce titre qu'il se retrouvait sur la sellette ce soir-là. Le chef du groupe, un garagiste aux doigts crasseux, tenait dans ses mains un bout de papier dont il déchiffra le contenu :

— Goalou Marcel, cordonnier à Riscle, département du Gers, reçoit dans sa boutique, plusieurs fois par semaine, des individus qui semblent avoir beaucoup de chaussures à faire réparer. Entre autres, que va donc faire si souvent à cet endroit le nommé Ramier Henri, artiste de son état et suspect de ce fait?

Le garagiste fourra son document froissé dans sa poche sans quitter le pharmacien des yeux.

— Le préfet du Gers a transmis cette missive à son collègue des Basses-Pyrénées, qui nous l'a communiquée. Il paraît que chez vous, là-bas, les citoyens de Riscle qui ont gardé toute leur tête sont moins bien organisés que nous pour régler ce genre d'affaires. On dit par ailleurs que votre présence parmi nous renforce notre crédibilité auprès des autorités allemandes du Gers. Inconvénient et avantage tout à la fois. Cependant, je me serais attendu à ce que les renseignements concernant ce barbouilleur de tableaux viennent de vous, plutôt que par l'intermédiaire des deux préfets. Comment expliquez-vous cette lacune?

La pomme d'Adam de Bazas jouait au yoyo. Il se leva. Ses mains battaient de l'aile.

— Les gens dont il est question dans cette missive sont du menu fretin. Je les tiens à l'œil depuis plus d'un an. J'attends qu'ils se jettent d'eux-mêmes dans le piège que je leur ai tendu.

Le garagiste tapa sur la table.

— Je vous demande d'agir rapidement! Je n'ai pas l'intention de passer pour une mauviette aux yeux du préfet du Gers. Si nous réglons nos problèmes là-bas, il est probable qu'on nous donnera davantage de moyens ici. Et les moyens, ce sont des armes qui mènent au pouvoir. Compris?

— Vous pouvez compter sur moi, comme toujours, affirma le pharmacien Bazas en faisant de grands «oui» de la tête.

— Concertez-vous avec vos chefs et faites un exemple dont on entendra parler jusqu'à la *Kommandantur*.

*

À la même heure chez Laetitia Damazan, le danger se présentait sous la forme de petits verres de porto, de bagues posées sur le bois noir du piano et de rires graves chargés de sous-entendus.

— Comment se porte le recrutement des partisans dans ton pays de sauvages? s'enquit la maîtresse des lieux.

Le réseau de renseignements allait entrer dans une phase de grande activité. Laetitia Damazan ne voulait pas en dire plus, mais il était évident que la base de la pyramide s'était élargie et que de nouveaux agents remplissaient des fonctions semblables à celles qu'assumait Henri dans son patelin. Laetitia occupait-elle la tête de ce mouvement ou quelqu'un d'autre prenait-il les décisions au-dessus de sa tête? Henri ne pouvait ni ne désirait le savoir.

Le réseau de Pau disposait depuis peu d'un poste émetteur qui aurait permis à ses utilisateurs d'entrer directement en rapport avec Londres. Laetitia ne savait pas le faire fonctionner et ne connaissait personne qui possédait cette compétence. Elle voulut montrer l'instrument à son amant. Elle entraîna Henri dans sa chambre. Chez elle, aucun geste n'était innocent. En se dirigeant vers l'armoire, elle laissa glisser l'ongle de son doigt sur le couvre-lit. Henri en fut parcouru d'un frisson.

Derrière les grandes portes de l'armoire de bois sombre, l'institutrice écarta les soies et les velours. Elle mit en évidence quelques dessous de dentelle et tira au jour une valise de métal gris aux coins renforcés. Elle la posa sur le lit et l'ouvrit. La malle contenait un appareil couvert de cadrans et de boutons.

— Un Paraset, annonça-t-elle.

— Et tu sais le faire fonctionner?

Un grand rire de stupéfaction suffit à Laetitia pour exprimer son étonnement.

— Tu me prends pour qui, au juste? finit-elle par répliquer. Les objets et moi, tu sais… À plus forte raison les appareils qui ont autant de boutons que celui-ci.

Tout en rangeant son matériel, Laetitia annonça à son chevalier servant que Londres se proposait de dépêcher bientôt un opérateur radio auprès de la tête de réseau établie à Pau.

— Tu ne devrais pas me dire tout cela, protesta Henri.

— Allons donc, il n'y a jamais eu de secrets entre nous. Mais tout de même, tu as peut-être un peu raison. J'ai appris que les Allemands se seraient mis à la…

Et elle prononça le mot «ra-dio-go-nio-mé-trie» en syllabes détachées. Henri tendait le cou comme s'il entendait mal.

— Ce serait un moyen de découvrir d'où provient une émission d'ondes radio. Trois appareils, montés dans autant de voitures, délimiteraient un triangle au centre duquel se trouverait l'émetteur.

Henri présentait un visage qui n'aurait pas été plus confus si on lui avait parlé en chinois.

— Tu ne voudrais pas que les Chleuhs débarquent ici pendant que je suis en train d'apprendre à mon vieux compagnon comment caresser cet appareil?

Le peintre commençait à sentir que sa compagne était en train de l'entraîner dans une direction vers laquelle il n'avait pas du tout l'intention de se laisser mener. Du moins, pas ce jour-là.

— Range ton appareil et prie le Ciel…

— Je ne sais plus très bien où est le Ciel…

— … que personne ne vienne farfouiller dans ton placard. Quand ton opérateur radio se sera manifesté, tu lui remettras cet engin en lui recommandant d'aller se planquer avec les maquisards dans les montagnes. Tant que nous sommes en zone occupée, personne n'a intérêt à se retrouver coincé entre les résistants et les occupants. Je suis déjà suffisamment mal en point dans mon propre patelin entre le pharmacien et le cordonnier. Je ne peux pas en assumer davantage.

— Pauvre petit garçon à sa mémère! se moqua Laetitia.

Et elle lui saisit la tête à deux mains pour l'embrasser. Henri se défit de cette étreinte.

— Il faut que…

— Oui, je sais! s'exclama Laetitia. Tu dois rentrer par le prochain train.

Elle fit un pas en arrière comme si elle entendait l'observer de pied en cap.

— Tu veux que je te dise? Quand je m'endors seule dans mon lit, ce qui m'arrive, hélas! trop souvent, je me demande comment je fais pour t'aimer. Et le lendemain, en m'éveillant, j'ai oublié que tu m'avais contrariée la veille. Cela ne prouve-t-il pas que nous sommes faits l'un pour l'autre, hein, mon vieil amant récalcitrant?

*

La journée de Mathilde se déroula au rythme d'une occupation nouvelle à laquelle elle s'employa en déployant toutes ses ressources. Le sergent Thomas s'était installé à l'écart avec elle dans une petite pièce qui servait de bureau à la personne qui était chargée de distribuer leur chambre aux nouveaux arrivants. La jeune femme mit son appareil de radiocommunication en marche. L'instructeur lui demanda de rédiger un message à l'intention d'un interlocuteur imaginaire pour lui signaler que les membres du maquis, desquels on attendait des renseignements sur leurs activités dans un secteur fictif, en avaient été délogés par les Allemands.

Le mécanisme de l'appareil était conçu de façon à encoder de lui-même les messages que Mathilde tapait sur le clavier dont les touches étaient disposées dans le même ordre que celles des machines à dactylographier en usage dans les affaires courantes.

Comme dans toutes ses activités, Mathilde s'était exécutée avec une attention extrême, après quoi le formateur lui avait ordonné d'expédier sa communication à une adresse qu'elle avait dû classer avec soin dans les replis de sa mémoire.

Cette opération effectuée, le sergent Thomas emmena son élève dans l'édifice des communications où des jeunes femmes, parmi lesquelles se distinguaient deux ou trois hommes, recevaient et décodaient à l'intention de leurs destinataires les messages qui transitaient entre leurs mains.

Thomas dut insister auprès des opératrices de ces machines pour obtenir un exemplaire imprimé à la fois du message encodé par leurs bons soins et de sa conversion en langage courant. Emportant avec eux ces précieux documents, le maître et son élève retournèrent dans leur petit bureau du bâtiment où logeaient les résistants en formation, et ils passèrent en revue les étapes de la démarche qu'ils venaient d'accomplir. Chaque fois, Thomas s'élevait contre le fait que Mathilde alourdissait ses messages de détails inutiles dans des formules beaucoup trop longues.

— Vous n'êtes pas en train de converser en prenant une tasse de café avec une vieille connaissance! s'insurgeait le formateur. Vous vous adressez à une lointaine personne de haut rang qui reçoit chaque jour des dizaines de communications comme la vôtre. Cet interlocuteur qui ne vous connaît pas et que vous ne rencontrerez jamais doit prendre connaissance de nombreuses dépêches de plus grande importance que la vôtre. Tenez-vous-en donc à l'essentiel: quoi, quand et pourquoi. Allons, reprenons! Cette fois, vous devez annoncer que le maquis dont vous êtes la voix réclame les munitions qui ne lui ont pas été livrées la veille, en raison du mauvais temps.

Le repas du midi pris en commun avec le petit groupe des nouveaux en cours de formation ne mit pas Mathilde en situation de relâcher la tension dans laquelle elle avait baigné pendant toute la matinée. À l'exception du jeune homme qui se sentait le devoir de la protéger, les autres filles, et surtout la garçonne qui l'avait prise en grippe, l'accablaient de commentaires disgracieux, voire injurieux.

— La petite fifille à son mononcle commence à savoir écrire en lettres détachées?

— C'est-t'y parce qu'elle comprend moins vite que les autres qu'il faut lui donner des leçons dans le particulier?

— Ça doit t'éclaircir les idées quand il pointe son doigt en direction de tes tétons! suggéra la gouine.

Mathilde avait pris le parti de ne pas riposter. Ce n'était pas dans sa nature. Elle avait pourtant conclu que son silence enrageait ses tortionnaires bien davantage que toutes les reparties qu'elle aurait pu leur jeter à la tête.

L'après-midi coula dans la même laborieuse attention que la première partie de la journée. À l'heure du repas du soir, la jeune femme se présenta au réfectoire pour s'emplir les poches de bouts de pain, de biscuits et de deux pommes avant de s'éclipser. Elle savait ses compagnons, surtout certaines d'entre eux, capables de se priver de manger pour se lancer à sa poursuite. Elle sortit donc en vitesse et marcha d'un bon pas en direction de l'est, se faufila entre des bâtiments pour aboutir en bordure du lac, assez loin de l'endroit où elle avait l'habitude de déboucher en fin de journée. Elle était enfin seule.

La berge faisait une courbe à l'endroit où elle se trouvait. Un bouquet de saules frissonnait à son aise au fond de cette anse. L'un de ces arbres aussi fragiles qu'élégants avait été déraciné par les éléments. Mathilde s'assit sur ce tronc allongé sur la caillasse. Le souffle reprit toute son ampleur dans sa poitrine. Elle retrouvait à cet endroit l'intimité qui lui permettait de réconcilier ce qu'elle avait été avec ce qu'elle était en train de devenir. Une jeune femme toujours solitaire, gardienne de ses humeurs pour réserver le meilleur de ses énergies à l'accomplissement de la tâche qu'elle avait accepté d'assumer. Elle ne devait cependant pas trop s'attarder à cet endroit. La quiétude de ce lieu inspirant menaçait de faire remonter en elle des bouffées de ce que son père lui avait enseigné. Mettre son être tout entier en harmonie avec la nature. S'abandonner à la tyrannie de la beauté. Elle ne tarda pas à reprendre le chemin du camp. Sitôt qu'elle eut pénétré dans sa chambrette, la stupeur se jeta sur elle comme une bête.

Tout y était sens dessus dessous. L'habillage du lit jeté par terre. Le contenu des tiroirs de la commode épars dans la pièce. Une croix gammée gravée au couteau sur le plateau de la table.

*

La rencontre se tenait dans le bureau du commandant. L'endroit reflétait bien toute l'autorité dont était investi le maître des lieux : fauteuils dans lesquels on enfonçait jusqu'aux coudes et grand bureau dont le plateau était recouvert d'un sous-main de cuir. Tapis, lampes et tables d'appoint à l'avenant. Le quartier-maître, le lieutenant-colonel Hughey S. Baxter, avait réuni autour de lui son adjoint Collin R. McDonald et le sergent Thomas McAllister, lequel était responsable de la formation des recrues. Le commandant tirait avec régularité sur sa pipe, ses deux subalternes n'avaient pas sitôt écrasé un mégot de cigarette qu'ils en allumaient une autre.

— Votre enquête ne vous a toujours pas permis d'identifier le ou les auteurs de cet affront à la bonne conduite militaire ? demanda le commandant à son adjoint.

L'expression de son visage révélait à quel point il déplorait ce qu'il considérait comme une faiblesse.

— Le coup n'a pas pu venir d'un autre secteur, intervint son interlocuteur. Par conséquent, je suggère que nous punissions les six personnes qui composent cette unité de recrues. Le coupable sera châtié par le fait même et les autres se soupçonneront entre eux. Cela devrait nous permettre de resserrer la discipline dans ce groupe jusqu'à la fin de la session.

— En même temps, fit valoir le responsable de l'entraînement des recrues, nous nous privons d'un des principaux outils de formation dont nous disposons. La désignation du coupable.

Le quartier-maître leva les deux bras.

— *One step at a time!* La première étape de mon plan consiste à mettre d'abord la victime à l'abri de ses persécuteurs.

— Avec tout le respect que je vous dois, protesta le formateur, il me semble que nous ne devrions pas accroître le fardeau de la victime. La recrue Bélanger compte parmi les meilleures que nous ayons eues depuis que les autorités ont commencé à exiger que nous leur fournissions des agents de communication à un rythme accéléré. Nous n'avons pas sitôt fini de les former qu'ils tombent comme des mouches en France. Pour une fois que nous tenons une candidate hors du commun, vous n'allez pas la jeter dans la guerre avant que nous n'ayons achevé de lui enseigner tout ce qu'il lui manque pour survivre dans le cours de sa mission !

Le commandant Baxter mordillait le tuyau de sa pipe, ce qui lui permettait de dissimuler le malin sourire que son arrière-pensée faisait éclore sur son visage.

— *Hold your horses!* s'exclama-t-il en retirant le brûle-gueule d'entre ses dents. On ne m'aurait pas demandé de diriger ce camp d'entraînement si je n'avais pas assez de jugement pour reconnaître les remarquables qualités de cette recrue.

— Ce que je viens de souligner, signala le formateur.

— Mais laissez-moi donc aller au bout de mon idée ! s'énerva le commandant. Je retire immédiatement cette candidate du camp, avant même qu'elle ait terminé le cycle qui était prévu. Je l'envoie *illico* parachever sa formation en Angleterre. Je le sais aussi bien que vous, les Allemands éliminent l'une après l'autre les opératrices radio que nous parachutons en France. Or cette jeune femme manifeste des aptitudes exceptionnelles pour remplir cette fonction. En l'envoyant en Angleterre, *I kill two birds with one stone.*

Les deux interlocuteurs du commandant hochèrent la tête.

— Pour ce qui est du ou des coupables, poursuivit l'officier, nous leur fournissons l'occasion de se compromettre par eux-mêmes. Quand ils constateront que nous avons retiré leur victime de nos rangs, ils n'auront de cesse de proclamer leur victoire, ce qui précipitera leur perte.

Et il conclut en se tournant vers le responsable de la formation des recrues :

— *Keep an ear and the eyes open, McAllister.* Quelqu'un finira bien par prononcer un mot de trop. Quand nous en serons là, si vous avez des doutes sur la conduite à tenir, je vous autorise à revenir frapper à ma porte.

Pour la seconde fois de la séance, les deux sous-officiers opinèrent du bonnet en même temps. Comme ils tardaient à se lever pour quitter les lieux, leur supérieur conclut l'entretien en des termes très éloquents :

— J'attends la visite d'un des gros culs du ministère, qui doit arriver dans une dizaine de minutes. Ces gens-là parlent en même temps par la bouche d'en haut et par celle d'en bas. *I have to take a few deep breaths before this guy brings his ass in here.*

Dans les minutes qui suivirent, le responsable de la formation des recrues eut un entretien derrière une porte close avec Mathilde Bélanger. Évitant de revenir sur l'incident qui avait entraîné la décision prise plus tôt, il exposa à la jeune femme que les autorités françaises en exil à Londres réclamaient chaque jour davantage d'opératrices de radiocommunication pour les envoyer dans les régions du Sud plus récemment occupées de leur pays. Un certain nombre de ces agents clandestins disparaissaient sans laisser de traces. Le responsable du sort de Mathilde insista sur le fait que la libération tant espérée de la France reposait en grande partie sur les moyens de communication établis entre les résistants et les autorités réfugiées dorénavant en Afrique du Nord. D'où la nécessité d'accroître le nombre d'opératrices de radiocommunications parachutées au-dessus d'une France martyrisée. Le cœur de Mathilde battait deux sons de cloche en même temps, l'étonnement devant la précipitation des événements et l'envie de passer le plus tôt possible à l'action.

Deux jours plus tard, l'ancienne infirmière des camps d'exploitation forestière de la Mauricie montait pour la première fois de sa vie à bord d'un avion.

*

En cette fin d'été de 1943, Henri Ramier s'était remis à peindre en extérieur. Aux panoramas bucoliques qui le caractérisaient, il préférait maintenant les points de vue urbains. À de nombreuses reprises, il se rendit à Auch, l'ancienne capitale historique de la Gascogne, pour installer son chevalet sur le pont Saint-Pierre. De là, il avait une vue d'ensemble des environs. Il peignit la cathédrale sur sa butte dans la majesté du couchant. En une autre occasion, il croqua la statue qui se dressait sur la place Villaret-de-Joyeuse, en détaillant un cycliste qui s'était arrêté pour la contempler. Il dessina l'hôtel de ville puis il s'attarda sur l'Hôtel de France qui faisait l'angle de la place. Il n'hésita pas à recourir à des jumelles de théâtre pour saisir les détails les plus menus de l'encadrement des lucarnes du toit. Un après-midi, il s'installa sur l'allée d'Étigny et reproduisit les omnibus garés là.

Cette activité inusitée attira l'attention. Pour un passant qui parut apprécier son art, il s'en trouva dix pour décrier une occupation aussi futile à l'heure où le sort de la nation reposait entre les mains des nouveaux maîtres du monde.

Personne ne savait qui était le peintre Ramier dans ce coin de pays. Sa réputation avait rejoint Paris et New York en passant par-dessus la contrée. Il se trouva même quelques citoyens de la bonne ville d'Auch pour le traiter de barbouilleur. Henri ne répliqua pas et poursuivit son œuvre comme si leurs commentaires ne l'atteignaient pas.

Deux policiers municipaux vinrent s'enquérir de ce qui attirait les passants autour de sa personne. Henri fit valoir qu'il exerçait son métier. Les gardiens de l'ordre parurent étonnés que l'on pût gagner sa vie en s'adonnant à un passe-temps réservé aux enfants et peut-être, à la limite, aux bonnes femmes. Le peintre se permit de leur révéler qu'il avait exposé à New York. Les policiers ne semblèrent pas impressionnés et lui recommandèrent de ne pas trop attirer l'attention en ces temps troublés.

En rentrant au Guibourg, le soir, Henri rapportait de saisissantes esquisses, lesquelles mettaient en évidence toute la détresse qui tourmentait certains quartiers de la bonne ville d'Auch. Célestine, la bonne, ne paraissait même pas voir les ébauches qu'Henri appuyait contre le dossier des chaises. Elle les contournait en concentrant toute son attention sur ses chaudrons et sa vaisselle. Elle finit tout de même par formuler un bref commentaire en déposant le plateau des entrées sur la table :

— Vous immortalisez la misère de la France ?

Henri se contenta de secouer la tête. Qui aurait pu se douter que chaque fin de journée ou presque, au retour d'Auch, il portait de vieilles chaussures à rafistoler chez le cordonnier de la rue de la Rivière ? Henri étalait ses œuvres sur le comptoir, le rafistoleur de chaussures les examinait en détail, interrogeant même son client sur ce qui devait se trouver derrière ces fenêtres et ces lucarnes.

Sa curiosité satisfaite, le savetier reportait son attention sur la nouvelle paire de godasses que son client venait de déposer sur le comptoir. Elle semblait en plus mauvais état que les précédentes.

Le cordonnier et son client se penchaient sur la besogne, l'artisan examinant plus longuement que nécessaire le travail à effectuer. S'étant assuré que personne ne s'apprêtait à entrer dans la boutique, Henri retirait alors quelques bouts de papier de l'un des pieds de son chevalet qu'il avait évidé à cette fin. Des croquis montraient l'emplacement de certaines fenêtres d'un des plus importants édifices administratifs d'Auch. Des commentaires écrits les accompagnaient : «Deuxième inspecteur» ou «Beaucoup d'allées et venues».

Derrière la statue de la place Villaret-de-Joyeuse, il avait porté une attention particulière à reproduire la devanture d'un marchand de musique en feuilles. Un trait la reliait à un cycliste qui avait mis un pied à terre pour contempler le monument. Un mot griffonné au bas du dessin résumait le sujet : «Informateur».

Le cordonnier fourrait les papiers dans un tiroir à double-fond sous son établi et promettait de rapetasser les godillots dans les meilleurs délais.

*

Une fois de plus, Henri dut se rendre à Pau. Le manège devenait dangereux. Ses nombreux déplacements en direction de la préfecture du département des Pyrénées-Atlantiques suggéraient qu'il y menait une activité que d'aucuns auraient pu qualifier de suspecte. Le regard de plusieurs Risclois suivait le peintre sur le trajet qui le menait à la gare d'Auch.

Parvenu à destination, le voyageur s'engagea dans les rues et les ruelles les plus discrètes pour se retrouver, en sueur sous la fatigue et l'inquiétude, devant l'immeuble où habitait Laetitia Damazan. Cette dernière l'attendait en haut des escaliers, faisant sonner ses bijoux. Elle prit Henri par le coude pour l'entraîner au salon. Elle commença à le mettre au fait de ce qu'elle avait en tête sans prendre le temps de lui offrir un rafraîchissement ni même de l'inviter à s'asseoir.

— Tu me connais assez pour savoir que j'ai à cœur de faire tout ce qui est en mon pouvoir pour redonner à la France sa gloire d'antan.

Henri opina du bonnet.

— C'est un point que nous avons en commun, souligna-t-il en se donnant l'air de ne pas pressentir où elle voulait l'entraîner.

— Ils sont très éloquents, enchaîna-t-elle, les couilles molles qui annoncent que notre pays ne se relèvera jamais du merdier dans lequel ils l'ont eux-mêmes foutu. Sans compter la masse de franchouillards qui se sont jetés dans les bras de l'occupant en échange d'un os à mettre dans leur soupe.

— Je n'aurais jamais supposé qu'il pouvait y avoir autant de traîtres parmi nous, reconnut Henri.

— Il y a quelques jours, enchaîna une Laetitia qui se requinquait de sa propre éloquence, j'ai rencontré un médecin qui me connaît tout aussi bien de la tête que du reste.

Elle interrompit sa déambulation dans le salon pour capturer le regard de son interlocuteur.

— Tu sais comme moi que de Gaulle est maintenant installé en Afrique du Nord. Cela donne à penser que la reconquête de la France pourrait commencer par le sud.

Henri hocha la tête en signe d'assentiment.

— Cet ami haut placé m'a parlé dans les yeux l'autre jour, enchaîna-t-elle. Il était venu me confier que nous devrions préparer le terrain devant les troupes d'un débarquement par la Méditerranée.

— Rien que ça ! formula Henri sans desserrer les dents.

Laetitia secouait les boucles de ses cheveux.

— Quand les forces françaises qui sont en train de se reconstituer en Afrique du Nord débarqueront pour chasser les occupants de nos terres, les groupes de résistants planqués dans le maquis devront avoir commencé depuis un certain temps déjà à mettre des bâtons dans les roues des Frisés.

Henri émit encore un grand soupir.

— Le temps presse, proclama l'égérie. Il nous faut prendre contact, toi et moi, avec nos maquis respectifs pour les préparer à ce qui s'en vient.

Henri crispa les traits de son visage.

— Si j'avais voulu partir en guerre, je me serais engagé quand elle a été déclarée.

— Et tu serais mort aujourd'hui, enchaîna Laetitia. Au mieux, tu agoniserais dans l'un des camps où les

Chleuhs laissent leurs prisonniers mourir littéralement de faim. Reprends vite tes esprits et dis-moi que tu acceptes d'accorder les violons des réseaux de résistants de ton département avec les miens.

— Tout un programme ! s'insurgea-t-il. Et d'abord, pourquoi le Gers ? On s'y bat moins qu'ailleurs. Fort heureusement, tu en conviendras.

— Raison de plus, renchérit la pasionaria. C'est le moment idéal pour préparer tes résistants à se transformer, quand le temps sera venu, en héros de notre libération.

Laetitia interpréta le silence de son interlocuteur comme un pas dans sa direction.

— Et si tu veux que je te fasse d'autres suggestions, tu pourrais essayer d'en apprendre davantage sur les directives données par le gouvernement de Vichy aux salauds qui mènent ton département. Ou encore, établir la liste des éléments hostiles qu'il faudra neutraliser avant que la reconquête ne commence.

Le silence qui suivit l'énoncé de ce programme en disait plus long que tous les beaux discours. Henri sortit sa montre de la poche de sa veste. Laetitia lui saisit le poignet et le força à remettre l'instrument en place avant qu'il ait eu le temps de le consulter.

— Et range ta tocante ! le gronda-t-elle. Je n'en ai pas encore fini avec toi !

*

À l'aéroport militaire, Mathilde s'était retrouvée dans une file devant un comptoir parmi des individus de conditions fort diverses, haut gradés en tenue militaire et civils plus ou moins défavorisés dans leurs vêtements de tous les jours. Elle avait tendu le document qu'on lui avait remis au Camp X à un préposé qui l'avait parcouru en fronçant les sourcils avant de lui faire signe de procéder. La jeune femme était dans un état second en franchissant la porte donnant sur les pistes.

Elle s'était retrouvée devant un appareil qui lui fit forte impression. Il ne pouvait en être autrement. Elle n'avait jamais vu un avion ailleurs que sur les images reproduites dans les gazettes. Elle avait suivi ceux qui la précédaient dans l'escalier plutôt raide qui donnait accès à la machine volante. Là-haut, un autre préposé en uniforme lui avait assigné un siège aux côtés d'un individu d'âge moyen dont les mains témoignaient de son métier de mécanicien. Pendant toute la traversée, ce dernier n'adresserait pas un mot à sa voisine. Il se contenterait d'observer le décollage et de somnoler le reste du temps pour sortir de son assoupissement peu de temps avant l'atterrissage.

Pour sa part, Mathilde fit le trajet sur le bout de son siège, les mains agrippées aux accoudoirs et l'oreille attentive au moindre changement de registre du grondement des moteurs. Il lui semblait avoir laissé derrière elle toutes ses références à la forme de vie qu'elle avait connue jusque-là sur la planète Terre. Vingt fois elle crut mourir. À chacun de ses accès de panique, elle reportait sa pensée sur le visage de son père. Quand l'appareil entreprit sa descente, elle resserra sa prise sur les accoudoirs avec toute la détresse manifestée par une personne qui s'apprête à quitter ce monde. Cent fois pire que lors de sa plongée du haut de la tour avec un parachute sur le dos, au camp d'entraînement.

Après que l'appareil se fut posé sur la piste d'un aéroport militaire à proximité de Londres, la jeune femme s'étonna d'abord d'avoir survécu à la traversée, avant de reprendre un semblant de contenance. En foulant le sol anglais, elle débarquait sur la Lune. Elle sortait d'un monde étranger mais compréhensible pour entrer dans un univers inconnu, sinon hostile. Outre-Atlantique, les visages, les paroles et les gestes étaient dépourvus de toute référence à une réalité antérieure.

En entrant dans l'aéroport, la jeune femme serrait dans sa main comme une enfant s'accroche à sa poupée le document sur lequel était inscrite l'adresse à laquelle elle devait se présenter. Elle tendit ce bout de papier à un préposé qui se tenait au milieu des arrivants. Ce dernier lui baragouina une réponse dont elle ne comprit pas un mot. Heureusement, il lui avait désigné d'un mouvement de tête, tout en parlant, une fourgonnette garée devant l'édifice. Mathilde se dirigea de ce côté. Un vieil homme à moustache, sans doute le conducteur, se tenait à côté du véhicule. Il se montra attentionné. Par gestes tout autant qu'en paroles, il demanda à voir l'ordre de mission de la jeune femme, lui sourit et l'invita à monter dans la fourgonnette.

— *Welcome home! Sit back and relax.*

Et il ajouta en hochant la tête :

— *We don't know what tomorrow has in store for us.*

Un jeune homme la rejoignit bientôt sur la banquette du véhicule. Après un bref échange à peu près incompréhensible de part et d'autre, chacun rentra en soi-même jusqu'à ce que le conducteur ait pris place derrière le volant pour les mener à Londres.

La consternation de Mathilde la projeta au comble de la détresse quand elle constata que le chauffeur avait engagé son véhicule sur la voie de gauche. La jeune femme fut aussitôt persuadée que les affres de la guerre lui avaient fait perdre la raison. La camionnette n'en franchit pas moins sans encombre la distance entre l'aéroport et le cœur de Londres. Mathilde en fut quitte pour ne pas porter son regard sur la fenêtre pendant tout le trajet.

Écartelée entre la fatigue du voyage et sa brutale plongée dans un monde étranger, Mathilde laissait une pensée aiguë lui vriller l'esprit : elle ne serait désormais plus aux commandes de sa destinée. Outre le conducteur, il y avait quatre personnes à bord de la fourgonnette : elle-même, le jeune homme, un militaire et un vieillard à tête de savant fou comme on en voyait sur les illustrations des livres. Privée de toute référence quant à son environnement, la jeune femme venait de comprendre qu'en Angleterre tout le monde était en guerre, même et peut-être surtout ceux qui ne portaient pas l'uniforme.

Et puis, la langue! Tendant l'oreille, Mathilde constatait que l'idiome pratiqué dans le château-fort de la race anglo-saxonne ne correspondait en rien à celui qu'elle avait entendu jusque-là au Canada. En Angleterre, le parler se présentait sous la forme d'un mâchouillis de syllabes balbutiées par des individus qui semblaient avoir enfourné une bouchée de pommes de terre brûlantes.

Ensuite, pour une personne n'ayant connu que le tracé sinueux et bourbeux des routes qui s'enfoncent dans les forêts de la Mauricie, à l'exception de quelques incursions dans les rues plutôt paisibles de la ville des Trois-Rivières, toujours passagère d'une voiture conduite par quelqu'un de son entourage, le trajet entre l'aéroport et la ville de Londres allait instiller une profonde terreur dans la poitrine de la jeune femme.

Dans la capitale, les véhicules hippomobiles et automobiles circulaient également du mauvais côté de la route, et surtout à plus grande vitesse que dans l'outre-monde. Sur les trottoirs, des hordes de piétons se croisaient sans se bousculer, arborant sur leur visage un air qu'on aurait pu croire chargé de mépris. En ce jour ensoleillé, bon nombre d'entre eux portaient un parapluie sous le bras. Mathilde s'étonnait qu'il pût exister sur terre un mode de vie aussi radicalement opposé à celui qu'elle avait connu jusque-là.

— *It's quite different from what we expected!* énonça le jeune homme.

Mathilde acquiesça, sans trop savoir à quoi elle donnait raison. Les édifices de pierres et de briques n'avaient rien en commun avec ce qu'elle avait vu à Montréal ou à Toronto. Le nombre très élevé de véhicules automobiles tout autant qu'hippomobiles l'effrayait. La camionnette finit par se ranger, toujours à gauche de la voie, devant un édifice de briques brunes de cinq ou six étages.

— *You're home, my sweet lady!* annonça le conducteur.

Le jeune homme dut descendre pour permettre à la jeune femme d'en faire autant. Mathilde se retrouva sur le trottoir, sa valise à la main. Le garçon hésitait à remonter.

— *Hurry up!* lui lança le chauffeur.

Le garçon s'exécuta et le véhicule disparut. Mathilde se retrouvait seule devant une lourde porte à deux battants dont le vernis l'impressionnait fort. Elle hésitait encore quand un homme vêtu d'une imposante tenue militaire en sortit. La jeune femme lui tendit son avis de mission. L'homme le consulta.

— *You are home, my dear!* lui annonça-t-il en acquiesçant de la tête. *From now on, your only objective is to stay alive.*

Et il ouvrit la porte de l'immeuble en s'écartant pour la laisser entrer.

*

Les instructeurs des services secrets britanniques relevaient du Bureau des opérations spéciales dont une section était établie dans un édifice de briques brunes. Trois niveaux de bureaux au-dessus d'un rez-de-chaussée marchand. L'un des services du Centre de formation des agents secrets occupait le dernier étage et les combles de l'immeuble. Après avoir montré au portier la lettre qui l'invitait à s'y présenter, Mathilde fut autorisée à y monter. L'ascenseur n'arrivait pas jusque-là. Des escaliers étroits et grinçants sous les pas donnaient accès au dernier étage.

La jeune femme se retrouva dans une antichambre, devant un gardien d'allure austère qui emporta sa lettre d'introduction derrière une porte close. Quelques minutes plus tard, une personne qui avait l'allure d'une gardienne de prison invita Mathilde à s'installer dans une petite salle sans fenêtres meublée en tout et pour tout d'une table et de quatre chaises. Un jeune homme dans la trentaine, vêtu avec recherche, l'y rejoignit bientôt. Il parlait un français laborieux.

Il mit la nouvelle arrivante au fait des principales informations pratiques qui régissaient la vie quotidienne des recrues venues parfaire leur formation dans l'établissement. Le mot « secret » résonnait dans chaque phrase. Pour préserver au mieux la discrétion qui entourait son existence, la direction du Centre n'autorisait pas ses pensionnaires à se balader dans les rues du quartier sans être accompagnés. Comme la jeune femme bâillait au visage de celui qui la recevait, le garçon comprit qu'il devait la conduire à sa chambre. Un escalier encore plus étroit que le précédent les mena sous les combles.

La chambrette que le jeune homme présenta à Mathilde comme étant celle qui lui était destinée était de plus petites dimensions encore que celle où elle avait vécu au Camp X. Un lit, une armoire et une chaise. La pièce disposait toutefois d'une lucarne. Présumant que la jeune femme s'y trouvait à son aise, l'hôte se retira. La nouvelle arrivante posa sa valise sur le lit, l'ouvrit, mit la main sur sa robe de nuit pour la revêtir avant de soulever le couvre-lit.

La couchette faisait penser à celles que l'on voyait sur les illustrations montrant les cabines des cargos. Elle était plus étroite que les lits simples habituels. Après s'être assurée que le matelas était revêtu de draps, d'une couverture et d'un oreiller propres, le tout d'un autre âge cependant, la jeune femme s'y allongea et s'endormit comme on meurt.

Des coups frappés à la porte l'éveillèrent. Un garçon l'entrouvrit pour annoncer qu'il était plus que temps de prendre le petit déjeuner. Il semblait à Mathilde qu'elle venait à peine de fermer les yeux. Elle enfila ses vêtements et sortit. Des jeunes gens, garçons et filles surtout, allaient et venaient dans le corridor. Mathilde salua l'une d'elles. Cette dernière lui indiqua la porte de la cuisinette.

C'était un espace étroit, pas très en ordre, du thé mais pas de café, du pain, du fromage cheddar, du jambon et même un pot de marmelade parmi les assiettes et les couteaux qui étaient mis à la disposition des jeunes gens qui prenaient leur petit déjeuner à cet endroit. Quinze minutes plus tard, la nouvelle venue suivit une ancienne vers l'étage du dessous.

Le centre de formation des recrues résonnait de bruits de pas, du murmure des conversations et d'un soudain éclat de rire. Mathilde fut fort étonnée de constater que la plupart des personnes qui l'entouraient parlaient le français tel qu'on le pratique en France. Après s'être enquise de l'endroit où elle devait se diriger en qualité de nouvelle, on lui désigna une salle où se trouvaient déjà sept personnes, deux hommes et cinq jeunes femmes.

Une table entourée de chaises mais aucun appareil de télécommunications. Mathilde s'en étonna. Un militaire en tenue d'officier entra dans la pièce. Il tendit la main à la nouvelle venue et se présenta comme étant le lieutenant Alain Segurel. Il était visiblement lui aussi d'origine française. Il introduisit Mathilde auprès des membres de l'équipe, lesquels découvrirent avec étonnement qu'elle était nord-américaine. La seule du groupe.

Deux des jeunes femmes venaient d'Afrique du Nord. Le deuxième garçon avait passé son enfance au Vietnam, où son père exerçait la fonction de diplomate. Parmi les autres, on retrouvait notamment un prestidigitateur amateur et une artiste qui peignait des illustrations sur les vitrines des établissements commerciaux.

À son grand étonnement, Mathilde découvrit qu'il ne s'agissait plus ici de se familiariser avec l'appareil qui permettait de transmettre des messages codés d'un point A à un point B. Chaque membre de la classe à laquelle elle venait d'être intégrée allait apprendre à se comporter en France comme le plus enraciné des citoyens français.

D'abord, les expressions familières. «Attacher le grelot» se disait d'un individu qui savait faire preuve de courage en étant le premier à annoncer une mauvaise nouvelle. «Compter les étoiles» désignait une entreprise pratiquement impossible à réaliser. «L'avoir dans le baba» signifiait tout simplement qu'on s'était fait avoir. Ensuite, les saucissons. En premier lieu le jésus, une spécialité lyonnaise incontournable composée de viandes nobles, principalement de beaux morceaux de maigre de porc et de jambon.

Également le bâton de berger, à la texture moelleuse sous sa robe blanche. Sans oublier le vin, du gros rouge qui tache au plus fin mousseux. Le lieutenant Segurel se fit un devoir de préciser qu'en dépit de leur consommation quotidienne d'alcool les Français savaient garder leur dignité en toutes circonstances. Là-dessus, un Nord-Africain s'empressa de souligner que ses compatriotes se voyaient interdire par leur religion de boire de l'alcool.

Enfin, le langage. Ces mêmes Africains du Nord parlaient le français à la française. Pour leur part, les métropolitains s'exprimaient avec une aisance, une étendue de vocabulaire et une précision dans l'élocution qui faisaient leur gloire.

C'est alors que Mathilde fit un coup d'éclat en se mettant à parler à la française. On avait présenté la nouvelle venue comme étant une Canadienne de langue française. On s'attendait à l'entendre mâchouiller ses mots d'une façon décontractée, à la nord-américaine. Pourtant, en l'entendant, on aurait pu la croire issue d'une famille du Limousin. Le lieutenant Segurel s'en étonna. Il avait bien relevé sur la fiche que la jeune femme était canadienne. Cette dernière était elle-même stupéfaite de son audace.

— Si j'évoque à brûle-pourpoint le jour où je me suis retrouvée à bord d'un aéronef survolant la mer, il faudra que je reconnaisse à quel point la frayeur était en voie de s'emparer de mon être quand mon voisin de siège me prit la main pour me réconforter.

Le groupe demeura muet d'étonnement.

— Vous êtes née en France, ou alors vous y avez séjourné un certain temps, fit observer le lieutenant.

Mathilde fit non de la tête.

— Mieux que ça. J'ai fréquenté un Français qui a séjourné quelques mois au Canada.

Le lieutenant Segurel avait des élans d'enthousiasme :

— Vous avez plus qu'il n'en faut pour accomplir la mission que nous entendons vous confier, mademoiselle Bélanger !

Et il jeta un regard circulaire sur ceux et celles qui arrondissaient les yeux.

— Si chacun d'entre vous pouvait manifester d'aussi remarquables dispositions!

*

Henri dormait à l'étage. Célestine avait sa chambre au rez-de-chaussée. Aux environs de minuit, un fracas creva le silence. Le maître et la servante se retrouvèrent tous deux à l'entrée de la cuisine. Henri tourna le commutateur. La porte donnant sur la cour avait été arrachée de ses gonds. Elle gisait par terre, entre l'entrée et le plan de travail où se trouvait l'évier. Les carreaux de la vitre fracassés en morceaux épars sur les tommettes. Célestine posa la main sur le bras de son patron pour l'empêcher d'avancer. Il avait oublié qu'il était pieds nus.

Henri remonta enfiler ses pantoufles à l'étage. En redescendant, il tenait son fusil de chasse de calibre 12 à la main. La servante n'avait pas encore osé aller plus avant dans la cuisine. L'auteur de ce méfait était-il tapi dehors, attendant que les résidents en sortent pour s'en prendre à eux? Marchant sur les débris de verre, Henri s'approcha pour tourner le commutateur de la lumière extérieure. Rien ne se produisit. Contrarié, le maître des lieux pointa son arme sur le noir. Célestine était allée quérir une lampe de poche. À petits pas prudents, elle vint se placer aux côtés de son maître et elle en projeta le rayon sur le dallage devant l'entrée de la cuisine. Il n'y avait apparemment personne aux alentours.

Portant son fusil sous son bras gauche, le maître des lieux prit alors la lampe des mains de Célestine pour se diriger vers la grille. Elle était fermée à clé comme il convenait. Henri projeta alors son rai de lumière sur la grande bâtisse qui fermait la cour en face de la demeure. Le bâtiment demeura muet. Tout au fond de la place se dressait

245

un préau dont l'avant était entièrement ouvert. La lumière de la lampe accrocha une table et des chaises. Pendant une bonne partie de l'année, on y mangeait à l'abri du soleil. Là non plus, rien ne semblait avoir bougé.

Célestine osa à son tour faire quelques pas dehors. La nuit semblait ignorer ce qui s'était produit. Le temps de déduire que l'auteur de l'attentat devait avoir équipé son engin d'une minuterie, le maître des lieux avait rejoint sa servante devant l'ouverture béante de la cuisine. Mais quelqu'un venait d'appuyer sur la sonnette du portail. Ils se figèrent tous deux. Puis une voix :

— Ramier. Ouvre, c'est Cazaux.

Célestine s'empressa de retourner à l'intérieur quérir la clé. Le maître alla ouvrir. Pendant que ce dernier tournait le sésame dans la grosse serrure, le voisin lui adressait les questions les plus pressantes qui venaient à son esprit encore endormi.

— Que s'est-il passé ? Vous n'avez rien ? Pas de mal ?

— Quelqu'un a fait sauter la porte de la cuisine, expliqua le maître des lieux.

Henri entraîna son voisin vers la demeure. Il avait oublié de reverrouiller le portail.

— Vous n'avez vu personne aux alentours ? s'enquit le peintre.

— On fabrique d'excellentes minuteries aujourd'hui.

Les deux hommes pénétrèrent dans la cuisine en marchant sur les débris de verre. La servante avait mis de l'eau sur le feu pour le café.

La sonnerie du portail se fit entendre encore à quelques reprises pendant le reste de la nuit. Henri et l'un de ses visiteurs avaient fini par relever les vestiges de la porte pour les appuyer à l'extérieur, contre le mur de façade. Célestine avait rassemblé les éclats de verre dans un coin avec un balai. L'un des curieux était allé chercher un grand seau pour y mettre les débris.

Cinq ou six hommes étaient maintenant attablés dans la cuisine. La servante avait refait du café et avait servi un petit goûter à ces visiteurs nocturnes. Ils en étaient à répéter des évidences qui avaient déjà été formulées à plusieurs reprises. Le soleil se levait comme s'il ne s'était rien passé quand le maire Hippolyte Fages fit son apparition.

— Dites donc, mon cher Ramier, vous faites tout ce que vous pouvez pour attirer l'attention ! Vous nous aviez pourtant habitués à plus de discrétion.

Personne n'était d'humeur à plaisanter. Le premier magistrat de Riscle ne poursuivit pas moins sur le même ton.

— En général, quand un incident de ce genre se produit, on en déduit que quelqu'un a voulu adresser un message à sa victime. Pourtant, dans votre cas, je ne vois absolument pas ce qu'on pourrait vous reprocher. Depuis le début de la tragédie qui fait le malheur de notre pays, vous avez fait preuve d'une réserve exemplaire. Vous n'avez pris le parti ni d'un camp ni de l'autre. Vous menez une existence réservée que vous consacrez tout entière à votre art. J'en déduis que l'auteur de cet incident a sans doute fait erreur sur la personne.

Un brouhaha accueillit cette suggestion. Le maire Fages laissa déborder le trop-plein d'émotivité de ses concitoyens avant de formuler des suggestions pour la suite des événements.

— Dans les circonstances, il serait tout à fait inconvenant d'ergoter plus longuement sur les « si » et les « peut-être » du geste d'un malotru qui s'est trompé d'adresse. J'allais dire « refermons la porte », mais ce serait prématuré. Il faudra d'abord que notre ami Ramier fasse appel aux compétences du menuisier. En attendant, laissons-le se remettre de ses émotions.

Ils finirent par quitter les lieux l'un après l'autre. Hippolyte Fages avait dû insister pour convaincre les derniers de lever le camp. Quand il se retrouva seul en compagnie du peintre et de sa servante, le maire de Riscle réclama que cette dernière retourne à sa chambre. Il souhaitait s'entretenir en tête à tête avec son concitoyen.

— Rassurez-vous, je ne vais pas vous faire la leçon, commença-t-il, mais je me permets de vous parler en ami.

Je ne crois pas vous avoir trop mal servi en apaisant les doutes que vos voisins commençaient à entretenir à votre endroit. Dans les circonstances où nous nous trouvons, chacun est amené à fonder sa conduite sur ses convictions les plus intimes. Cependant, dois-je vraiment vous rappeler qu'il importe de conserver en toutes circonstances une attitude de neutralité qui ne soulèvera pas la suspicion de votre entourage?

Henri faisait de grands «oui» de la tête.

— Je ne saurais trop vous remercier de votre compréhension, renchérit-il.

— Je crois être parvenu à vous racheter aux yeux de nos concitoyens, conclut le maire. Maintenant, il ne vous reste plus qu'à vous comporter comme un peintre qui place son art au-dessus de toute autre considération. Autrement dit, profil bas pour la suite des événements.

*

Cette fois, Henri était venu annoncer à Laetitia Damazan qu'il renonçait une bonne fois pour toutes à poursuivre ses activités patriotiques dans la clandestinité. Pour justifier sa décision, il achevait de relater les détails de l'attentat survenu chez lui quelques jours plus tôt. Il n'était pas venu sur terre, insistait-il, pour régler le sort du monde, mais bien pour en célébrer la beauté. Très peu de gens pouvaient remplir une telle mission. Le peintre se savait privilégié d'avoir été doté des talents appropriés pour l'assumer.

— L'heure n'est pas encore venue de rentrer ton cheval à l'écurie! l'avait apostrophé Laetitia en secouant sa crinière. Ceux avec lesquels tu t'es engagé à t'occuper des affaires que nous menons ne te laisseront pas prendre un autre chemin en emportant nos secrets dans ta tête. Pour toi comme pour moi, rien ne sera plus jamais comme avant, du moins pas avant que nous ayons recouvré le droit de nous comporter comme des citoyens à part entière dans ce pays.

Elle le saisit aux épaules pour river ses yeux sur les siens.

— Par ailleurs, si tu étais victime d'un coup fourré, je ne me le pardonnerais jamais.

Puis elle enchaîna en lui exposant les grandes lignes de la mission dans laquelle elle entendait l'impliquer.

Deux soirs plus tard, la voiture d'Henri dans laquelle il voyageait en compagnie de Laetitia Damazan depuis plus d'une heure s'immobilisa sur une place carrée bordée d'arcades. L'endroit se nommait Montréal-du-Gers. Henri ne put se retenir de signaler qu'il avait connu un Montréal beaucoup plus important que celui-là.

— Au Canada, précisa-t-il. Il y a quelques années.

Sa compagne ne fit aucun cas de cette remarque. Il coupa le contact du moteur. Comme elle en avait l'habitude, Laetitia lui prit la main pour retenir son attention, pendant qu'elle lui indiquait d'un signe de la tête un café dont une fenêtre projetait un carré de lumière à l'extérieur.

— J'entre là-dedans, expliqua-t-elle, le temps de discuter avec quelqu'un, et je reviens.

Laetitia allait descendre. Henri la retint.

— Et moi?

— Tu attends dans la voiture. Si on s'approche, enfonce-toi dans le siège, qu'on ne te voie pas.

— Je sers à quoi, précisément? s'enquit-il.

— À me tirer d'affaire si jamais les choses tournaient mal.

Et elle ajouta, sur le ton un peu blasé qu'emploient les grandes personnes en s'adressant aux enfants qui n'ont de cesse de répéter les mêmes questions jusqu'à ce qu'on leur réponde :

— Il y a dans ce patelin un employé de la mairie qui tient à bien se faire voir de la préfecture. Il recueille des renseignements sur les paysans qui vendent leurs produits à des gens comme nous. Ce qui est interdit, comme tu le sais. Mais nous avons un allié dans la place. Un jeune commis aux écritures qui travaille lui aussi à la mairie et qui s'est débrouillé pour copier la liste de son collègue. C'est ce document que je viens prendre ici. Dès que je l'aurai utilisé pour prévenir chacune des personnes concernées, elles sauront demeurer discrètes en même temps qu'elles auront appris qui est leur ennemi ici. Prévenus, les paysans suspendront leur petit négoce pendant quelque temps avant de le reprendre dès que l'incident aura été oublié.

Et Laetitia se dirigea d'un pas déterminé vers le café. Le patron officiait derrière son comptoir. Deux clients, un jeune et un vieux, se tenaient debout devant lui. Au fond, à une table, une femme à la poitrine opulente était attablée, seule. D'un geste de la tête, elle signifia à la nouvelle venue que les circonstances étaient favorables à l'accomplissement de sa mission. Laetitia se dirigea alors vers le comptoir, planta son regard dans celui du jeune homme qui conversait toujours avec l'homme plus âgé et lui fit signe de la suivre à une table du fond. L'interpellé s'excusa auprès de son interlocuteur et suivit la belle étrangère.

Pendant que sa nouvelle cliente échangeait quelques paroles avec celui-ci pour confirmer qu'il était la bonne personne au bon endroit, le patron vint s'enquérir de ses désirs. Le jeune homme avait apporté son verre en changeant de place. Pour sa part, Laetitia commanda un verre de vin blanc en insistant pour qu'il soit bien sec et frais. Elle secoua la tête pour redonner de l'envergure à sa chevelure et elle se rejeta en arrière sur sa chaise pendant que le serveur faisait son office. Quand ce dernier se fut éloigné, elle leva son verre pour saluer son interlocuteur et, se penchant vers lui, elle aborda à voix basse l'affaire qui l'emmenait là. Une conversation aussi animée que discrète s'engagea. Sans trop s'en rendre compte, la femme avait vidé son verre. Le patron vint le lui remplir sans l'interroger sur son intention.

Quand ils furent de nouveau seuls, le garçon se tourna vers le mur du fond. Il détacha trois boutons de sa chemise et tira de cette ouverture une assez grande enveloppe qu'il tendit à Laetitia en la lui présentant sous la table. Sous prétexte de bien saisir la pochette, la femme manœuvra pour que la main du jeune homme effleure sa cuisse bien ronde sous la robe de taffetas. L'un et l'autre ne cherchèrent pas à dissimuler un sourire ravi. Laetitia finit par enfouir l'enveloppe dans son grand sac avant de lever son verre comme pour célébrer des retrouvailles avec une vieille connaissance.

— Permets-moi de te dire que je me sens très seule, déclara-t-elle, depuis que nous ne pouvons même plus accorder notre confiance aux gens que nous croyons connaître.

— Dans les circonstances, fit observer le jeune homme en prenant une mine désolée, je ne vois pas comment je pourrais compenser cette carence.

C'est à ce moment qu'Henri fit son entrée dans l'établissement. L'attitude des deux convives à la table du fond le mit aussitôt en état de méfiance.

— Il commence à y avoir du monde dehors, annonça-t-il à Laetitia à voix basse. Des jeunes gens qui tournent autour de la voiture.

Sur le coup, Laetitia se leva. Son menton tremblait. Henri se pencha pour relever la chaise qui venait de se renverser. Dans l'établissement, tous les regards étaient fixés sur eux. Laetitia sortit la première. Henri en fut quitte pour régler les consommations de sa compagne. Il la rejoignit près de la voiture.

— Je comprends maintenant pourquoi tu ne voulais pas que j'entre avec toi! prononça-t-il sur un ton offusqué.

— Si on ne peut plus converser en toute amitié avec les personnes qui nous rendent service, riposta-t-elle.

Ils demeurèrent tous deux muets pendant le trajet du retour.

*

251

Mathilde séjournait depuis trois semaines à l'école où l'on formait les futurs agents secrets venus de tous les horizons. La jeune femme se sentait emportée par la vie comme dans un canot sur les rapides de la rivière Saint-Maurice. Depuis que cet Anglais de Toronto était venu la débusquer au fin fond de ses forêts, elle n'avait plus la gouverne de sa vie. La machine de guerre, dont la formation des agents secrets constituait l'un des volets, l'avait dévorée vivante. Ce soir-là, la jeune femme en avait plus qu'assez d'assister impuissante au défilé de sa propre existence. Elle séjournait à «l'école des espions» en se demandant, comme le font tous les adolescents, quand elle pourrait enfin prendre sa vie en main.

Ce soir-là, le groupe auquel on l'avait intégrée improvisait une fête pour marquer le passage du temps. Mathilde s'y présenta. Le garçon qui s'était donné depuis les premiers jours un rôle de chevalier servant à son endroit collait à ses pas. Il avait fini par comprendre que cette grande fille n'était pas vraiment timide mais simplement réservée.

L'événement se déroulait dans l'une des salles de réunion du dernier étage. Chacun y avait contribué à hauteur de ses moyens. Bière et whisky. L'alcool aidant, la soirée s'animait. Le garçon déployait de plus en plus d'attentions à l'endroit de sa protégée. Cette dernière était plutôt satisfaite de pouvoir s'accrocher à lui pour passer la soirée. C'était compter sans les consommations que son chevalier servant renouvelait dès que le niveau d'alcool avait baissé dans son verre. Trois ou quatre whiskys plus tard, le garçon s'était montré plus entreprenant et la jeune femme n'y avait pas été indifférente. Il y a toujours au fond de chaque personne un ferment d'orgueil qui produit son effet dès qu'on lui porte attention. Mathilde avait fini par se laisser entraîner sous les combles, vers la chambre de son séducteur.

Sitôt la porte refermée derrière eux, le jeune homme se rua sur Mathilde avec la rage d'un prédateur. L'affaire fut vite conclue. Le garçon avait oublié qu'il avait une partenaire dans cette aventure. Pendant que son agresseur s'assoupissait à ses côtés, sa victime se réfugia dans sa propre chambrette. Elle ressassait ce qui venait de se passer.

Elle avait connu tellement mieux entre les mains du Français qui l'avait initiée aux délices de l'amour. Mathilde parcourut en pensée les rives du Saint-Maurice. Elle entendit son partenaire lui faire des promesses que la guerre était venue contrarier. Elle s'enfouit la tête sous son oreiller pour essayer de ne plus penser à tout ce dont le destin l'avait privée.

Le lendemain, Mathilde se retrouva dans le bureau du lieutenant Segurel, celui-là même qui l'avait accueillie à son arrivée. Bien droite sur sa chaise, les mains à plat sur les cuisses, elle lui annonça qu'elle ne supportait plus de demeurer assise sur un banc d'école.

— Je n'ai jamais rien appris, proclama-t-elle, autrement qu'en le faisant.

Son supérieur demeura imperturbable, mais on devinait qu'il réprimait un sourire de satisfaction.

*

Célestine courbait le dos en actionnant le verrou de la porte restaurée de la cuisine. Elle se retrouva devant un inconnu. L'homme avait le regard vif en cette heure matinale.

— M. Ramier, réclama-t-il.

— Il est dans son lit, répondit la servante.

— Allez vite l'éveiller, riposta l'étranger.

Quelques minutes plus tard, Henri parut au pied de l'escalier, en bretelles sur son tricot de corps.

— Venez! lui enjoignit celui que le maître des lieux semblait connaître.

Le ton du visiteur sentait le malheur. Henri partit dans la voiture de son commissionnaire. En entrant dans Riscle, il se demandait encore ce qu'il lui arrivait. Le messager demeurait muet. Quand la voiture s'engagea dans la rue Magne, le cœur du peintre se serra. Une quinzaine de personnes se tenaient devant la boutique du cordonnier, des ménagères en charentaises, quelques vieux au poil rare, des enfants que la situation inusitée rendait audacieux. Au moment où Henri descendait de voiture, le pharmacien arrivait de son côté, à pied, sa trousse au bout du bras.

La porte de la boutique du cordonnier avait été enfoncée. Plusieurs personnes se pressaient devant l'ouverture pour regarder à l'intérieur. Henri dut rester dehors et se contenter d'écouter les ragots des commères qui l'entouraient.

L'affaire s'était produite au petit matin, alors que la population dormait encore. Les Risclois du voisinage avaient entendu un grand bruit. Un fracas, avait précisé l'un d'eux. Les gens de la rue avaient entrouvert leurs volets pour apercevoir trois ou quatre hommes peut-être, de grands gaillards dont les chapeaux dissimulaient le visage. Ils venaient d'enfoncer la porte de l'échoppe. L'instant d'après, des cris avaient éveillé tout le quartier. Des mains s'étaient resserrées sur des fusils de chasse. Personne, pourtant, n'était intervenu. On était en guerre.

Des hurlements et des lamentations avaient ponctué la suite. On avait entendu un fracas de verre brisé, des coups sourds comme sous l'effet d'une masse et, surtout, les appels à l'aide du cordonnier. Personne n'avait bronché. Peu de temps après, les agresseurs avaient foncé dans la foule pour rejoindre l'automobile qui les avait amenés là.

On avait attendu que la plainte du moteur poussé à bout se soit atténuée. On était resté tapi derrière les portes et les fenêtres. Le maire, Hippolyte Fages, s'était présenté sur les lieux à son tour. Il portait sa veste par-dessus sa robe de nuit. Tout le voisinage était alors descendu dans la rue. Les plus audacieux de ses concitoyens suivirent le premier magistrat quand il mit le pied dans la boutique.

Le corps du cordonnier gisait, à demi nu, en travers de son établi renversé. L'artisan logeait seul dans une pièce étroite derrière sa boutique. En entendant les coups contre la porte, il s'était sans doute d'abord figé sur son lit.

Quelques instants plus tard, ses agresseurs avaient dû l'arracher à sa couche et le traîner dans l'atelier. En quelques minutes, il avait probablement assisté à la fin de son monde. Rien n'avait été laissé intact, les casiers vidés par terre, les meubles fracassés, la machine à coudre éclatée à coups de masse. Certains murs avaient même été éventrés. À l'évidence, ses visiteurs cherchaient quelque chose.

C'était surtout l'état du cadavre qui soulevait l'épouvante. On lui avait cassé les dents, crevé un œil, sans doute avec l'un de ses poinçons. L'un de ses bras était rejeté si loin dans son dos qu'on ne pouvait douter que les os n'en fussent cassés. On lui avait tant meurtri la poitrine de coups qu'elle était devenue une plaie sanguinolente.

Le maire avait envoyé l'un de ses administrés prévenir les gardes champêtres, qui se présentèrent bientôt sur les lieux. Leur première démarche fut de repousser les curieux hors des lieux. Le drame leur appartenait. Précaution bien tardive. Chacun avait déjà tout vu et, dans la rue Magne qui était tout étroite en dépit de son nom, on échafaudait des hypothèses qui se transformèrent bientôt en évidences : le cordonnier avait dû se compromettre avec ceux que l'on désignait du nom de résistants. Le voisinage avait bien remarqué que l'artisan recevait plus de visites que sa pratique n'en justifiait. On pouvait nommer des gens, des citoyens en vue qui, ces derniers temps, avaient fréquenté sa boutique bien plus assidûment qu'ils ne l'avaient fait depuis des années. On connaissait la pensée de l'artisan. À n'en pas douter, le cordonnier recueillait des renseignements qu'il transmettait à des complices qui s'employaient à porter des coups à l'occupant.

Mais un mystère persistait. Ceux qui avaient fait irruption chez lui cherchaient à l'évidence quelque chose. L'état des lieux le démontrait. Les justiciers avaient sans doute fini par mettre la main sur ce qu'ils convoitaient, sans quoi ils auraient entraîné leur victime avec eux pour l'interroger. On en déduisait que le cordonnier avait révélé son ou ses secrets.

Du coup, la population de Riscle assemblée dans la rue, ce matin-là, s'était mise à échanger des regards en coin. Henri se déplaçait d'un cercle à l'autre. Il écoutait sans rien dire. Certains le saluaient avec déférence. D'autres fronçaient les sourcils pour porter sur lui un regard accusateur.

Après ce qui s'était passé, on se méfiait même de ceux que l'on croyait bien connaître. Plus tard, le pharmacien était ressorti comme il était entré, sa trousse au bout du bras. Le maire en avait fait autant. Au passage, le premier magistrat avait glissé un mot à l'oreille d'Henri, qui s'était bien gardé de réagir sur le coup.

— Permettez-moi de vous le répéter. Si vous continuez de vous comporter comme vous le faites, vous pourriez être le prochain à connaître un sort semblable.

Le peintre avait fini par rentrer chez lui, l'estomac de travers et la tête en feu. Il s'était attablé à la cuisine. Il avait toutefois refusé de manger. Célestine lui avait fait du café. Il vida sa tasse sans avoir pris conscience que le liquide le brûlait en dedans.

*

Mathilde était assise sur la banquette de la camionnette, aux côtés du conducteur. Sauf dans certains cas comme celui-ci, elle tenait toujours elle-même le volant. Un homme qu'elle ne connaissait pas se recroquevillait sur l'étroite banquette à l'arrière.

La jeune femme se retrouvait dans une situation beaucoup plus inusitée qu'à l'ordinaire. La camionnette roulait à gauche et les voitures qui venaient en sens inverse la croisaient à droite. Un véritable contresens. Une fois de plus, elle dut détacher son regard de la route pour reprendre une contenance toute relative.

Elle couvait également un autre souci. Ils avaient quitté Londres à l'heure où déclinait le soleil de la fin août. Elle en déduisit qu'elle survolerait la Manche en pleine nuit, ce qui la priverait de découvrir du haut des airs le berceau de ses ancêtres. Premier contact raté, donc, avec le pays dans lequel elle allait s'infiltrer sous l'identité d'une Française comme les autres.

Mais ce n'était pas encore ce qui la préoccupait le plus. Elle redoutait par-dessus tout de se retrouver face aux ennemis héréditaires de la race française. Elle craignait que son tempérament ne l'incite à injurier ceux qui, selon ce qu'on lui avait affirmé, portaient depuis toujours des coups à leurs voisins gaulois. En même temps, Mathilde était bien forcée de reconnaître que les Anglais en avaient fait autant à l'endroit du Canada français. Pourtant, sa fréquentation récente des Anglais d'Angleterre l'avait moins déconcertée qu'elle ne l'avait prévu. Somme toute, ces gens-là ressemblaient assez à leurs congénères qu'elle avait rencontrés au Canada. Avec un plus grand déploiement de bonnes manières.

Et par-dessus tout, la perspective de poser pour la première fois de sa vie le pied sur le sol de la France, en pleine nuit, dans une clairière délimitée par trois maigres feux de branches mortes, à proximité de la lisière d'un petit bois frileux, la priverait d'éprouver la légitime exaltation qui aurait dû s'ensuivre.

La camionnette militaire à bord de laquelle la future opératrice radio clandestine cherchait à contrôler ses émotions dégageait une forte odeur de pétrole. On lui avait annoncé qu'on se dirigeait vers Folkestone, tout au sud de l'Angleterre, en bordure de la Manche. Elle avait posé son sac à ses pieds. Il contenait le minimum de bagages essentiels. À ses côtés, sur le siège, la radio émettrice et réceptrice sur laquelle elle devait veiller comme si sa vie en dépendait. On lui avait annoncé qu'à la vitesse où l'on se déplaçait le trajet pourrait bien durer deux heures. Elle se rencoigna.

Dans l'état de semi-conscience dans lequel se retrouvait la nouvelle agente des services secrets britanniques, entre veille et sommeil, elle se voyait départager deux bandes rivales qui se faisaient des misères dans un camp de bûcherons de la Mauricie. L'un des deux clans s'était retranché dans le baraquement. Relégués dehors, les expulsés menaçaient maintenant de mettre le feu au bâtiment. Debout sur une souche, Mathilde réclamait, en sa qualité de porte-parole de l'autorité, que chaque parti délègue l'un des siens qui viendrait discuter en sa présence avec le délégué de l'autre. À ce stade de l'affrontement, elle ne voyait pas d'autre moyen d'apaiser les tensions. La représentante de M. Métivier se retenait d'annoncer que les membres des deux camps seraient expulsés dès que les renforts qu'elle avait réclamés arriveraient. En attendant, les bûcherons retranchés refusaient toujours de sortir parlementer avec leurs collègues.

La voyageuse finit par émerger de son sommeil. La camionnette venait de ralentir. Elle s'immobilisa bientôt devant une guérite. Son conducteur obtint l'autorisation de pénétrer sur l'aéroport militaire de Dungeness. L'endroit était plutôt désert à cette heure. Le véhicule vint se garer à proximité d'un avion de petite taille au museau pointé vers le ciel.

— Un Westland Lysander, annonça le passager assis à l'arrière. C'est l'appareil idéal pour la mission que vous entreprenez. Décollage et atterrissage courts. Les gens le surnomment « Lizzie ».

Et il descendit le premier. La jeune femme allait soulever sa radio. Le militaire s'en empara. Mathilde posa le pied sur la piste. Le moteur du Lysander grondait déjà. Le militaire qui portait la radio avait déjà commencé à monter à bord de l'appareil en s'accrochant où il le pouvait pour atteindre la cabine arrière.

Mathilde attrapa sa valise et entreprit de rejoindre celui qui la précédait. Elle avait omis de remercier le conducteur qui l'avait menée là. Ce dernier parut n'en faire aucun cas. Il transportait des êtres humains avec la même indifférence que s'il s'était agi de colis. La jeune femme pénétra à son tour dans la section de l'avion qui s'ouvrait derrière le poste de pilotage. Celui qui se tenait aux commandes du

Lysander lui adressa sans se retourner un signe de bienvenue de la main.

Le chauffeur de la camionnette était descendu à son tour pour se déplier les jambes tout en fumant une cigarette. Son collègue refermait la portière de l'avion de l'intérieur. Le régime du moteur atteignit un paroxysme. Il n'y avait pas de banquette dans l'espace où les deux passagers se trouvaient. Le compagnon de voyage de Mathilde lui fit signe de s'asseoir sur sa valise. Lui-même demeura debout.

Le Lysander roulait déjà sur la piste. Le temps de se pencher sur le hublot pour observer la manœuvre, Mathilde constata que les roues de l'avion avaient déjà quitté le sol. L'hélice mordait l'air tandis que la jeune femme regardait les bâtiments de l'aéroport se transformer en jouets sous ses yeux. Il faisait très chaud dans l'espace où elle se trouvait.

Pour la seconde fois de sa vie, la jeune femme voyageait à bord de ce que l'on désignait dans son pays sous le nom d'aéroplane. Cette fois, la peur avait disparu. L'anticipation de ce qui l'attendait prenait toute la place. On lui avait appris les gestes, répété tout ce qu'il fallait dire et énuméré ce qu'elle devait éviter de mentionner. Un frisson la traversa quand elle se remémora qu'elle se nommait désormais Éloïse Chevalier.

*

Le vol s'effectua dans une relative quiétude. Ce ne fut qu'un long moment monotone. Plus tard, sans qu'elle s'inquiétât vraiment de savoir quelle heure il pouvait être, Mathilde sentit que l'appareil perdait de l'altitude. En se penchant sur le hublot, elle put constater que trois petits feux brûlaient en bas dans une clairière. Le Lysander survola l'endroit, revint sur sa position initiale et perdit rapidement de l'altitude jusqu'à poser ses roues sur l'herbe pour s'immobiliser rapidement.

Le militaire qui accompagnait Mathilde dans l'habitacle arrière ouvrit la portière et sauta sur le sol. La jeune femme lui présenta sa radio et sa valise, après quoi celui qui était par terre lui tendit les bras. Elle s'y laissa tomber. Il s'assura qu'elle était bien sur pied, lui donna un petit coup de poing amical sur l'épaule et prit un vigoureux élan pour remonter dans l'appareil à la force de ses bras. Le Lysander fit demi-tour pendant que le militaire refermait la portière arrière. L'avion décolla après avoir parcouru une très courte distance. Deux ou trois minutes plus tard, Mathilde n'entendait plus le bruit du moteur de l'appareil qui s'était évanoui dans la nuit.

Elle observa les alentours, attendant qu'on vienne à sa rencontre. Personne ne se manifesta. Un coup au cœur. L'absence des résistants qui auraient dû l'accueillir indiquait sans doute qu'un danger se présentait aux alentours. Dans un effort pour empêcher la panique de s'emparer d'elle, Mathilde s'empressa de disperser du bout de sa botte les cendres et les vestiges des bouts de bois qui constituaient les trois feux, puis elle revint se poster aux côtés de sa valise et de sa radio. Un silence de commencement du monde lui sifflait aux oreilles. Elle observa les alentours. La lisière d'une forêt se dessinait au sud. Ramassant ses bagages, elle se dirigea de ce côté. Le cœur lui battait fort. Rien ne se déroulait comme prévu.

Une fois à l'abri sous les arbres, la jeune femme se concentra sur son cœur qui cherchait à s'évader de sa poitrine. Du désarroi dans lequel elle flottait, elle débaula dans la panique. De toute son existence, elle n'avait jamais connu un malaise si intense. Puis le temps s'effaça.

Plus tard, elle commença à reprendre souffle. Épuisée comme si elle était venue à pied depuis l'Angleterre, elle laissa l'air de la nuit lui emplir la poitrine. Elle finit par s'assoupir, la tête posée sur un coin de son sac de vêtements.

Des voix lointaines l'éveillèrent. Le jour s'était levé. Elle aperçut deux jeunes hommes qui examinaient les vestiges des feux. Ils constataient que les cendres en avaient été dispersées. Des mots épars parvenaient jusqu'à Mathilde, «peut-être» puis «quelque part aux alentours». Les nouveaux venus se dirigèrent vers elle. Son premier réflexe fut de s'enfoncer dans la forêt. Ce n'était pas la bonne attitude à adopter. Elle se contraignit à faire quelques pas en direction de l'espace dégagé. En l'apercevant, les étrangers s'immobilisèrent. L'un d'eux finit par demander :

— Qui êtes-vous?

Celle qui n'était plus Mathilde se mit alors à marcher vers eux.

— Vous pouvez me dire où je suis? s'enquit-elle.

— Dans le bois des Quatre-Saisons, répondit le plus costaud des deux.

— Vous ne seriez pas Éloïse, par hasard? s'enquit l'autre.

L'instant d'après, la nouvelle Éloïse était dans leurs bras.

*

À Riscle, au cours des nuits qui avaient suivi celle où l'on avait torturé le cordonnier avant de l'assassiner, Henri s'était recroquevillé sur une prudente réserve. Les rapports que le peintre avait entretenus avec l'artisan le mettaient lui-même tout en haut de la liste des victimes éventuelles. Pendant plusieurs jours, il n'était pas sorti de chez lui. Il n'avait pas prévu que tant de ses concitoyens se trouveraient sur la place du marché le matin où il y fit de nouveau quelques pas, son cabas à la main.

Depuis que les Allemands occupaient le sud de la France, Riscle était divisée en deux camps qui faisaient de grands efforts pour ne pas se croiser. Ce matin-là cependant, l'étincelle qui subsistait sous les braises avait ravivé la vieille querelle qui partageait la France en deux camps depuis des temps immémoriaux. Profitant d'un temps où les Allemands s'étaient éloignés, les Risclois lavaient un peu de leur linge sale en famille. Par conséquent, tout le monde parlait en même temps.

Deux groupes de quinze à vingt personnes s'affrontaient sur la place. Les alliés du pharmacien Irénée Bazas défiaient les partisans du maire Hippolyte Fages. L'apothicaire et ses disciples faisaient valoir que l'Occupation avait eu le grand avantage de redresser la colonne vertébrale des Français. Rigueur et détermination. Pour leur part, le premier magistrat et ses adeptes plaidaient en faveur d'un retour aux valeurs proposées par le Front populaire avant la guerre. Audace et vision. Au début, chaque clan laissa son porte-parole se prononcer.

— Nous traversons l'une des époques les plus troublées de notre histoire, proclamait le pharmacien Bazas. Cela a l'avantage de nous remettre dans le droit-fil de notre destin. Une fois de trop, notre nation s'est laissé entraîner sur les pentes de la douceur de vivre. Fort opportunément, nos voisins sont venus nous rappeler que cette inclinaison nous menait au relâchement qui conduit à la débandade. Quand nous aurons bien assimilé la leçon que nous donne l'Histoire, nous reprendrons le cours d'une vie normale et nous retrouverons la prospérité qui découle de la rigueur avec laquelle nous savons conduire notre société.

Un brouhaha d'approbation en même temps que des formules de dénégation s'emmêlèrent.

— Foutaise que tout cela ! riposta le maire, qui avait fini par se faire entendre. Ce n'est pas la rigueur qui fait grandir un enfant, mais bien plutôt l'harmonie dans laquelle ceux qui l'élèvent l'enveloppent. Nous ne venons pas sur terre pour imposer notre conception de la vie aux autres. Avant toute chose, nous avons la mission de bâtir une société harmonieuse où chacun peut révéler le trésor de sa créativité. Vous l'avez tous bien compris, la richesse n'est pas un but mais un moyen pour parvenir à édifier un monde plus juste.

Henri avait été pris dans le mouvement de la foule. Il se retrouvait maintenant au premier rang parmi les plus chauds partisans de son clan. L'apercevant, le maire l'interpella :

— Mes amis, vous constatez avec moi que M. Ramier se trouve opportunément parmi nous. Ce grand artiste qui porte la réputation de Riscle jusque dans les Amériques voit forcément notre réalité d'un point de vue plus éclairé que le nôtre. Écoutons donc ce qu'il a à nous dire.

Le peintre aurait voulu ne pas être là. Il s'enfonça en lui-même. Les applaudissements de son entourage le firent remonter à la surface. Il avait appris en cours de carrière à improviser des laïus pertinents.

— Je ne vous surprendrai pas en déclarant d'entrée de jeu que je ne sais pas faire de discours, commença-t-il. Ce n'est pas mon métier. J'ai pour vocation de célébrer les beautés de la nature en étalant des couleurs sur la toile. Hélas, ce n'est pas sur la base de ces prémisses que l'on gouverne présentement nos sociétés. Une fois de plus, nous nous déchirons entre nous.

Les membres du clan opposé commençaient à grogner.

— Si vous insistez pour que je vous donne mon avis, poursuivit-il, je n'irai pas par quatre chemins. Nos bras, nos mains et nos têtes ont des fonctions différentes, mais c'est tout de même avec l'ensemble de nos facultés que nous formons le corps de notre société. Par conséquent, notre monde ne se remettra à tourner normalement que le jour où nous réconcilierons nos aspirations. À ce que je constate ce matin, ce dessein n'est pas encore sur le point de se réaliser. Dans les circonstances, laissez-moi donc passer mon chemin. Je fais mes petits achats et je rentre chez moi. Un dernier mot, si vous me le permettez. Face aux épreuves que nous traversons, je n'ai pas davantage que vous le goût de célébrer la vie. Ces derniers temps, je n'ai plus le courage de me diriger vers mon atelier le matin dans l'intention d'étaler des couleurs lumineuses sur ma toile. Et pourtant, chaque jour qui passe est unique et ne reviendra pas. Alors, faisons tout de même en sorte que celui-ci n'ait pas été inutile.

Il salua et commença à sortir du rang sous le coup combiné des huées et des éclats d'approbation. Ceux qui le connaissaient bien savaient qu'il était seul au monde en se dirigeant vers l'étal du marchand de légumes.

*

Après avoir découvert celle qui se nommait Éloïse Chevalier aux abords de la forêt dans laquelle elle avait cherché refuge après y avoir été parachutée, les deux résistants avaient entraîné leur nouvelle opératrice radio vers la palombière où ils avaient établi leurs quartiers. C'était à l'écart de tout, sur les pentes douces d'une colline boisée, dans le voisinage de Condom.

De nombreuses années plus tôt, un groupe de paysans des environs y avaient aménagé un réseau de couloirs et de tunnels débouchant sur une petite clairière. Une palombière. Le décès de l'initiateur du projet et le départ d'un autre vers Vic-Fezensac avaient entraîné la désertion des lieux. Laissés à l'abandon, les tunnels sous les branchages s'étaient encombrés. Déterminés à y installer un groupe de résistants, deux jeunes gens issus des bonnes familles de la ville avaient débroussaillé l'endroit en prenant grand soin d'en laisser les abords en parfait état de délabrement. Ils s'y étaient établis en compagnie d'un petit groupe de compagnons depuis un certain temps déjà, attendant que les autorités en exil prennent l'initiative d'une éventuelle reconquête de la France par le sud. Ils étaient maintenant persuadés que la présence d'une opératrice radio parmi eux allait donner une portée considérable à leurs initiatives.

Mathilde, qui avait encore du mal à se reconnaître sous le nom d'Éloïse Chevalier, n'avait pratiquement pas dormi la nuit précédente. Elle se consacra en priorité à refaire ses énergies.

Après avoir dormi pendant la plus grande partie de la journée et même de la nuit suivante, la nouvelle opératrice radio s'était mise en frais de tester le fonctionnement de son appareil. Pour cela, il avait fallu mettre en marche la génératrice qui fabriquerait le courant électrique nécessaire à l'opération de l'appareil. Bien entendu, avant le départ du Canada, on en avait adapté le rouage électrique au voltage du réseau d'électricité en France. Après plusieurs tentatives infructueuses, il fallut se rendre à l'évidence : la machine refusait de fonctionner.

Les débats qui s'ensuivirent prirent des allures épiques. D'aucuns accusaient les Canadiens d'en avoir mal ajusté le voltage au régime français, d'autres soutenaient que la génératrice n'engendrait pas un courant électrique assez puissant pour en déclencher le fonctionnement. Après des discussions où chacun et chacune reformula plutôt dix fois qu'une ses arguments, une conclusion unanime s'imposa. On devait soumettre l'appareil à la compétence d'un expert qui tenait boutique à Condom.

Un nouveau débat s'éleva toutefois autour de ce projet. Fallait-il ou non se faire accompagner d'Éloïse dans l'accomplissement de cette démarche ? Cette dernière avança un argument pertinent. L'appareil ayant été assemblé au Canada, seule une ressortissante de ce pays pourrait répondre à certaines questions techniques du réparateur consulté. En même temps, l'occasion était belle de mettre à l'épreuve sa nouvelle identité.

Éloïse et le chef du groupe descendirent de la colline sur des sentiers dissimulés. Ce dernier portait la radio dans son grand sac de toile dont la courroie lui blessait l'épaule. Parvenus à l'endroit où des bicyclettes étaient dissimulées sous des broussailles, Éloïse et le garçon furent unanimes à décréter que l'appareil était trop lourd pour être transporté à l'épaule d'une personne juchée sur un vélo. Le jeune homme en fut quitte pour marcher en poussant sa bicyclette aux poignées de laquelle il avait accroché le sac contenant la radio.

La route était sablonneuse. Des fermes aux abords de l'agglomération. Il s'était bien passé une heure depuis leur descente de la colline. En entrant dans Condom, Mathilde-Éloïse fut saisie d'étonnement devant l'ancienneté des édifices. Elle se retrouvait comme dans une illustration d'un livre. Des piétons, des bicyclettes et quelques véhicules animaient les rues. Personne n'avait prévenu la Mauricienne que les Français de France vivaient encore comme les pionniers de la Nouvelle-France, si on ne portait pas attention aux véhicules automobiles, d'ailleurs très différents de ceux que l'on pouvait voir dans les rues des Trois-Rivières. Tous d'un modèle ancien et de plus petite taille. Fort heureusement, la boutique de l'homme qui savait parler aux appareils ne se trouvait pas très loin dans la ville. Un endroit comme tous les autres, sans enseigne et auquel on accédait par une porte basse.

Prenant son plus bel accent français, Héloïse expliqua au tenancier des lieux que l'appareil avait été «francisé» au Canada. L'expert leva les bras au ciel. Il devrait examiner une à une chacune des connexions électriques. Cela prendrait sans doute plusieurs heures, sinon des jours de travail. Comme ses clients ne disposaient pas du téléphone, et que le sien ne fonctionnait de toute façon pas la plupart du temps, il fut convenu que les propriétaires de l'appareil viendraient aux nouvelles deux jours plus tard.

En sortant de la boutique, Héloïse n'avait qu'une question sur les lèvres.

— Et alors?

— Alors, quoi?

— Mon accent français?

— Rien à signaler. Tout au plus peut-on soupçonner à l'occasion que tu pourrais avoir des origines belges.

Comme le jeune homme avait les mains libres pour aborder le chemin du retour, il enfourcha sa bicyclette. Ils pouvaient espérer parvenir à destination dans des délais à peu près convenables. Une voiture les frôla d'assez près.

— Crétin! grommela le jeune homme à l'intention du conducteur de la bagnole qui était déjà loin.

Ni lui ni la jeune femme qui l'accompagnait ne surent jamais que le destin avait accordé ses violons de sorte que la voiture qui les avait frôlés était conduite par Henri Ramier.

*

En arrivant au château des Étoiles, Henri se demandait toujours ce qu'il allait y faire. À première vue, l'édifice plutôt délabré, situé à quelques kilomètres de Condom, évoquait une arche de Noé échouée dans la campagne. Avec cette particularité que son équipage était composé d'enfants. Tous éclopés de l'âme parce que juifs.

Avant la guerre, Hitler avait déjà commencé à traquer les descendants d'Abraham. En Allemagne et en Autriche, plus tard en Pologne, les individus de cette race avaient été réduits à l'état de fantômes. Et maintenant, on entendait expurger une bonne fois pour toutes la nouvelle Europe nazie de leur présence.

Fuyant de partout les persécutions, la déportation et même l'extermination, un nombre considérable de pratiquants du judaïsme s'étaient réfugiés à Paris. Plus tard, sous la pression de l'envahisseur, ils s'étaient repliés au sud. Maintenant que cette zone était occupée à son tour, ils n'avaient plus qu'une idée en tête : quitter la France en direction d'un ailleurs moins incertain.

Mais cette fois, il s'agissait d'enfants juifs. Vingt, peut-être vingt-cinq rejetons de cette race vivaient dans un château plutôt délabré, dissimulé dans la verdure au bout d'une allée ombragée. Il ne s'agissait pas à proprement parler de clandestinité. Les dirigeants de l'établissement s'efforçaient tout de même de garder un profil bas.

En descendant de sa voiture, Henri se retrouva devant une grappe d'enfants penchés sur les plates-bandes d'un potager aménagé au beau milieu des pelouses. D'autres étaient assis sur les marches de l'escalier monumental. Une dame leur apprenait une chanson. Des brouettes, deux bicyclettes, une charrette attelée à un âne et trois ou quatre adultes chargés de hottes allaient et venaient dans un ballet incessant. Les grandes portes étant ouvertes, Henri se permit de pénétrer à l'intérieur du château.

Le hall résonnait lui aussi de voix d'enfants qui ânonnaient l'alphabet français quelque part dans les profondeurs du rez-de-chaussée. De plus loin encore parvenaient les crincrins laborieux d'un violon. Une odeur de chou enveloppait le tout. Une impressionnante collection de bottes et de godillots de toutes tailles garnissait le marbre fissuré de l'entrée. Henri traversa une pièce intermédiaire qui donnait accès au grand salon et à une salle à manger démesurée. Là, derrière deux grandes portes vitrées, s'étalait une terrasse dominant un vaste espace transformé en cour de ferme. Poules, oies, canards, lapins erraient en toute liberté. Des constructions sommaires de planches mal jointes devaient abriter cette basse-cour à la nuit tombée. Une porte, à droite, aux abords de ce qui avait dû être une roseraie, donnait de toute évidence sur des latrines.

Henri songea que l'établissement était encore plus déconcertant que ce qu'on lui avait annoncé. Un homme d'âge mûr s'approcha de lui. Sa moustache, sa chemise sans col et ses bretelles retenant un pantalon en accordéon lui conféraient l'allure d'un bon papa.

— Cabrier Jérôme, annonça-t-il en tendant la main au visiteur. Je suis le commandant de ce navire. Je n'ai pas encore eu le bonheur de faire votre connaissance.

— Ramier, bredouilla Henri.

— Vous avez de quoi faire, là, à l'instant? s'enquit le papa.

Henri haussa les épaules.

— La petite Madeleine est encore grimpée dans son arbre. Vous pourriez vous en occuper?

Il allait repartir. Il ajouta à l'intention du nouveau venu :

— Quand vous l'aurez ramenée sur terre, venez donc me retrouver dans mon bureau.

Sans avoir été consulté, Henri venait d'être conscrit au château des Étoiles. Il était au comble du bonheur. Sans qu'il en fût conscient, cela se lisait sur son visage.

*

— Notre premier devoir n'est pas de gagner cette guerre, déclara Jérôme Cabrier. Même si les nôtres n'ont pas toujours été à la hauteur, cette tâche incombe aux militaires. Pour notre part, le destin nous charge d'une mission autrement plus exigeante. Sauver ces enfants de la persécution.

Celui qui tenait en mains la destinée des pensionnaires du château des Étoiles fumait sa pipe en compagnie d'Henri Ramier sur la terrasse arrière de l'établissement. Le soleil couchant projetait son or sur la silhouette des enfants stigmatisés en raison de leur origine et qui couraient pourtant en toute innocence devant eux.

— Je me demande ce que les troupes alliées rassemblées en Afrique du Nord peuvent bien attendre avant de se décider à venir nous libérer, commença Henri.

— Le jour où cela se déclenchera, répliqua Cabrier, il sera trop tard pour évacuer notre colonie d'enfants.

Henri vida sa pipe en la tapant doucement contre la rambarde de pierre et il se mit aussitôt en frais de la bourrer de nouveau, ce qui était chez lui le signe d'une grande nervosité.

— Comment pouvez-vous songer à vous lancer sur les routes avec cette bande de petits Israélites turbulents? protesta le peintre. Leur nombre tout autant que leur innocence jouent en leur défaveur.

— Tout bien considéré, renchérit celui qui tenait en main la destinée de ces gamins réprouvés, ne vaudrait-il pas mieux tenter l'impossible plutôt que de les condamner à l'extermination en les retenant ici?

Les deux hommes fumèrent leur pipe en silence pendant quelque temps, côte à côte dans la majesté du soir. Le soleil déclinait. Jérôme Cabrier finit par se taper dans les mains.

— Au lit, les enfants! C'est l'heure. Une grosse journée nous attend demain.

Quelques dames entreprirent de rapailler les petits en étendant leurs bras de chaque côté de leur corps comme on le fait pour rassembler les volailles en direction du poulailler. Le tout dans un joyeux tumulte. Henri et son hôte assistaient à la manœuvre en souriant. Au passage, Cabrier mit la main sur la tête de quelques-uns de ses protégés.

— Ils sont trop innocents pour que nous ne tentions pas de les mettre à l'abri, fit-il observer.

Et il invita son interlocuteur à entrer le premier dans l'établissement.

— Vous n'allez pas nous quitter à cette heure, annonça-t-il à celui qu'il considérait déjà comme son hôte. Avec l'ennemi qui rôde, les routes ne sont pas sûres.

Il entraîna Henri vers une chambre fort convenable à l'étage.

— La nuit porte conseil, prononça-t-il en guise de salutation. Le petit déjeuner est à sept heures.

Le peintre se dévêtit et s'allongea, sachant très bien qu'il n'allait pas s'endormir facilement. Il passa une bonne partie de la nuit à se retourner dans son lit. Une conviction l'envahissait. Elle n'allait pas sans entraîner de grandes conséquences.

Le lendemain matin, après un petit déjeuner plutôt sobre, Jérôme Cabrier emmena son visiteur dans son bureau, lequel ne constituait qu'un formidable fouillis à proximité de l'entrée de l'établissement. Des piles de documents sur toutes les chaises. Le patron en dégagea une en posant par terre les dossiers qui y reposaient.

— J'aurais quelque chose à vous proposer, commença-t-il.

— Et moi aussi, lui répliqua Henri. Permettez que je parle le premier. La nuit m'a porté conseil. Je ne peux me retenir de vous en faire part.

Dès les premières paroles de son invité, Cabrier s'était levé pour aller refermer la porte. Il joignait maintenant les mains sur son bureau devant lui, inclinant la tête pour signifier à son interlocuteur qu'il lui accordait toute son attention.

Le peintre commença par évoquer le cheminement de sa carrière, sa volonté de célébrer la majesté de son petit coin de pays, lumière et attachement aux rites de la vie. Celui qui portait sur ses épaules le sort des enfants juifs ne voyait toujours pas où son invité voulait en venir.

— Autrement dit, résuma Henri, depuis mon engagement en peinture, je me suis attaché à traduire en images le comportement particulier de mes compatriotes, repli sur soi en même temps qu'une certaine ouverture devant les aspirations sacrées de la vie.

Celui qui dirigeait le château des Étoiles opinait du bonnet.

— J'étais à l'étranger, poursuivit le visiteur, quand les rumeurs d'une éventuelle guerre en Europe ont été répercutées jusque de l'autre côté de l'Atlantique. Je suis rentré précipitamment comme on se porte au chevet d'une personne de sa parenté qui serait malade. Je n'avais plus l'âge de m'enrôler. À vrai dire, cela me rebutait même. Je me suis plutôt engagé dans une forme de résistance destinée à faire obstacle aux intrusions quotidiennes de l'occupant dans nos vies. Au début, j'ai cru que je faisais œuvre utile. Avec le temps, mes illusions se sont dissipées. Mes initiatives tombaient dans le vide. Depuis que nos contrées sont occupées, je me rends bien compte que la faible portée de nos ambitions de résistance les rend non seulement futiles mais parfois néfastes. Tout compte fait, nous attirons les foudres de l'ennemi sur nos populations.

Jérôme Cabrier faisait de grands «oui» de la tête.

— Ces derniers temps, enchaîna Henri, après qu'une de mes connaissances a été assassinée par certains de mes concitoyens qui croient accomplir une mission honorable en collaborant avec l'occupant, j'ai commencé à perdre la foi dans nos futiles tentatives de résistance. J'étais sur le point de prendre la décision de me replier sur moi-même quand l'un de mes concitoyens m'a conseillé de me rendre compte par moi-même de ce qui se passait ici.

Celui qui dirigeait les destinées de l'établissement avait posé les coudes sur son bureau pour se rapprocher de son interlocuteur.

— L'occupation dont nous sommes les victimes ne se résoudra qu'avec des bombes, prononça le peintre. Ce sont des moyens hors de notre portée, à vous comme à moi. Cependant, les enfants de race, de culture et surtout de religion étrangère dont vous avez la responsabilité ne sont nullement concernés par ces hostilités.

Henri se redressa sur sa chaise pour conclure.

— Ce que j'ai vu ici depuis hier me met dans la position de vous annoncer que j'ai l'intention de m'engager à vos côtés pour tenter par tous les moyens de tirer vos protégés du bourbier dans lequel vous êtes enlisés.

Jérôme Cabrier s'était levé. Il tendit la main. Henri se mit sur pied à son tour pour la lui saisir.

— Donnez-moi une semaine, résuma le peintre, le temps que je mette fin à une affaire dans laquelle je suis malencontreusement impliqué, et je me range à vos côtés pour tirer cette bande d'enfants de l'enfer dans lequel ils risquent de sombrer.

Les deux hommes échangèrent alors un regard qui en disait beaucoup plus long que toutes les paroles.

*

Trois jours plus tard, Henri développait devant Laetitia Damazan les arguments qui l'incitaient à prendre des distances définitives à l'endroit du mouvement de résistance qu'elle dirigeait. Celle-ci lui retourna ses objections en les renversant. La scène se déroulait une fois de plus à Pau, dans le salon de cet appartement où les amants s'étaient adonnés tant de fois au jeu des amours mal assorties. Elle dans le rôle du félin malicieux, lui d'un naturel trop conciliant pour songer à rendre les coups. Deux gamins dans une cour d'école n'auraient pas mieux fait en se querellant à propos d'un sac de billes. Ici, pourtant, il en allait du rôle que chacun devait jouer devant la tragique occupation de la France par les Allemands.

— Tu te comportes comme un lâche ! décréta Laetitia en agitant ses bracelets. Je n'aurais jamais cru que j'assisterais à une pareille scène de mon vivant.

— Tu réfléchis de travers, lui rétorqua Henri. La vie m'emmène à choisir entre deux priorités importantes. Celle que j'ai décidé d'embrasser est tout simplement plus appropriée à mes dispositions naturelles.

Il se battit les cuisses du plat de ses deux mains tout en s'apprêtant à conclure l'entretien qui lui pesait de plus en plus.

— Il se trouve simplement que je ne peux pas faire deux choses en même temps.

Laetitia formula sa riposte avant même qu'Henri ait achevé l'énoncé de son argument.

— Libérer la France des forces machiavéliques qui l'occupent ne t'apparaît pas être la mission la plus capitale que tu puisses accomplir en ces temps désespérants que nous traversons? lui lança son interlocutrice. Que te faut-il de plus?

Henri haussa les épaules.

— Si tu as un tant soit peu d'estime pour moi, insista-t-il, laisse-moi poursuivre mon chemin. Quand nous aurons surmonté les puissances maléfiques qui nous assaillent, tu constateras que l'entreprise audacieuse dans laquelle je vais me lancer aura contribué à soulager certaines victimes innocentes du drame qui menace de les emporter.

Laetitia fit trois pas et revint aussitôt en arrière en s'engageant entre le canapé et la table basse.

— Foutaise! jeta-t-elle au passage à son interlocuteur. Si ta cause était aussi importante que tu le dis, tu n'hésiterais pas à me demander de m'y impliquer à tes côtés!

— Il faut bien que je te le dise, répliqua l'intimé après un moment d'hésitation, je suis de moins en moins convaincu que l'action que nous menons ici, toi et moi, puisse vraiment changer le cours des événements. Au mieux, nous mettons un caillou sous le pas des chevaux de nos adversaires. Au pire, nous incitons nos ennemis à exercer des représailles à notre endroit.

À ce tournant de l'affrontement, on entendit des pas dans l'escalier qui menait à l'appartement. La maîtresse des lieux regarda autour d'elle comme si elle avait craint l'intrusion d'un importun. D'un signe de tête, elle signifia à son compagnon d'aller se dissimuler à la cuisine. Henri s'exécuta sur la pointe des pieds, en même temps que de petits coups étaient frappés à la porte.

De là où il se trouvait, le peintre n'entendit pas bien les présentations qu'on échangeait au salon. Tout au plus put-il constater que deux personnes, un homme et une femme, venaient de pénétrer dans l'appartement. Il colla son oreille au bois de la porte qu'il avait refermée derrière lui. Il percevait des bribes de la conversation qui s'était engagée de l'autre côté.

Il semblait être question d'un appareil qui refusait de fonctionner. Le garçon s'embrouillait dans ses explications pour en décrire les défaillances. La jeune femme s'interposa pour énumérer avec une précision toute chirurgicale les défaillances de l'instrument. Elle en vint rapidement au fait. Elle réclamait qu'on lui en fournisse un pour remplacer celui qui était défectueux.

Laetitia Damazan était parvenue à interrompre sa visiteuse pour lui demander comment elle en était arrivée à chercher de l'aide aussi loin de la base où elle était installée. Il devait bien se trouver quelque part, dans le département où elle était établie, quelqu'un qui aurait pu remettre son appareil en fonction. Sinon lui en procurer un autre. La jeune femme lui répondit que le département au-dessus duquel on l'avait parachutée abritait peu d'individus au fait de ces nouvelles technologies. En désespoir de cause, on lui avait suggéré de prendre contact avec une certaine Laetitia Damazan qui avait tous les pouvoirs, lui avait-on assuré, même au-delà de son propre territoire d'activité. Cette dernière se rengorgea pour signifier à la jeune femme qu'elle avait frappé à la bonne porte. Sans trop savoir pourquoi, Henri, dissimulé derrière la porte de la cuisine, fronçait les sourcils en entendant la voix de la nouvelle venue.

L'échange se prolongeait entre Laetitia Damazan et son interlocutrice. Aux oreilles de l'homme dissimulé à la cuisine, il devenait évident que la visiteuse et son compagnon étaient engagés dans des activités de résistance. Le cœur du peintre s'était mis à lui cogner dans la poitrine. La voix de cette femme lui semblait de plus en plus familière. Il passa en revue la courte liste des personnes de sexe féminin qu'il pouvait côtoyer dans les rangs de la Résistance. Les traits d'aucun visage ne se profilèrent dans son esprit.

Au salon, Laetitia Damazan semblait de plus en plus disposée à combler les attentes de sa visiteuse. Elle finit par énoncer une condition dont elle exigerait la satisfaction en retour du service qu'elle allait lui rendre. L'opératrice radio devrait s'installer à Pau et travailler avec elle. Son interlocutrice lui répondit sur un ton tranchant :

— Vous pouvez bien laisser faire ! Je peux pas laisser les autres sur le bord du chemin comme ça ! M'a m'arranger autrement !

En entendant cet accent familier, Henri ouvrit toute grande la porte de la cuisine pour se retrouver devant Mathilde Bélanger.

*

Mathilde et Henri ne s'étaient pas lâché la main depuis qu'ils avaient quitté l'appartement de l'ogresse de Pau. Ils venaient à peine de se retrouver et on aurait pu croire qu'ils craignaient de se perdre de nouveau. En même temps, et en dépit de leur différence d'âge, ceux qui les croisaient sur les trottoirs en bordure des petites rues de la ville voyaient monter à leur esprit l'image de deux écoliers qui viennent de découvrir les merveilles du premier amour. Mathilde se hasarda à mettre en mots son trop-plein d'émotions.

— Je me sens comme si je revenais au monde, et cette fois j'ai des ailes.

— Tu les avais déjà, lui assura son compagnon. Ce qui est nouveau, c'est qu'elles sont maintenant déployées.

En sortant de l'édifice dans lequel se trouvait l'appartement de Laetitia Damazan, Henri s'était permis de lui annoncer son intention en une phrase lapidaire :

— Je t'emmène à la maison.

La jeune femme avait estimé qu'il était superflu de contester cette décision. Pendant le trajet en direction de la gare d'Auch, et même une fois à l'intérieur de ce lieu de passage, leur innocence leur épargna toute tracasserie de la part de l'envahisseur. Une fois blottis l'un contre l'autre sur la banquette du wagon, Mathilde se hasarda à formuler une évidence :

— Je savais depuis ma plus tendre enfance que la vie me réservait un moment comme celui-là, mais je commençais à craindre que cela ne se produise pas tant que je serais impliquée dans cette guerre.

Henri lui sourit avant de s'aventurer à son tour dans le monde des hypothèses imprévisibles.

— Il a fallu que les astres révisent tous leurs alignements pour que nos pas nous mènent tous les deux aujourd'hui dans cet appartement où je venais d'annoncer que je ne remettrais plus les pieds.

Mathilde pressa encore plus fort sa main dans la sienne. Une fois que le contrôleur eut vérifié la validité de leur titre de transport, qu'il poinçonna d'un geste négligent, ils purent enfin faire leurs premiers pas sur les chemins de leur vie nouvelle.

— Il va bien falloir que tu m'expliques comment tu t'es retrouvée en France.

— Et toi, renchérit-elle, que tu me dises ce que tu faisais chez cette bonne femme.

Leurs explications respectives s'entremêlèrent. L'implication d'Henri dans la Résistance et l'engagement de Mathilde dans les rangs des forces secrètes britanniques relevaient du roman. La durée du retour vers le domicile d'Henri ne fut pas assez longue pour leur permettre d'en feuilleter tous les chapitres. Parvenus en gare d'Auch, une fois montés dans sa voiture, ce dernier se permit enfin de prononcer la parole qui lui gonflait le cœur.

— Nous ne nous quitterons plus jamais. Je te le jure.

Le silence de la jeune femme formulait avec éloquence son acquiescement. En entrant dans la cour du Guibourg, Mathilde éprouva le sentiment qu'elle était enfin arrivée là où elle devait être. L'accueil plutôt réservé que lui servit Célestine, la bonne, n'altéra en rien cette conviction.

Ils prirent le repas du soir sans se préoccuper de ce qu'ils avalaient. Sitôt cette formalité accomplie, ils se réfugièrent à l'étage, dans la chambre d'Henri. La disposition des lieux, chaque meuble, tous les objets qu'ils renfermaient confortaient la jeune femme dans la conviction qu'elle était enfin arrivée chez elle. Ils se dirent avec leurs gestes ce que tous les mots du monde n'auraient jamais pu exprimer.

Le reste de la nuit ne fut pas trop long pour leur permettre d'accorder leurs volontés respectives aux circonstances nouvelles que le destin leur réservait. On avait envoyé Mathilde en France pour qu'elle y fasse obstacle aux visées de l'ennemi. Son implication aux côtés d'Henri dans ses activités liées à la Résistance concordait parfaitement avec cette mission. Celui qui était à la fois son mentor et son amant refusait toutefois de lui décrire dans le détail l'entreprise dans laquelle il comptait l'impliquer.

— Tu verras demain, ne savait-il que lui répéter.

Tout au fond d'elle-même, la jeune femme jubilait devant ce mystère.

*

Le lendemain, Mathilde et Henri s'étaient mis en route à bord de la voiture de ce dernier. L'opératrice radio parachutée sur la France pour faire le lien entre la Résistance et ceux qui la dirigeaient depuis Londres ne pouvait s'empêcher de retourner la question qui lui cognait dans la poitrine. Comment ses supérieurs interpréteraient-ils son silence ?

— Je pourrai toujours plaider que ma vie était en danger, proposa-t-elle.

— Tu te tourmentes inutilement, lui opposa Henri. Je doute fort que ceux qui sont chargés de diriger la Résistance à Londres écartent leurs plus pressantes occupations pour se mettre à la recherche d'un agent qui ne donne plus de nouvelles. Dans les milieux que je fréquente, on dit que cela se produit chaque semaine. Plus de la moitié des agents secrets parachutés sur la France disparaissent sans laisser de trace. Tu devrais me remercier de t'épargner ce sort.

Après être descendue au plus profond d'elle-même pour bien y ancrer les arguments que son compagnon venait de lui servir, Mathilde s'autorisa à aborder l'autre sujet qui la démangeait.

— Il faudra bien que tu finisses par me révéler dans quelle aventure tu veux m'embarquer.

— Tout ce que je pourrais t'en dire demeurerait à des kilomètres de la réalité, lui opposa celui qui la menait vers son destin. Tout t'apparaîtra évident à l'instant où nous mettrons les pieds là où nous allons.

Le trajet leur parut long à l'un comme à l'autre. Quand Henri eut engagé la voiture dans une allée bordée de grands arbres, Mathilde finit par entrapercevoir un grand bâtiment plutôt délabré.

— Le château des Étoiles, annonça Henri.

— Il m'a plutôt l'air démantibulé, ton palais, commenta la jeune femme.

— Attends de voir qui il abrite, lui conseilla Henri.

Il se gara au bout de l'allée ensablée, devant un escalier dont quelques marches étaient écornées. Un essaim d'enfants entoura la voiture pendant que les visiteurs en descendaient. La petite Madeleine, celle qui grimpait aux arbres, avait reconnu la voiture d'Henri. Elle se porta cette fois au-devant de la visiteuse. La fillette ne tarda pas à prendre la main de la dame. Mathilde en fut plus émue qu'elle n'aurait souhaité le montrer. Une fine pluie s'était mise à tomber. Tout ce petit monde se réfugia à l'intérieur.

Dans le hall du château délabré, Henri, Mathilde et l'enfant qui ne lui avait toujours pas lâché la main croisèrent une dame d'un certain âge qui portait un seau au bout du bras. La femme aborda Mathilde sans se donner la peine de se présenter.

— C'est vous, la nouvelle?

— Je ne sais pas, répondit la visiteuse en secouant la tête.

La dame haussa les épaules et s'éloigna. Les arrivants traversèrent un vaste vestibule au bout duquel s'ouvrait un long corridor. Henri s'immobilisa devant une porte entrouverte. Il y frappa pendant que sa compagne s'étonnait d'entendre les enfants entonner une complainte dans les profondeurs de l'établissement:

Montagnes Pyrénées,
Vous êtes mes amours.
Cabanes fortunées,
Vous me plairez toujours.
Rien n'est si beau que ma patrie!

— Entrez donc, annonça-t-on de l'intérieur de la pièce.

Henri s'écarta pour laisser passer sa compagne et la petite pensionnaire qui ne lui avait toujours pas lâché la main. Il les suivit de près. Jérôme Cabrier prit une expression réjouie en le reconnaissant.

— Je ne saurais vous dire à quel point je suis heureux de vous voir de retour, lui assura-t-il. Et je constate que vous nous avez amené du renfort.

Il leva le regard vers la visiteuse.

— Cette enfant ne vous ennuie pas trop, j'espère? s'enquit-il.

— Si vous saviez comme elle me réconforte! lui assura Mathilde.

Henri s'interposa:

— Je vous présente une femme de cœur venue du Canada. Elle pourrait jouer un rôle déterminant dans la suite des événements. Si vous me le permettez, j'aimerais que vous m'autorisiez à exposer plus en détail, à vous comme à elle, le projet qui m'emplit le cœur depuis notre première rencontre.

— Asseyez-vous donc, leur proposa le maître des lieux. Je ne vous cache pas que nous sommes dans une situation de plus en plus intenable. J'ai très hâte d'entendre ce que vous avez à me proposer.

*

Et pourtant, le maître des lieux avait parlé le premier. Mathilde et Henri écoutaient Jérôme Cabrier leur exposer les perspectives chargées de menaces qui s'accumulaient au-dessus de la tête des pensionnaires du château des Étoiles et de leurs protecteurs. La veille, un groupe de Français accompagnés de quelques gendarmes s'étaient présentés au château pour leur signaler que leur présence en ces lieux commençait à attirer l'attention des puissances adverses.

— Je ne vois qu'une solution, se permit d'intervenir Henri. Quitter ces lieux au plus vite.

— C'est beaucoup plus simple à dire qu'à faire, riposta Cabrier. Vous nous voyez sur les routes de la France occupée à la tête d'une troupe d'enfants aux traits marqués par leur origine?

— C'est pourtant ce que j'étais venu vous proposer, lui répliqua Henri. Mais je n'ai jamais songé un seul instant à les installer ensemble dans un même wagon. Il suffira de les disperser en petites bandes de trois ou quatre, chacune accompagnée d'un adulte. Comme autant de familles.

Mathilde se permit d'intervenir.

— Je me vois très bien à la tête d'une de ces familles, annonça-t-elle.

Henri et Jérôme Cabrier opinèrent.

— Mais que ferons-nous quand il s'agira de les rassembler au terme du trajet? s'enquit le maître des lieux.

— Ils quitteront la gare en bandes dispersées, chacune dans sa propre direction, pour se retrouver au bout du compte en un endroit prédéterminé.

— Où nous devrons les nourrir et les installer pour la nuit, renchérit celui qui était chargé de leur destinée.

— Pour y arriver, enchaîna Henri en guise de réponse à une question qui n'avait pas encore été formulée, il faudra nous être assurés de complicités tout le long de la route.

Assise sur le bord de sa chaise, Mathilde acquiesçait du regard. Le patron s'était rejeté sur le dossier de son fauteuil. Henri opinait comme s'il anticipait au fond de sa conscience chacune des étapes d'une entreprise aussi dangereuse qu'incontournable.

— Et si jamais tout ce que vous venez d'évoquer finissait par se dérouler sans encombre, renchérit Cabrier, nous n'aurions pas encore atteint le tournant le plus périlleux de l'entreprise. Il nous faudrait encore franchir les Pyrénées.

— Ce qui s'accomplirait sous la direction de guides chevronnés, lui assura son visiteur.

— Vous savez où les recruter? s'enquit celui qui s'était redressé sur son fauteuil.

— Je connais quelqu'un qui les connaît.

À ce point de la discussion, Mathilde se permit d'y mettre son grain de sel :

— Pendant la formation que j'ai suivie, aussi bien au Canada qu'en Angleterre, on nous a assuré qu'il y avait des réseaux de passeurs bien constitués dans cette région du sud de la France. La démarche que vous êtes en train d'évoquer ressemble en bien des points à ce qu'on nous a appris.

— Selon ce que l'on entend, renchérit le maître des lieux, les agents postés à la frontière espagnole ne sont pas tendres à l'endroit de ceux qui tentent d'échapper à leur mauvais sort en France.

— Mais rien ne nous force à entrer en Espagne en nous présentant dans les postes gardés par les douaniers! s'exclama Henri. Nous pénétrerons dans ce pays par des endroits retirés et inhabités.

— Après quoi il nous suffira, enchaîna Jérôme Cabrier sur le ton de celui qui joue le jeu de ses interlocuteurs sans croire tout à fait à la vraisemblance de leurs propos, de traverser de haut en bas tout ce pays où les avis sont aussi partagés que dans notre pauvre France.

— Avant de déboucher à Gibraltar, se permit de conclure Henri, où tout est en place pour remmener en Angleterre ceux qui parviennent à échapper à la vindicte allemande.

Un épais silence s'ensuivit. La démesure de ce qui venait d'être évoqué leur nouait les tripes. L'un submergé par la menace que l'entreprise représentait. Les deux autres exaltés à la perspective d'accomplir l'impossible. Ce fut Henri qui se permit de tirer la conclusion de leur réflexion.

— Vous avez le choix. Si vous suivez nos recommandations, vous parviendrez peut-être à mettre vos protégés à l'abri. En demeurant terrés dans ce château en ruines, vous prenez un ticket pour l'enfer.

*

Mathilde n'avait aucune disposition pour l'indolence. Elle appréciait certes la douceur du climat et la quiétude dans lesquelles baignait le Guibourg, mais, chez elle, la valeur de la vie s'évaluait en tâches accomplies et en responsabilités assumées.

Ce matin-là, la jeune femme était sortie dans la cour sitôt après avoir avalé un frugal petit déjeuner. Son compagnon, qui était enfermé dans son bureau depuis un certain temps déjà, l'y rejoignit tout en retournant une idée dans son esprit.

— On ne pourrait pas laisser le portail ouvert un peu? lui demanda sa compagne en guise de salutation. Je me sens comme une bête en cage.

— Je connais deux ou trois bonnes raisons qui nous imposent de ne rien changer à cet arrangement, lui opposa Henri.

Mathilde attendait qu'il les énumère en le défiant du menton.

— Tout d'abord, énonça-t-il, quelqu'un pourrait t'apercevoir depuis la rue.

Elle grimaça. Argument imparable à première vue. Aux yeux de la France entière, elle n'avait pas le droit d'exister à cet endroit.

— Et puis, poursuivit son compagnon, un intrus pourrait pénétrer dans la cour.

— Je dirais que je suis une de tes lointaines cousines.

Mathilde n'allait pas laisser Henri lui opposer un troisième argument qui justifierait sa séquestration. Elle prit le ton sur lequel elle adressait des remontrances à ses bûcherons.

— J'ai été parachutée au-dessus de la France pour mettre des bâtons dans les roues à ceux qui ont envahi ton pays. D'un autre côté, je ne pouvais tout de même pas m'attendre à te trouver sur mon chemin ! Je n'ai toujours pas compris ce que le destin pouvait bien avoir derrière la tête en s'arrangeant pour que je te rencontre chez cette bonne femme. À qui je préfère d'ailleurs ne pas trop penser. Par ailleurs, je suis persuadée que je ne suis pas débarquée en France pour venir m'enfermer derrière un portail barré en attendant la fin de la guerre.

— Tu ne connais pas le pays, lui opposa Henri. Laisse le portail ouvert et tout le village viendra y pointer le nez. À commencer par ceux qui me veulent le plus de mal.

— Tu devrais pourtant savoir que je n'ai peur de rien, claironna Mathilde.

Pour toute réponse, Henri l'enveloppa de ses bras. Sur le coup, la jeune femme laissa la tendresse se répandre en elle. Pourtant, l'instant d'après, son compagnon mettait fin à leur étreinte.

— Ce n'est pas tout ça, annonça-t-il. Aujourd'hui, je dois aller rencontrer le père Soucarel. Il ne sera pas facile de le convaincre d'organiser le pèlerinage de nos petits protégés vers des terres plus accueillantes.

— Je vais avec toi ! lança Mathilde.

— Surtout pas ! riposta Henri. Le bonhomme est un vieil ours solitaire qui a consacré la plus grande partie de sa vie à transbahuter des gens et des marchandises par-delà les Pyrénées. Il coule maintenant des jours paisibles, seul dans une cabane, à l'orée d'une forêt, pas trop loin d'ici. Ce que j'entends lui proposer pourrait lui redonner un nouveau souffle de vie. Pourtant, si je devais débarquer chez lui en compagnie d'une femme, il refuserait de m'ouvrir sa porte.

Mathilde allait riposter. Célestine sortit à ce moment de la maison pour aller vider son bac d'eau de vaisselle le long du mur de pierres qui séparait la propriété de celle des voisins. Au passage, elle jeta un regard en coin à ceux qu'elle qualifiait de Ninous. En patois du Sud-Ouest, le mot désignait ceux qui ne peuvent se retenir de se faire des papouilles devant tout le monde. Pourtant, en cet instant même, Henri avait cessé de câliner sa compagne. Il faisait plutôt de grands «non» de la tête.

— Toi, tu vas rester sagement ici avec la chère Célestine, décréta-t-il. S'il arrivait qu'un péquenot vienne sonner au portail, tu te réfugierais à l'étage et ma dévouée servante irait ouvrir pour annoncer : «Noundidiou ! lou patroun, il court la campagne pour nous trouver à manger !»

Ils étaient rentrés tous deux à la cuisine. Ils y avaient retrouvé Célestine. Les deux femmes s'observaient en fronçant les sourcils. Henri les englobait dans un même regard.

— Vous restez ici bien tranquilles toutes les deux, prononça-t-il. J'ai une mission d'une extrême importance à remplir ce matin.

Et il alla ouvrir le portail qu'il franchit quelques instants plus tard à bord de sa voiture. Sitôt cette manœuvre exécutée, la bonne reverrouilla derrière lui. De retour à l'intérieur, les deux femmes s'installèrent chacune à son bout de la table pour se regarder par en dessous. La servante ne pouvait cependant demeurer muette très longtemps. Elle parla la première.

— Je ne sais pas depuis combien de temps vous le connaissez, mais je dois vous mettre en garde. Le maître, il a des idées plutôt communistes dans la tête.

Mathilde ouvrait de grands yeux. Célestine ne tarda pas à dévoiler un autre aspect de la personnalité d'Henri qui la déconcertait.

— C'est un dénicheur de merles. Il fourre son nez partout où il ne devrait pas. Au bout du compte, il finit par apprendre des choses qu'il vaudrait mieux ne pas connaître. J'ignore d'où vous sortez, encore plus ce que vous êtes venue faire ici, mais, cornegidouille! M. Henri, il met le plus souvent les pieds dans les plats plutôt que de se tenir sur ses gardes. Si vous ne restez pas à votre place, vous ne tarderez pas à être inquiétée vous aussi.

La jeune femme sentait une bouffée de mauvaise humeur lui monter à la gorge.

— Vous en parlez comme s'il n'était pas votre maître!

— Je le côtoie depuis près de trente ans, renchérit la servante. Vous croyez que je n'ai pas eu le temps de découvrir tous ses travers? Il passe à côté des précipices sans les voir et il sonne le tocsin dans les moments les plus paisibles. Un vrai coucou déréglé!

— Vous me permettrez d'avoir une opinion tout à fait différente à son sujet, riposta Mathilde. M. Ramier est l'homme le plus respectable que j'aie rencontré dans le cours de toute ma vie. Après mon père, bien entendu.

— Vous êtes dans une mauvaise position pour parler de lui, lui opposa la servante. Vous dormez dans son lit!

Et elle se leva en faisant grincer les pattes de sa chaise sur le carrelage.

— Je ne suis pas en convalescence de mélancolie, moi, prononça-t-elle. Et j'ai encore bien des torchons à démêler d'avec les serviettes. Laissez-moi seulement vous dire le fond de ma pensée. Si vous continuez de jouer votre petit jeu dangereux tous les deux, vous connaîtrez le même sort que le *Titanic*.

Et elle se dirigea vers la pièce où elle devait mettre une lessive en marche, en traînant la semelle de ses charentaises sur le dallage.

*

Chez le père Lucas Soucarel, Henri venait d'exposer son projet d'évacuer une colonie d'enfants vers l'Angleterre.

— Sabalterre! vous n'y allez pas avec le dos de la cuil-lère! s'était exclamé le reclus.

Henri était assis devant un vieil homme desséché à l'extrême dont on aurait dit que, pour ménager un reste de vie, il s'imposait une économie de gestes tout autant que de paroles. Les vestiges d'une lueur traversaient cependant son regard à l'occasion. Il enfonça le pouce dans le fourneau de sa pipe pour en tasser les cendres.

Après une carrière consacrée à franchir les montagnes entre la France et l'Espagne tout en évitant les rencontres importunes avec les douaniers, le vieux Soucarel vivait maintenant seul à l'ombre des grands arbres qui le tenaient à l'écart de ses concitoyens. Terré dans un silence assourdissant. Pas même le tic-tac d'une horloge. Tout juste le petit bruit des lèvres sur le tuyau de la pipe.

— Vous en avez combien de vos pitchounets à trimballer dans les montagnes? s'enquit le bonhomme.

— Une vingtaine, peut-être un peu plus. Sans compter le personnel d'encadrement.

— Et bien entendu, vous ne négligerez pas de retenir les services d'une fanfare pour attirer l'attention de tous les far-fouilleurs du pays au passage de votre colonie! s'exclama l'ermite sur le ton de la dérision.

Un autre trou de silence ponctua cette remarque. Pour reprendre pied dans la réalité, Henri se redressa sur sa chaise en la faisant grincer sur le dallage. Ce qui ramena les interlocuteurs à leur face-à-face.

— Millediou! s'exclama le maître des lieux. Je manque à tous mes devoirs.

Et il alla quérir une bouteille d'alcool sans étiquette mais déjà bien entamée dans une armoire. Il emplit deux verres qui se trouvaient déjà sur la table, vestiges sans doute d'une visite précédente.

— Allez, zou! s'exclama le maître des lieux en levant le sien.

Henri le salua en l'imitant. Après avoir ingurgité une généreuse rasade de ce tord-boyaux, Soucarel se rejeta sur le dossier de sa chaise en fronçant les sourcils pour s'efforcer de mieux deviner les visées de son visiteur.

— Et bien entendu, ceux qui vous ont demandé d'accomplir cet exploit vous verseront un faramineux pactole? s'enquit-il.

— Il n'en a pas encore été question, reconnut Henri.

Contre toute attente, le bonhomme Soucarel parut rasséréné par cette réplique.

— Vous devez avoir vos raisons pour vous embarquer dans une pareille arche de Noé! raisonna-t-il. L'un de vos arrière-morveux se trimballe sans doute parmi cette bande de voyous?

Henri oscilla la tête de gauche à droite.

— Pour tout dire, ce sont des enfants juifs. Si on les abandonne à leur sort, ils seront exterminés par les diables de l'enfer qui ont envahi notre pays.

Une fois de plus, le maître des lieux descendit en lui-même comme s'il allait y soupeser la menace que représentait ce qu'il venait d'entendre. Pendant que, contre toute attente, son vis-à-vis commençait à tirer, dans son for intérieur, la conclusion à l'effet que sa démarche progressait dans la bonne direction.

— Et nous aurions de l'aide pour tenir la bride à votre bande de galapias? s'enquit le vieux bourlingueur.

Henri dut faire de grands efforts pour ne pas laisser son visage exprimer le réconfort que cette réplique engendrait en lui.

— Les gens qui veillent présentement sur ces gamins nous accompagneraient. Cinq ou six personnes.

Il s'en voulut d'avoir employé le conditionnel.

— Et je serai du nombre avec ma compagne à mes côtés, renchérit-il.

Le vieux se redressa alors pour vider son verre d'un trait. Pour ne pas être en reste, Henri estima qu'il serait approprié de l'imiter en s'efforçant de ne pas trop grimacer.

— Je suis votre homme, annonça le bonhomme Soucarel en tapant le cul de son verre vide sur la table. Millediou! fallait-il attendre que les couilles aient fini de me sécher pour les mettre à l'épreuve une dernière fois?

Trente minutes plus tard, Henri quittait la masure du passeur de frontières. En quelques paroles, les deux hommes s'étaient réparti les tâches. M. Ramier tiendrait ses petits protégés sur un pied d'alerte, l'essentiel de leurs affaires dans un paqueton léger. Il les répartirait en groupes de cinq ou six et désignerait un adulte pour bien tenir chaque «famille» en laisse.

De son côté, le vieux bourlingueur établirait l'itinéraire et répartirait les étapes. Il s'assurerait par ailleurs de la complicité de certaines personnes qu'il connaissait pour les avoir fréquentées jadis sur les routes de la contrebande. Enfin, pour ce qu'il en était de la nourriture et du coucher, le bonhomme affirmait que rien n'arrivait jamais comme prévu dans ces domaines. Comme dans toutes les circonstances imprévisibles, on improviserait la suite à mesure qu'elle se présenterait.

Les deux hommes s'étaient quittés en échangeant un regard franc en guise d'engagement.

*

De retour de sa mission vers l'heure du repas du milieu du jour, Henri avait été accueilli par une Célestine affolée. La jeune femme que M. Ramier avait remmenée à la maison avait disparu peu après que lui-même eut quitté les lieux, en début de matinée. On ne l'avait pas revue depuis.

— La gredine! avait grommelé la servante, elle vous a filé entre les pattes.

Henri en avait été quitte pour annoncer qu'il allait se lancer à la recherche de la Canadienne. Reportant son repas à plus tard, il se dirigea vers l'abri où était rangé son vélo pour constater que Mathilde se l'était approprié. Contrarié, il se reporta sur sa voiture.

Il fit deux fois le tour de Riscle, dans un sens comme dans l'autre, avant de piquer des pointes aux alentours de la commune. Aucune trace de celle qui venait de rentrer dans sa vie pour en disparaître aussitôt. Il finit par revenir chez lui, l'estomac aigri par un cocktail de déception et de ressentiment.

Célestine fit réchauffer le contenu de son assiette. Il mangea du bout des lèvres, abandonnant bientôt son plat pour la seconde fois. Il s'installa sur une chaise en plein soleil pour se livrer au ressentiment.

Quel que fût le sens dans lequel il retournait les faits, il ne trouvait aucune explication raisonnable à la conduite de sa protégée. Dès les premières heures de leurs retrouvailles, elle s'était montrée disposée à abandonner le rôle qu'elle était venue jouer en France auprès de la Résistance. Les remords l'avaient-ils emporté sur sa raison ? Sans doute avait-elle pris la décision d'aller se justifier devant ceux qu'elle considérait avoir lâchement abandonnés.

Henri demeura prostré sur sa chaise, qu'il avait fini par ramener sous le préau pour se mettre à l'abri du soleil trop ardent. Il s'assoupit. La cloche du portail le fit sursauter. Il songea que la jeune femme avait sans doute rebroussé chemin pour venir lui rendre compte de la situation dans laquelle elle se trouvait. Ce fut effectivement devant Mathilde qu'il se retrouva après avoir déverrouillé le portail. La jeune femme se tenait debout aux côtés de sa bicyclette, décoiffée et le regard tourmenté.

— Il faut que je te parle, annonça-t-elle.

— Cela tombe bien ! Moi aussi !

— Avec tout ce qu'il m'arrive, j'avais la tête tout embrouillée d'idées, commença-t-elle. Je croyais qu'elles pourraient se remettre en ordre pendant que je déplacerais de l'air.

— Tout de même, tu aurais pu me prévenir! lui reprocha-t-il.

— Tu étais déjà parti quand ça m'a pris.

— Demander à Célestine de me faire le message.

— Je n'ai aucune confiance en cette bonne femme. Je la crois capable de te rapporter le contraire de ce que je lui aurais dit.

Ils s'observaient comme s'ils avaient du mal à se reconnaître.

— Tu m'as mis dans tous mes états! déplora-t-il.

Il lui prit la bicyclette des mains et il la précéda en direction du préau. Elle le suivit à pas mesurés. Quand ils furent assis de nouveau côte à côte sur les chaises à l'abri du soleil, il s'adossa dans une attitude de recul et il posa les mains sur ses cuisses pour lui dévoiler le fond de sa pensée.

— J'ai cru que tu m'avais quitté.

— Il faut bien que je te l'avoue. Je me suis moi-même demandé si je ne devais pas le faire.

— J'avais donc raison de m'inquiéter, renchérit-il. Mais je ne comprends toujours pas pourquoi.

— Mets-toi à ma place une minute. Ils sont venus me recruter dans la forêt de la Mauricie où nous avons nous-mêmes connu les plus belles heures de nos vies. Ils m'ont inscrite dans un camp d'entraînement où ils m'ont formée à la discipline militaire. C'est là que j'ai appris à utiliser la machine qui permet aux agents secrets de communiquer avec ceux qui s'efforcent, en Angleterre, de redonner sa liberté à la France.

Henri hocha la tête pour signifier qu'il ne voyait pas en quoi ce retour en arrière pouvait justifier la conduite de sa compagne.

— Puis, ils m'ont parachutée en pleine nuit au-dessus de la France occupée, poursuivit Mathilde. J'ai passé ma première nuit à frissonner comme une bête traquée dans la forêt. Les résistants qui auraient dû être là pour m'accueillir m'ont retrouvée au matin. Ils m'ont emmenée à leur campement secret. C'est là que j'ai testé l'appareil de communication que je trimbalais depuis le Canada. Il ne fonctionnait pas. Quelques jours plus tard, nous l'avons porté à la ville voisine chez un homme qui devait le remettre en marche. Il n'y est pas parvenu.

— Tes résistants auraient dû savoir que dans notre Gers il y a beaucoup d'endroits où le progrès n'a pas encore pénétré, reconnut son interlocuteur.

— L'un d'eux a suggéré que nous emmenions l'appareil à Pau chez une dame qui dirigeait un réseau de résistants. Si la radio se révélait irréparable, elle saurait m'en procurer une autre. Ainsi, je pourrais remplir la mission que j'étais venue accomplir en France.

— Et c'est entre mes bras que tu t'es retrouvée, enchaîna Henri.

— Avec, dans le cœur, un ouragan d'émoi et de désarroi.

Elle fit un vif mouvement de la tête pour se renvoyer les cheveux vers l'arrière, puis elle se leva pour venir placer sa chaise face à celle de son interlocuteur.

— Quand je me suis retrouvé face à toi dans cet appartement, relatait toujours Henri, il m'est apparu évident que le destin nous avait réunis une bonne fois pour toutes. Quant à cette Laetitia Damazan…

— Si tu veux bien, lui opposa Mathilde, n'insistons pas trop sur cette bonne femme dont j'ai tout de suite pressenti qu'elle avait mis le grappin sur toi. Concentrons-nous plutôt sur la situation dans laquelle je me suis empêtrée. D'un côté, un appareil qui ne fonctionnait pas, de l'autre, des enfants que tu voulais sauver d'une mort certaine. Je te parle franchement. J'ai tout de suite penché de ton côté.

Henri laissa un air de satisfaction apparaître sur son visage.

— Mais en même temps, enchaîna Mathilde, je ne pouvais pas rejeter du revers de la main la mission dont m'avaient chargée ceux qui m'avaient entraînée et parachutée au-dessus de la France.

Henri avait recommencé à s'inquiéter.

— J'étais partagée, prononça la jeune femme, entre des messages sous forme de bip-bips que j'aurais dû lancer dans l'espace par-dessus la Manche, et une bande d'enfants innocents qui n'étaient coupables de rien d'autre que de ne pas avoir été élevés dans la même religion que nous.

Elle poussa un profond soupir en refermant sa main sur celle d'Henri.

— Tu dois me comprendre. Je me suis sentie déchirée entre ces deux missions aussi vitales l'une que l'autre.

Il eut la prudence de se taire pour la laisser départager elle-même ce dilemme.

— Je ne te ferai pas languir plus longtemps, annonça-t-elle. Oui, je vais t'aider à sauver d'une mort certaine cette bande d'enfants qui n'ont pour tout défaut que de s'adresser à un dieu qui n'est pas celui que fréquentent la plupart des gens dans nos contrées.

Il se leva, écarta sa chaise, s'accroupit devant elle et se projeta en avant pour l'étreindre si fortement qu'on aurait pu craindre que dans leur embrassade ils ne finissent par écraser le siège sur lequel la jeune femme était assise. Quand ils eurent un peu repris contenance, Henri se permit de formuler la dernière question qui le tourmentait. Sans nul doute la plus importante.

— Tu me pardonnes d'avoir douté de toi?

— Comme si je ne l'avais pas fait moi-même à ton propre sujet quand tu es reparti du Canada! reconnut-elle. À compter de maintenant, ce n'est plus ce qui nous est arrivé qui importe, mais ce qui nous attend.

*

Le soir même, Mathilde et Henri achevaient de manger dehors. La table avait été installée sur l'aire que le soleil avait cependant cessé de baigner depuis un moment déjà. La douceur de l'heure portait à la confidence. Mathilde et Henri étaient parvenus à écarter de leur pensée les entraves que l'époque dressait devant leur bonheur. Ici ou là-bas, une fois cette guerre terminée, une maison, peut-être même des enfants. La sonnerie du portail les tira de leur rêverie. Il était vingt et une heures.

— Une visite à cette heure, prononça Henri en se levant, ça ne m'inspire pas confiance.

Quelques instants plus tard, il revenait vers Mathilde en compagnie de Jérôme Cabrier. La jeune femme n'avait pas oublié qu'Henri avait pris l'engagement de tirer le dirigeant du château des Étoiles de l'épreuve qui menaçait sa bande d'enfants. Ainsi donc, son compagnon s'était-il permis de révéler à ce dernier le lieu de sa résidence. Pour l'heure, Jérôme Cabrier semblait égaré dans une autre dimension que le présent. Il avait le dos courbé, les bras ballants. Henri déposa une chaise à son intention devant la table.

— Vous avez dîné? s'enquit-il.

Le visiteur répondit par un «non» de la tête qui pouvait tout aussi bien signifier qu'il n'avait pas mangé ou qu'il ne souhaitait pas le faire. Il n'avait qu'une idée dans le cœur, qu'il formula d'une voix faible :

— Des gens bien intentionnés nous ont prévenus que les Allemands se préparent à débarquer au château d'un jour à l'autre. Peut-être même dès cette nuit.

Henri, qui était sur le point de se rasseoir, posa les deux mains à plat sur la table pour contenir son désarroi.

— Mais nous sommes loin d'être prêts! objecta-t-il. Lucas Soucarel, celui qui doit nous guider, vient à peine de me donner son accord.

Jérôme Cabrier grimaça.

— S'il tarde trop et que nous sommes arrêtés, il pourra cesser de préparer l'expédition.

Un silence de mort les enveloppa. Henri en sortit le premier.

— Vous me mettez au pied du mur. Je ne vois qu'une solution. Vous emmenez vos enfants ici par petits groupes, au cours des prochains jours. Nous les logerons dans la grange en attendant que tout soit prêt pour le départ.

Contre toute attente, le responsable du sort des enfants logés au château des Étoiles se leva. Il avait commencé à reprendre sa prestance d'homme entraîné à affronter le destin. Il se dirigea vers le portail et l'ouvrit pour laisser pénétrer un petit groupe de ses protégés dans la cour. Cela fait, il les entraîna vers la table où Mathilde et Henri les regardaient venir vers eux d'un air ébahi. Chacune de ces petites victimes éventuelles portait un cabas ou un sac à l'épaule.

— Les autres sont en route, annonça le berger de ces enfants effarés. Ils ne vont par tarder à arriver. J'aurais préféré vous en prévenir mais nous venons à peine d'apprendre, il y a quelques heures, que les forces du mal sont sur le point de s'abattre sur nous. Nous n'avons pas eu trop de temps pour nous mettre en marche.

Mathilde serrait très fort la main d'Henri dans la sienne. Ce dernier se demandait si la panique n'était pas en train d'envahir sa compagne. Ou alors, ne cherchait-elle pas à exprimer sa volonté de mettre à tout prix ces malheureux à l'abri du danger?

— Mais comment avez-vous pu me retrouver? s'enquit Henri. En interrogeant les gens à mon sujet, vous attiriez l'attention.

— Nous n'aurions pas survécu tout ce temps, répondit Cabrier, si nous n'avions pas des amis fidèles qui savent tenir leur langue. Et ne craignez surtout rien. Nous n'avons pas l'intention de nous enraciner ici.

À ce moment, la cloche de l'entrée se fit entendre de nouveau. De sa propre initiative, le berger de ce troupeau d'enfants se leva pour aller ouvrir. Le regard de Mathilde et d'Henri exprimait un effarement que le langage n'aurait pas su formuler. Un autre petit groupe de gamins aux grands yeux s'avança dans la cour. L'une des dames que le maître des lieux et sa compagne avaient déjà aperçue au château des Étoiles les menait.

— Alors, s'enquit Jérôme Cabrier, on les met au grenier de cette bâtisse, oui ou non?

— Je ne vois pas comment nous pourrions nous en tirer autrement, répliqua Henri, qui paraissait dépassé par les événements.

Une heure plus tard, les derniers pensionnaires du château des Étoiles achevaient de se faire un nid pour la nuit dans le grenier du bâtiment qui fermait la cour du côté ouest. Seize enfants, trois accompagnatrices et Jérôme Cabrier, celui qui veillait sur eux. Sans compter Mathilde et Henri, qui assistaient ébahis à l'opération.

Les petits exilés jacassaient. Leurs surveillantes n'en finissaient pas de leur enjoindre de se taire. Cela engendrait un murmure qui se répercutait dans la nuit. Des pas se firent entendre dans l'escalier qui menait au grenier de la grange. Célestine, la servante, apparut. Bien entendu, elle avait dû ne rien manquer du branle-bas qui agitait l'endroit depuis une bonne heure.

— Ils ont emmené le maire, annonça-t-elle à Henri en se plantant devant lui.

— Que dis-tu là? s'alarma le patron.

— On vous a demandé au téléphone, expliqua-t-elle. C'était l'épouse de M. Fages. Elle était affolée. Elle voulait vous parler à tout prix. Je lui ai dit que c'était impossible pour l'heure. Elle m'a tout raconté. Ils ont arrêté le maire. Il n'a jamais su tenir sa langue, celui-là!

Personne ne dormit vraiment au Guibourg cette nuit-là. Sauf les enfants, peut-être. Et encore…

*

Après avoir renvoyé la servante à sa chambre en lui enjoignant d'effacer de sa mémoire tout ce qu'elle venait de voir et d'entendre, Henri tint un conseil de guerre avec Mathilde à la cuisine. Les coups du sort se rapprochaient.

L'arrestation du maire constituait une autre bataille perdue dans la guerre que la gauche menait à Riscle en parallèle avec le conflit armé qui l'avait exacerbée. À l'heure présente, le maire Hippolyte Fages avait peut-être déjà été exécuté! Le nom d'Henri Ramier devait maintenant figurer tout en haut de la liste des prochaines victimes de cette bande de justiciers autoproclamés. Et, pour ajouter l'impossible à l'improbable, voici que maintenant des enfants dont personne ne voulait étaient roulés en boule sur le plancher du grenier de la grange, passagers clandestins d'un conflit qui n'aurait pas dû les concerner. L'étoile qu'ils avaient sur le cœur les stigmatisait. Sans compter que Célestine, la servante, constituait une menace permanente, témoin incessant de leurs activités clandestines. En ce moment même, elle devait épier leurs propos, blottie en bas de l'escalier.

— Je dois parler le plus tôt possible avec Lucas Soucarel, annonça Henri. Notre passeur a-t-il seulement trouvé le temps de prévenir ses compagnons de route?

— À cette heure de la nuit, lui objecta Mathilde, les Allemands prennent sûrement un malin plaisir à arrêter les rares voitures qui circulent sur les routes.

— Je dois pourtant trouver une solution rapidement! s'énerva Henri. Chaque minute qui passe nous enfonce dans une situation de plus en plus insoluble. Nous ne nous sommes même pas encore entendus sur l'itinéraire que nous devrons emprunter. Faut-il faire monter tous ces enfants à bord d'un même train? Ou alors les disperser dans des convois séparés? Mais, dans ce cas, comment finirons-nous par nous retrouver à la fin de la journée?

Henri tendit les mains devant lui sur la table pour prendre celles de sa compagne.

— Dans l'immédiat, annonça la jeune femme, la meilleure chose à faire serait d'essayer de dormir quelques heures. Au petit matin, tu fonces chez ton passeur. Moi, je m'assure que les enfants n'attirent pas trop l'attention du voisinage.

Henri l'enveloppa dans ses bras.

— Me pardonneras-tu jamais?

— Mais de quoi?

— De te plonger dans le pire gâchis de l'Histoire.

— Je te rappelle que je n'ai pas eu besoin de toi pour m'y jeter!

— À tout le moins, nous sommes deux maintenant. C'est ensemble que nous allons survivre ou périr.

Ils ne dormirent pas beaucoup cette nuit-là. Recroquevillée contre son compagnon, Mathilde vivait par anticipation l'équipée dans laquelle elle allait s'engager. À la tête de sa tribu d'enfants, elle côtoyait d'effrayants précipices. À d'autres détours de ses divagations, elle se retrouvait en grande conversation avec des Espagnols vêtus en toreros, le bicorne sur la tête, s'exprimant à grand renfort de gestes à défaut de paroles. Elle coula au fond du sommeil au petit matin. Quand elle s'éveilla, elle constata qu'Henri n'était plus là.

*

— Ce ne sont pas les meilleurs, reconnut Lucas Soucarel. Pas les pires non plus.

— Même moi, je ne sais pas si je serai à la hauteur, lui rétorqua Henri. Nous allons devoir faire avec ce que nous sommes.

Dans la pièce à tout vivre du vieux contrebandier, celui qui s'apprêtait à se relancer dans une dangereuse activité clandestine venait de présenter ses comparses au parrain de l'entreprise. L'un avait une moustache de Gaulois, l'autre, le poil rare. Plus petit que son confrère, le velu parlait d'abondance. Élancé, le glabre se taisait. Ils avaient tous deux posé leur sac près de la porte d'entrée. Le volubile se nommait François Maillac. Le taciturne, Gaston Vezins.

— Il faut bien que je vous l'apprenne, enchaîna Henri, les enfants sont déjà dans ma grange. À chaque heure qui passe, le danger grandit. Nous devons quitter Riscle sans tarder.

Les trois hommes posèrent un même regard décontenancé sur le parrain de l'entreprise.

— Palsanguié! s'exclama Lucas Soucarel, tu es bien comme tous les autres! Tu voudrais que la soupe soit chaude avant même que nous ayons commencé à peler les légumes. Nous ne sommes pas des lanturlus, tu dois bien le savoir puisque tu es venu frapper à ma porte, mais nous n'avons pas encore eu le temps de nous humecter le gosier pour nous redresser le gaillard ! Même les curés emportent un peu de vin quand ils partent dire leur messe.

Et il mit ce cérémonial en train. Henri s'efforça de contenir son impatience pendant que les trois comparses envisageaient l'exploit qu'ils allaient accomplir avec la verve qu'ils auraient déployée pour évoquer une partie de chasse.

— Tout de même, insista l'initiateur de l'entreprise, avez-vous trouvé le temps de réfléchir à l'itinéraire que nous allons prendre ?

— Eux non, moi si ! lui répliqua le vieux Soucarel. J'ai toute l'affaire dans ma tête et, tu peux me croire, ça tourne encore rond là-dedans !

Les deux acolytes ouvraient de grands yeux. Pour sa part, le grand responsable du sauvetage des enfants menacés affichait une mine soucieuse. La géographie du sud de la France comme celle du nord de l'Espagne lui étaient tout à fait étrangères. La repartie de l'un des deux flibustiers ne contribua qu'à l'inquiéter davantage.

— *Forcera la vea petèra !*

— Ça nous fera péter la veine du cul ! interpréta Soucarel à l'intention d'Henri.

Ce dernier supportait mal que l'on s'attarde à ces pittoresques bavardages.

— Si nous ne partons pas tout de suite, ce ne sera plus la peine de nous presser. Nous devons arriver chez moi avant les gendarmes.

Ils finirent par s'entasser tous les quatre dans la petite voiture du peintre. Les bagages dans le coffre. Les rasades de petit blanc aidant, le trajet du retour ne leur parut pas trop long. Henri était tout à la fois rassuré et inquiet en pénétrant dans la cour du Guibourg. Le portail était bien fermé. Le commanditaire de l'entreprise se sentit tout de même plus rassuré en entendant les bruits étouffés qui émanaient du grenier de la grange. Parvenu là-haut en compagnie du maître des lieux, Lucas Soucarel prit le commandement du navire.

— Je ne veux pas en entendre un rouspéter, chialer ou même péter ! ordonna-t-il aux petites têtes qui l'entouraient. La mer que nous allons traverser sera grosse, mais essayez de vous garder le derrière bien au sec. C'est moi qui tiens la barre. Pendant une bonne partie de ma vie, j'ai passé la frontière avec toutes sortes de victuailles pas très catholiques dans mon sac. Mais des enfants, je n'en ai jamais eu dans mes bagages. Vous allez avoir chaud, vous crèverez de froid, vous aurez des gargouillis dans le ventre et vous ne fermerez pas les yeux pendant certaines nuits remplies de cauchemars. Tout ça parce que vous ne pratiquez pas la même religion que tout le monde !

Les enfants arrondissaient les yeux comme si on les accusait de fautes dont ils auraient ignoré l'existence même. Jérôme Cabrier, qui avait mené jusque-là le destin de ces enfants au château des Étoiles, tira profit de ce moment de silence pour s'avancer afin de saluer officiellement celui dont leur traversée du désert dépendait.

— Je suis le responsable de ces enfants, annonça-t-il.

— À compter de maintenant, lui riposta le passeur, vous êtes un mouton parmi les autres. Le premier qui fait un pet de travers nous envoie tous en enfer.

Et il entreprit de répartir les enfants en quatre groupes de quatre ou cinq enfants chacun, pour former ce qu'il appelait des familles. Puis il plaça Jérôme Cabrier et les trois dames de son personnel à la tête de chacune de ces unités.

— L'adulte qui vous accompagne, annonça-t-il encore aux enfants, est votre père ou votre mère selon le cas. Vous le suivez comme si vous lui étiez attaché au bout d'une laisse. Pas un mot de trop, pas un pas de côté.

S'étant reculé pour les observer, il intervertit certains enfants pour des raisons qui ne parurent évidentes à personne. La taille, l'allure ou le caractère présumé, peut-être ?

Cela accompli, il invita Henri à venir se placer à ses côtés. Ses deux complices s'y trouvaient déjà. C'est à ce moment que Mathilde apparut à la porte du grenier. Portant à la main le sac qu'elle avait constitué en farfouillant dans les affaires laissées par la défunte épouse de son Henri, elle vint s'installer entre son compagnon et l'un des collègues du passeur. Lucas Soucarel vint se planter devant elle.

— Macarel! s'exclama-t-il, mais vous êtes trop belle! Si jamais un Espagnol vous aperçoit, nous sommes fichus!

Et se tournant vers Henri :

— Il y en a d'autres de ce genre dans votre bergerie?

— C'est la dernière, déclara le commanditaire de l'entreprise. Et en même temps, la première.

Le chef des passeurs haussa les épaules et, se tournant vers celles et ceux qui l'entouraient, il s'adressa de nouveau au troupeau d'enfants et à ceux qui le menaient.

— Nous cinq ici devant, nous sommes les doigts de la main. Nous vous guiderons vers la terre promise. C'est ainsi qu'ils disent dans les livres, n'est-ce pas?

Il laissa une grimace se former sur son visage en guise de sourire, avant de poursuivre.

— À l'occasion, l'un d'entre nous prendra les devants pour s'assurer qu'il n'y a pas de bêtes féroces tapies dans les fourrés. Un autre partira à la recherche du peu de becquetance qui nous tiendra en vie. Un troisième aura pour mission de nous dénicher un abri pour la nuit. Les contraintes ordinaires de la vie, résuma-t-il en haussant les épaules.

Il les observa longuement, prenant le temps de capturer du regard chacune et chacun de ceux et celles qui seraient les passagers du frêle esquif à bord duquel ils allaient affronter tous les dangers sur une mer démontée.

— Vous demeurerez constamment ensemble par petites bandes, l'une derrière l'autre. Et on ne change pas de groupe! Pas de pause en cours de route non plus, ni pipi ni quoi que ce soit d'autre. Ceux qui auront envie de gerber le feront en marchant. L'adulte qui vous accompagne n'a aucune autre responsabilité que celle de s'assurer que tout le monde est là. La seule personne qui décide, c'est moi.

Si nous parvenons au bout du compte à vous mener de l'autre côté de la frontière, où d'autres que nous prendront la relève pour vous conduire au bateau qui vous emmènera en Angleterre, toute la gloire rejaillira sur moi. Si nous échouons, vous n'aurez pas beaucoup de temps pour déplorer le sort qui vous attend.

*

Henri emmena successivement vers la gare d'Auch l'un et l'autre des groupes de quatre ou cinq enfants empilés les uns sur les autres à bord de sa petite voiture. Mathilde avait été désignée pour accompagner la première cohorte. Henri lui avait confié la somme nécessaire pour acheter les tickets de chaque peloton tout en s'assurant que leurs protégés n'attireraient pas trop l'attention.

À chaque apparition de son patron dans la cour, Célestine se précipitait vers lui en l'implorant de ne pas l'abandonner. Elle se tordait les mains, en émettant des supplications en forme de grimaces sur le visage.

— Vous n'allez pas me laisser seule au milieu de cette guerre !

— C'est encore toi qui seras le plus en sécurité, ici. Après mon départ, personne ne viendra t'inquiéter.

— Sainte Mère ! se lamentait-elle.

Elle levait les yeux vers les cieux.

— De là-haut, monsieur votre père voit ce que vous êtes en train de me faire ! Si vous pouviez entendre ce qu'il vous dit !

— Il ne serait pas peu fier de constater que je me porte au secours d'une bande d'enfants en danger de mort.

— Et moi, renchérit la servante, vous ne me prenez pas en pitié ? Un de ces quatre, une voisine sonnera au portail et personne n'ira lui ouvrir. Je serai morte de chagrin dans mon lit pendant la nuit. Pire encore peut-être, dépecée par un mécréant. Sans secours ni prières. Je vous préviens, si je dois séjourner quelque temps au purgatoire avant d'aller au ciel, c'est vous qui en serez responsable!

Pour l'heure, le patron n'avait qu'une préoccupation : achever de mener les derniers de ses protégés à la gare avant que le train ne s'ébranle. L'un avait perdu une chaussure, une autre ne ressortait pas du cabinet d'aisances de la cour. La scène atteignit son paroxysme au moment du dernier départ.

Célestine se planta devant la voiture, les bras tendus de chaque côté du corps, secouant la tête à gauche et à droite. Henri n'eut d'autre choix que d'appuyer le pare-chocs de la voiture contre les genoux de la désespérée et d'actionner le klaxon en même temps. Effrayée, elle finit par s'écarter. En jetant un ultime regard sur son rétroviseur, la dernière image qu'Henri emporta de sa servante fut celle d'une femme à genoux sur le gravier de la cour, les mains jointes et la tête levée vers un ciel qui devait être occupé à quelque chose de plus urgent que d'écouter les lamentations d'une vieille personne affolée.

De son côté, sur le quai de la gare à Auch, Mathilde en avait plein les bras. À mesure qu'il en arrivait, elle maintenait son petit troupeau partagé en familles distinctes, chacune ayant un adulte à sa tête, Lucas Soucarel, le meneur de l'opération, François Maillac, son adjoint bienveillant et enfin Gaston Vezins, le partenaire bourru.

Henri déb+oula bientôt sur le quai avec la dernière bande de petits échevelés. Le mot d'ordre qu'on leur avait répété se résumait en une formule toute simple : ne pas attirer l'attention. Les enfants criaient et couraient pourtant sans retenue.

— Vous allez vous taire? les interpella celui des trois mousquetaires qui menait l'opération. Vous tenez vraiment à ce que les gendarmes viennent vous arrêter avant même que vous soyez montés dans ce foutu train?

Les enfants continuaient de se chamailler comme s'ils n'avaient rien entendu.

— La plupart ne vous comprennent pas, lui expliqua Mathilde, ou alors pas très bien. Leur langue maternelle est le polonais.

— Sainte vérole ! Manquait plus que ça ! Et vous voulez que je les mène en Espagne ? se désola le flibustier en se tapant les mains sur les cuisses.

— C'est pour ça qu'on vous paie, lui signala Mathilde en lui tendant une enveloppe.

Lucas Soucarel l'entrouvrit.

— Ne vous inquiétez pas, le gronda la jeune femme. Le compte y est. Enfin, la moitié de la somme maintenant, le solde à l'arrivée. Il y a aussi ce qu'il faut pour le passeur de frontière.

— *Hil de pute !* grommela Soucarel. Tu n'es pas à la boulangerie ici pour faire inscrire ton dû sur l'ardoise.

— Dans mon pays, lui répliqua Mathilde, on règle la marchandise après l'avoir reçue.

À ce moment, François Maillac, le plus bourru du trio des passeurs, vint se planter devant la jeune femme.

— Celui-là, je ne le prends pas, déclara-t-il en désignant du menton un garçon unijambiste qui se déplaçait avec des béquilles. Sur trois pattes, il n'y arrivera pas.

Mathilde saisit son vis-à-vis dans un intense regard.

— Vous le laissez monter dans le train comme les autres ou vous me rendez l'enveloppe, lui ordonna-t-elle.

Soucarel haussa les épaules.

— Tu nous mets dans la bedouze ! s'exclama le meneur de la bande. Si tu y tiens tant, tu peux le traîner, ton estropié, mais tu le gardes à tes côtés. Et sois bien certaine que je n'arrêterai pas la procession pour l'attendre, ton cloche-pied !

Pendant ce temps, laissés sans surveillance, les enfants avaient recommencé à se disperser. Ils entremêlaient les groupes, certains désireux de se joindre à d'autres compagnons, d'autres apparemment pressés de partager un soudain secret. Soucarel et ses deux associés posaient à l'occasion leurs grosses pattes sur les frêles épaules de leurs enfants présumés, ce qui provoquait des mouvements de recul chez ces derniers.

De son côté, Mathilde avait recommencé à se déplacer d'un noyau à l'autre en se donnant l'air de ne pas connaître ceux qui les composaient. Elle fronçait les sourcils pour en rappeler certains à plus de discrétion. En même temps, Henri pinçait le bras d'un des plus agités pour lui faire reprendre sa place dans sa famille. Comme elle se retrouvait à proximité de son compagnon, la jeune femme en profita pour se décharger le cœur.

— Nous n'y arriverons jamais! se désola-t-elle.

— Veux-tu bien te taire! Tu provoques le sort!

— Pour la voiture, c'est arrangé? s'enquit Mathilde.

— J'ai remis la seconde clé à Antoine Margan comme convenu. Il m'a juré qu'il viendrait la reprendre ici l'après-midi pour la remmener au Guibourg.

— Et toi, ta clé, elle te servira de porte-bonheur?

Henri hocha la tête. Le train entrait en gare. La consigne était de faire monter tout le monde dans le même wagon, mais par bandes distinctes. Celles et ceux qui dirigeaient chaque tribu durent déployer des trésors de retenue pour ne pas trop réprimander les petits. Dérogeant aux consignes, Samuel, le garçon qui avait une jambe coupée, et une autre petite fille, qui se prénommait Wanda, demeurèrent auprès de Mathilde. Cette dernière feignit de ne pas avoir remarqué cet accroc qui lui réchauffait le cœur.

Le convoi se remit en marche peu après que le dernier passager fut monté à bord. Devant les voyageurs préoccupés par leurs propres affaires, les adultes qui accompagnaient chaque groupe s'efforçaient de prendre des airs de pères, de mères, de tantes ou d'oncles. Un jeu auquel nul de leurs protégés n'avait l'air de s'intéresser.

*

Quelques minutes plus tard, le train filait à travers un paysage où la guerre n'avait encore laissé aucune trace. Ceux qui étaient trop jeunes pour sentir la gravité de la situation s'émerveillaient devant la démesure de la campagne. Pour ceux qui en étaient conscients, ce départ ouvrait une cicatrice qui ne se refermerait jamais.

Un quart d'heure après le départ, les plus petits s'étaient déjà assoupis. Wanda avait laissé la main de Mathilde. Le garçon unijambiste en avait profité pour la prendre à son tour.

— Toi, je t'aime, déclara-t-il.

Ces mots atteignirent la jeune femme au cœur. Elle ne lui lâcha la main qu'en gare de Pau, où, comme convenu, les quatre groupes descendirent l'un après l'autre, feignant de ne pas se connaître.

*

Il n'y eut pas de contrôle systématique d'identité à cette heure. Aux abords de la gare, des soldats allemands surveillaient tout de même les allées et venues et réclamaient les papiers de ceux et celles qui leur semblaient les plus suspects. Chacune, chacun s'était préparé un boniment. Mathilde emmenait les enfants d'une cousine se refaire une santé chez sa sœur, dans la campagne environnante. Un jeune homme timide accompagnait ses trois frères chez un oncle. Les braconniers, trop vieux pour avoir des enfants de cet âge, s'étaient également forgé chacun un prétexte pour justifier leur déplacement. L'un allait recruter de la main-d'œuvre pour garder les moutons dans sa ferme, le second cherchait à engager des apprentis pour une fabrique de bérets, le dernier emmenait ses petits-enfants au chevet de leur grand-mère. Ils furent soulagés de ne pas avoir à mettre à l'épreuve la vraisemblance de leurs alibis.

La cohorte s'éloigna de Pau à pied, marchant pendant plus d'une heure, chaque famille séparée des autres. La route serpentait dans la campagne. Des pavillons se mêlaient à quelques bâtiments industriels. À l'occasion, de larges perspectives s'ouvraient sur la nature. Mathilde et son groupe venaient loin derrière les autres. L'enfant unijambiste ralentissait leur progression.

— Je vous avais prévenus! ne cessait de répéter Maillac, qui s'était laissé déporter dans la colonne pour se retrouver auprès d'eux. À ce rythme, vous n'arriverez jamais à la halte du soir en même temps que nous!

Henri vint lui aussi se placer bientôt aux côtés de Mathilde.

— Il tient le coup? demanda-t-il en désignant l'enfant d'un signe de tête.

— Lui, oui, je crois. C'est pour moi que je m'inquiète. Je n'en finis pas d'imaginer le pire.

Ils traversèrent un ponceau jeté sur un torrent. Les enfants voulurent se pencher au-dessus du parapet.

— *Anda!* leur enjoignit Soucarel. Vous regarderez passer l'eau une autre fois!

À l'orée d'une bourgade dont ils ne connurent jamais le nom, ils s'arrêtèrent sur une petite place. Les enfants étaient déjà épuisés. Ils réclamaient à manger. On les fit asseoir sur des bancs, en bordure d'une fontaine, et ils furent autorisés à prendre quelques bouchées de pain en attendant le car qu'on leur avait annoncé. L'engin vint enfin se garer devant l'hôtel plutôt modeste qui bordait la place.

C'était un véhicule très ancien, sur lequel on avait installé un gazogène qui lui donnait l'apparence d'une bête monstrueuse. Quelques-uns des enfants craignaient même de s'en approcher. Ils finirent tout de même par tous y grimper. L'équipage s'ébranla. L'une des petites vomit par la fenêtre.

Ils brinquebalèrent encore une heure dans un paysage qui avait commencé à arrondir le dos. Comme Soucarel les en avait prévenus, le car les déposa au milieu de nulle part. Une jeune fille montée sur une bicyclette se trouvait bien là où on l'attendait. Elle les entraîna plus loin devant un garage délabré où était garé un camion bâché. Ils s'installèrent comme ils le purent sur la plate-forme, certains appuyés sur leur sac. L'enfant unijambiste ne pouvait pas monter. Mathilde avait du mal à le soulever. Un garçon timide vint l'assister dans cette manœuvre.

Le trajet leur parut interminable. Ceux qui se trouvaient à l'arrière du véhicule pouvaient constater, par l'ouverture de la bâche, qu'ils abordaient la franche montagne. Par moments, ils croyaient avoir fait demi-tour, tant la route serpentait.

À un croisement, le camion s'engagea dans un paysage entièrement dépourvu d'arbres et bordé de précipices. Les détours surprenaient les enfants au point où certains poussaient des petits cris d'effroi. Le garçon à la jambe de bois avait du mal à tenir en place.

Le véhicule s'immobilisa. Soucarel et ses deux compagnons firent descendre tout le monde. Ils se trouvaient devant ce qu'on leur présenta comme étant une clairière. Les meneurs les avaient rassemblés.

— Nous allons passer la nuit ici, annonça Soucarel.

Les enfants, du moins ceux qui entendaient quelques mots de français, se regardèrent comme si leur meneur venait de prononcer une grossièreté. Ils en informèrent les autres.

*

Soucarel les avait entraînés dans une caverne dont l'ouverture était dissimulée par d'épais buissons. C'était un endroit hostile, frais sinon froid, plongé depuis la nuit des temps dans des ténèbres perpétuelles. Les passeurs avaient allumé des bougies qu'ils avaient réparties sur des blocs de rocs plus ou moins espacés. Les enfants formaient un petit troupeau apeuré, tenant la main crispée sur la ganse de leur sac.

— Personne ne viendra nous déranger ici ! leur assura celui qui les avait conduits là. Je constate comme vous que l'endroit n'offre pas beaucoup de confort. Il ne vous reste qu'à manger un peu, en ménageant le plus possible vos provisions, et à vous allonger pour dormir. À ceux qui tarderaient à fermer l'œil, j'annonce que nous reprendrons la route aux premières lueurs du jour. Ce qui nous attend demain en surprendra plusieurs. Pour tout dire, ce que nous avons vécu aujourd'hui n'était qu'une gentille promenade.

Ils s'installèrent comme ils le purent, c'est-à-dire mal. Les enfants étaient plus ou moins groupés selon les familles qu'ils avaient constituées depuis le départ. Les trois meneurs avaient cependant cessé de se tenir auprès d'eux. Ils formaient maintenant un cercle à proximité de l'entrée de la caverne. Mathilde n'avait pas lâché son unijambiste et la petite fille qui s'était tenue à ses côtés pendant la plus grande partie de la journée. Henri vint s'asseoir sur le sol à proximité de ce trio.

— Si elle doit être pire que celle que nous venons de vivre, prononça-t-il, je n'attends rien de bon de la journée de demain.

Mathilde avait tourné la tête vers lui sans trop distinguer les traits de son visage.

— Pour nous, les adultes, ça ira toujours, enchaîna-t-elle, mais les enfants ne tiendront pas le coup. Celui-là moins que les autres.

Elle jeta un regard vers l'enfant estropié qui grelottait de froid et de peur. Le patron du château des Étoiles s'était approché à son tour.

— Ce ne sera pas une partie de plaisir, reconnut Jérôme Cabrier. Je suis tout de même persuadé que ce qui nous attend au bout de la route sera beaucoup moins terrible que le sort que les Allemands nous auraient réservé.

Mathilde laissa tomber la main de l'unijambiste pour prendre celle d'Henri. La petite fille les regardait comme si elle ne comprenait rien à ce qui venait d'être annoncé. Henri tourna la tête vers celui qui était à l'origine de l'aventure.

— Si ce qui nous attend est pire que ce que nous avons connu aujourd'hui, je ne vois pas comment nous pourrions y arriver sans y laisser des plumes.

— Ce qui sera toujours moins pire que d'être restés là-bas, intervint Jérôme Cabrier. Nous y serions tombés entre les mains de bouchers qui nous auraient dépecés vivants.

Et il ajouta, en écarquillant les yeux pour tenter de mieux distinguer les traits de son interlocuteur à la faible lueur des bougies :

— Toute ma vie, et même quand j'aurai mis le cap sur le mystère, je tournerai ma face vers les puissances suprêmes pour louer la grandeur d'âme dont vous faites preuve en ce moment à notre endroit. Et je suis persuadé que le Dieu qui préside à vos destinées s'accordera avec nos propres puissances pour célébrer la magnificence de votre geste.

Mathilde s'était ressaisie.

— Je ne vois pas bien de qui vous voulez parler, mais le ton de votre voix est plutôt réconfortant.

Elle prit la main du vieux Juif dans celle des siennes qui était toujours libre, et une vive chaleur traversa les deux adultes ainsi que le garçon estropié. L'homme finit par lâcher la main de la femme. Il se leva et s'éloigna sans se retourner. Henri, qui avait assisté à la scène en spectateur, jugea opportun de ramener les deux autres à la réalité.

— Il faudrait que nous mangions un peu avant de dormir. Si la journée de demain doit être pire que celle que nous venons de vivre, nous n'aurons pas trop des quelques heures qu'il nous reste pour reprendre des forces.

Mathilde avait commencé à farfouiller dans son sac pour en tirer des victuailles. Henri était allé quérir les siennes dans son bagage qu'il avait laissé auprès de ceux qu'il avait accompagnés. Les enfants qui faisaient partie du groupe entourant la jeune femme farfouillèrent à leur tour dans leurs provisions. Vingt minutes plus tard, à peu près tout le monde était allongé sur le sol rugueux de la caverne. On entendait pleurnicher deux ou trois enfants.

*

— Debout, les fainéants!

Un gaillard taillé à la hache venait de pénétrer dans la caverne pour prononcer cette injonction.

Soucarel et ses acolytes rallumèrent les bougies. À peine endormis et maintenant brusquement tirés de leur sommeil, les enfants éprouvaient la sensation de ne pas avoir fait une véritable nuit. Ils n'avaient pas tort. Il était aux environs de deux heures du matin.

Ils tournèrent les yeux vers celui qui les interpellait. Il portait des vêtements sombres qu'on aurait dit découpés à même la forêt. Il avait sur la tête un béret qu'il ne paraissait pas avoir ôté depuis plusieurs années. Soucarel se dirigea vers lui et lui serra la main. Maillac et Vezins l'imitèrent. De toute évidence, ces quatre personnages n'en étaient pas à leur première rencontre.

— Ce monsieur sera notre guide pour franchir le sommet des montagnes, annonça Soucarel. Maintenant qu'il nous a rejoints, c'est lui qui commande. Mettez vos pas dans les siens. Vous verrez, il n'y aura pas d'autre façon d'éviter la scoumoune.

— Comment se nomme-t-il? s'enquit Henri.

Soucarel laissa un fin sourire lui soulever la moustache.

— Je le connais depuis assez longtemps, annonça-t-il, pour savoir qu'il préfère ne pas révéler son nom.

— Vous pourrez toujours m'appeler «le guide», précisa le nouveau venu.

Soucarel tendit alors le bras vers ses deux collègues qui étaient assis l'un près de l'autre à proximité, tout en s'adressant à l'assemblée.

— Mais rassurez-vous, nous allons continuer de vous tracer la route avec nos pas. Pour ce qui est de ce nouveau guide, il se chargera de l'imprévisible.

Ce dernier, qui ressemblait à un berger des temps anciens, examinait Mathilde, le jeune homme timide, l'estropié et tous les autres en prenant bien son temps. Il avait un bâton de marche à la main.

— Vous avez vos *ausweis*? leur demanda-t-il.

Il n'espérait pas de réponse positive.

— Vous savez ce que c'est, un *ausweis*?

Il n'obtint pas davantage de réactions.

— Nous allons entrer en zone interdite. Il faut être muni d'un *ausweis* pour y circuler.

Mathilde, Henri et Jérôme Cabrier ne comprenaient toujours pas où il voulait en venir. Ils le fixaient du regard avec beaucoup de respect.

— Vous vous croyez sans doute à l'abri parce que nous sommes en haute montagne, mais il y a des patrouilles de SS ici comme ailleurs, poursuivit le guide. Vous voulez que je vous dise ce qu'ils font aux enfants qu'ils attrapent sans *ausweis*?

Ceux qui entendaient le Français arrondirent les yeux.

— Mais ne vous affolez pas. Il suffira de prendre des précautions pour ne pas être arrêtés. Première chose : nous marchons en file et en silence.

Il désigna François Maillac.

— Toi, je te veux derrière la file. Tu pousseras les retardataires dans le dos.

Il fit un pas en direction de Gaston Vezins. Le braconnier remettait dans son sac une petite flasque à laquelle il venait de s'abreuver.

— Pas de ça ici! Du moins pas trop! Tu te tiendras au milieu de la troupe.

Il recula de quelques pas pour embrasser toute l'assemblée dans un même regard. On aurait dit qu'il enregistrait chaque visage dans sa mémoire.

— J'ai compris que jusqu'ici vous vous étiez déplacés pendant le jour comme des gens normaux. L'étape que nous allons entreprendre est beaucoup trop dangereuse pour que nous l'abordions au grand jour. Je veux bien croire que vous avez dormi à peine quelques heures, mais nous allons repartir sous peu.

Ils allaient se disperser en marmonnant. Le guide les retint en élevant le bras droit vers eux, la main largement ouverte.

— Pour ceux qui n'auraient pas encore compris, à compter de maintenant, vous allez avoir faim et froid. Malgré la difficulté, je ne veux pas de tire-au-flanc dans ma troupe. Et pourtant, je ne le sais que trop, certains d'entre vous seront si découragés qu'ils n'auront qu'une envie : se laisser mourir au bord du chemin. Eh bien, je vous interdis de le faire ! On me paie pour vous aider à passer les montagnes. Quand vous aurez touché terre de l'autre côté, *mila diou !* vous aurez tout le temps pour vous demander comment vous y serez arrivés.

— Nous avons tous très bien compris, lui assura Henri, qui s'était levé devant le nouveau venu.

— Qui êtes-vous pour parler au nom des autres ? s'enquit le passeur dont le nom n'avait pas encore été prononcé.

— Celui qui a suggéré que nous fassions cette balade dans les montagnes.

Le passeur parcourut du regard les petits groupes avant de se concentrer sur Mathilde.

— Quant à vous, madame, je vois que vous accompagnez un éclopé. On ne m'avait pas prévenu. Si je l'avais su, j'aurais refusé de vous prendre en charge. Vous marcherez devant moi avec lui.

Le passeur se tourna vers Lucas Soucarel et tendit la main dans sa direction.

— Il ne me reste qu'une petite formalité à accomplir.

Le braconnier lui remit une petite liasse de billets. Le passeur les glissa entre son tricot de corps et sa chemise.

— Maintenant, conclut-il, nous sommes dans la main de Dieu ou du diable, selon les convictions de chacun. Pour ne pas avoir à trancher cette délicate question, nous partons immédiatement. Vous pourrez grignoter un bout de pain en route.

Et il les entraîna hors de la caverne pour se mettre en marche à grandes enjambées sur le sentier qui s'ouvrait devant lui. À l'évidence, le garçon unijambiste qui le suivait maintenant de quelques pas, à l'avant de la colonne, aux côtés de Mathilde, ne tiendrait pas longtemps à ce rythme.

On était au cœur d'une nuit qui générait quelques lueurs dans ses replis. Ils progressaient sur un sol caillouteux. Ils marchèrent ainsi pendant plusieurs heures. Ils s'arrêtèrent peu avant l'aube sur un plateau rocheux. Les crêtes qui les entouraient les dissimulaient à tout regard.

— Avalez une bouchée et allongez-vous pour dormir. Nous repartirons dès qu'il commencera à faire un peu sombre.

*

La cohorte progressa pendant toute une autre nuit. Les meneurs projetaient la lueur de leur lampe de poche sur le sentier. Les autres suivaient celui qui les précédait. Ils avançaient à la file sur des sentiers tracés par des bêtes. Des broussailles leur giflaient le visage au passage. Le froid les transperçait. Certains découvraient que la faim engendre la nausée. L'enfant unijambiste peinait toujours ses béquilles sous les épaules. Sa protectrice ne le quittait pas des yeux. La petite Wanda cherchait à se placer à côté d'eux. Elle glissait dans la pente. À tout moment, Mathilde devait s'arrêter pour rattraper l'enfant. Elle la renvoyait à sa place derrière elle. La fillette s'accrochait alors à un pan du vêtement de la dame qui la menait. L'un des accompagnateurs s'approcha de Mathilde pour évaluer son état d'esprit.

— Arrêtez-vous, je vous en prie! réclama cette dernière quand elle eut senti sa présence à ses côtés.

— Je n'ai pas le pouvoir de décider quoi que ce soit, moi. Mais rassurez-vous, notre guide voit dans sa tête tout ce qui se présente devant nous. Il nous donnera le signal du repos quand nous serons arrivés à l'étape qu'il s'est fixée.

La jeune femme faisait de grands signes de dénégation dans le noir.

— Mais qu'est-ce qui vous a pris de nous emmener dans cet endroit où seules les chèvres de montagne peuvent se sentir chez elles ! s'énerva-t-elle. On dirait que vous le faites exprès pour nous entraîner sur les sentiers les plus impraticables !

— Vous avez tout bon ! Ce n'est pas par hasard que nous vous trimballons dans ces passages impossibles. Même les Frisés refusent de s'y aventurer.

Mathilde haussa les épaules. L'autre n'était déjà plus là. Quelque temps après, ce fut au tour d'Henri de presser le pas pour se retrouver à proximité de sa compagne.

— Tu tiens le coup ? s'enquit-il.

— Moi, oui. Eux, je n'en suis pas sûre.

— Une fois qu'on s'est engagé là-dedans, on ne peut plus songer à revenir en arrière, prononça Henri.

— On dirait que ceux qui mènent ce convoi ont oublié qu'il était principalement composé d'enfants ! s'exclama la jeune femme.

— Bien au contraire ! rectifia Henri. Pour assurer leur sécurité, ils ont choisi des lieux où les Fritz eux-mêmes ne patrouillent pas. Tu sauras bien les remercier quand tes petits compagnons seront parvenus sans encombre de l'autre côté de ces montagnes.

Ils firent quelques pas en silence, puis Henri se laissa déporter dans la colonne, abandonnant Mathilde et ses protégés à leur laborieuse progression. Quelque temps après, aux premières lueurs de l'aube, ils constatèrent qu'ils étaient parvenus sur les sommets.

Le jour se levait sur une création du monde. Le soleil rosissait la neige des pics voisins. On eût dit que le regard portait jusqu'aux confins de la France. Ou de l'Espagne. Ils n'auraient vraiment pas su dire où ils se trouvaient.

Ils descendirent dans un creux à l'heure où le soleil s'établissait pour la journée. Trois bâtiments se dressaient devant eux, percés d'étroites fenêtres sous des toitures à forte pente.

— Congé de marche pour la journée, annonça le passeur.

Il fit pénétrer tout son petit monde et leurs accompagnateurs dans une étable qui ne dégageait pas trop d'odeurs animales. Il ne s'y trouvait pas de bêtes depuis un certain temps et la paille leur parut propre. Les enfants s'y allongèrent sans demander leur reste. Ils s'endormirent presque aussitôt, entremêlés comme des chiots.

— Vous avez réussi la première épreuve, affirma le passeur en s'adressant à Mathilde. Je n'étais pas absolument sûr que vous y arriveriez ! Nous sommes parvenus au pied des Pyrénées. Veillez à ce que votre petit monde dorme bien sur ses deux oreilles. Il se pourrait que la prochaine nuit soit encore plus barjo que celle que nous venons de traverser.

Il se dirigea vers la porte de l'étable. Avant de sortir, il se retourna vers son petit troupeau.

— Je vais aller annoncer notre arrivée aux gens du lieu, les prévint-il en refermant la porte. Surtout, ne sortez d'ici sous aucun prétexte.

Et il s'en fut verser quelques sous aux tenanciers de ce qui tenait lieu d'hôtellerie plus que sommaire aux clandestins qui franchissaient ce passage, avant d'aller occuper avec ses compagnons les lits confortables que leurs hôtes leur réservaient.

*

La nuit suivante fut pire que la précédente. Fin septembre, à cette altitude, les ténèbres sont non seulement fraîches mais froides. Il ne tarda pas à tomber quelques flocons de neige sur la colonne des fugitifs. Chez les marcheurs, cela provoqua d'abord une sensation d'inconfort sur le visage, puis leurs pieds commencèrent à glisser sur le roc. Un parcours du combattant. Les marcheurs resserrèrent la file autant qu'ils le purent. Les mains gelées sur les sacs, le nez et les oreilles rougis, on glissait vers les petites heures du matin. Mathilde profita de ce que le passeur s'était une fois de plus porté vers l'avant de la colonne pour l'apostropher.

— Vous ne trouvez pas que nous en avons assez fait pour cette nuit? lui lança-t-elle. Qu'est-ce que vous attendez pour annoncer la pause?

Celui qui les menait tendit le bras vers les solitudes qui les entouraient.

— Si ma mémoire est bonne, nous devrions bientôt déboucher sur une longue pente beaucoup mieux abritée que ce sommet dénudé. Croyez-moi, nous y passerons une journée confortable.

— Les enfants n'arrivent plus à mettre un pied devant l'autre!

— Les tapis volants, c'est dans les livres! riposta le passeur sur le ton le plus sérieux du monde.

Et soudain, en évoquant cet objet magique, une vision lui revint à l'esprit. La troupe ne devait pas se trouver très loin d'une scierie connue des trafiquants qui fréquentaient ces solitudes. Il revoyait maintenant très bien dans son esprit le téléphérique qui transportait les troncs des arbres abattus jusque dans la vallée. En raison de la guerre, le lieu devait être désaffecté, mais si ces installations étaient toujours en état de fonctionner, elles représenteraient un raccourci prodigieux pour la troupe de fuyards.

— Merci, madame, prononça le meneur. Sans le savoir, vous venez de me suggérer en quel endroit nous pourrions franchir en toute facilité la dernière étape de notre promenade.

Et il fit dévier la colonne qu'il engagea dans une pente plutôt abrupte, ce qui engendra un autre flot de protestations. Les marcheurs butaient sur des blocs de roc. Ils se retrouvaient à l'occasion devant un tronc de sapin éboulé qui leur barrait la route. Ce parcours du combattant se révéla toutefois très rentable.

Le jour commençait à se lever encore une fois quand ils débouchèrent devant des bennes suspendues à un téléphérique qui reliait le sommet où ils se trouvaient au fond d'une vallée en contrebas. On y apercevait quelque chose qui pouvait ressembler à une cahute de pierres.

Pendant que la troupe anticipait la qualité du confort que ces lieux pourraient leur réserver, le meneur et ses acolytes inspectaient les installations mécaniques qui avaient été conçues pour expédier le tronc des arbres abattus vers la scierie qui devait se trouver hors de portée de vue, en contrebas. Une benne était suspendue à un filin entre des crochets auxquels on arrimait le bois. Sans trop y avoir cru, ils étaient parvenus à en remettre le moteur en marche.

Lucas Soucarel et le taciturne Gaston Vezins s'y installèrent pour en tester le fonctionnement. Le temps d'une prodigieuse descente, ils annoncèrent à cor et à cri qu'on pouvait faire remonter l'appareil. On entreprit alors d'y loger trois enfants et un adulte à la fois. Ils filèrent dans la lumière naissante. Tour à tour, les protégés du château des Étoiles s'accrochèrent aux parois métalliques sans comprendre ce qu'il leur arrivait. Les plus âgés étaient pris d'un vertige incontrôlable en découvrant à quelle hauteur ils se déplaçaient. Assis au fond de la benne, les petits fermaient tout simplement les yeux. En un temps record, toute la troupe parvint à proximité d'un abri de pierres que les bûcherons avaient aménagé au point d'arrivée. Nul d'entre eux n'aurait pu imaginer que ce mécanisme convoierait un jour des enfants menacés d'extermination. C'était sur la rive d'un lac. En d'autres circonstances, ils auraient pu trouver l'endroit idyllique.

La troupe s'installa dans ce refuge du mieux qu'elle le put. Ils y étaient si à l'étroit qu'ils ne pouvaient pas songer à s'allonger pour dormir. Le simple fait de se retrouver entre quatre murs les réconfortait cependant. Dans l'immédiat, ils avaient moins besoin de dormir que de cesser de marcher. Le passeur autorisa ses acolytes à faire un petit feu dans l'antique cheminée de la cahute. La fumée ne tarda pas à envahir les lieux. Les enfants n'en finirent pas moins par s'assoupir, le menton appuyé sur la poitrine, petites âmes fragiles sous des latitudes où elles n'auraient jamais dû se trouver.

Un conciliabule s'improvisa entre les bergers qui encadraient le troupeau. Après les éclats d'un majestueux lever du jour, le soleil s'était éclipsé derrière une épaisse couverture de nuages. Certains des accompagnateurs avaient bourré leur pipe. D'autres s'étaient roulé une cigarette. Ils fumaient en conversant à voix basse devant l'entrée de la cahute.

— Je me demande encore ce que nous sommes venus faire ici, prononça Jérôme Cabrier, le parrain de la bande. Vous n'allez tout de même pas leur faire traverser toute l'Espagne à pied jusqu'à la Méditerranée?

— Avez-vous bientôt fini de grogner! lui répliqua Soucarel. Nous progressons dans la bonne direction, cela devrait suffire à vous requinquer!

— Mais ils vont bientôt tomber d'inanition, ces petits! s'interposa Henri.

— *Fas cagat!* lui lança Soucarel. S'ils sont fatigués, cela prouve qu'ils sont toujours vivants!

— Quelques-uns d'entre eux ne pourront bientôt plus avancer, fit observer Mathilde. À commencer par le petit qui marche sur trois pattes.

— Celui-là, je vous ai déjà dit que vous n'auriez pas dû l'emmener ici! intervint Soucarel.

— Vous ne songez tout de même pas à abandonner l'un de nos protégés aux loups dans ces montagnes! renchérit Jérôme Cabrier.

— Raison de plus pour continuer de les pousser vers l'avant! conclut le meneur de la troupe.

Celui-ci s'était levé. En dépit de sa tenue délabrée, une forte impression d'autorité se dégageait de sa personne.

— Ce n'est pas avec vos doutes que nous arriverons au bout du parcours! prononça-t-il. Le plus petit de vos «si», le moindre de vos «peut-être» ajoutent des obstacles sous nos pas. Alors, taisez-vous donc!

Il se leva et s'éloigna, les laissant empêtrés dans la confusion. Quinze minutes plus tard, il ressurgissait au milieu du groupe qui n'en avait pas encore fini de soupeser les « quoi » et les « comment » devant la porte de l'abri.

— Des Allemands viennent par ici ! annonça-t-il d'une voix qu'il s'efforçait d'assourdir. Éveillez vite les enfants ! Dans cinq minutes, nous devons avoir quitté les lieux sans laisser de trace !

C'est alors qu'Henri se dressa devant le passeur.

— Je vais les attirer loin de cet endroit, lui annonça-t-il. Dès que vous les verrez s'engager sur ma piste, filez ! Je vous retrouverai plus tard.

Ayant entendu cette déclaration insensée, Mathilde s'était approchée. Elle avait posé les deux mains sur l'un des bras de son compagnon.

— Je t'interdis de faire ça !

— De quel droit ? riposta-t-il.

— Je ne veux pas te perdre si près de l'arrivée !

Henri se dégagea. Il se retourna vers leur guide anonyme.

— Je vous rejoindrai dès que j'en aurai fini avec ces gens-là, annonça-t-il.

— Nous vous attendrons en un lieu qui se nomme Moulle-de-Jaut, annonça celui qui les dirigeait. Vous ne vous en rendrez sans doute pas compte, mais, parvenu à cet endroit, vous serez très près de la frontière de l'Espagne. C'est très haut, plutôt désert, mais il y a un chalet que l'on peut apercevoir depuis les sommets.

Et il lui donna une claque dans le dos avant de le pousser en direction du danger. Plié en deux pour ne pas signaler sa présence, Henri courut vers un petit bois de sapins qui dominait l'emplacement où ses compagnons se trouvaient. Parmi eux, Mathilde était demeurée figée comme si toute vie s'était retirée de sa personne.

Les Allemands venaient d'apparaître sur l'autre rive du lac. Ils devaient être cinq ou six, l'arme à la bretelle et chaussés de lourdes bottes. Ils se dirigeaient visiblement vers la cabane. Les militaires levèrent la tête tous en même temps vers les sapins. Henri venait sans doute de signaler sa présence par des craquements de branches. Celui qui commandait les Fridolins gueula un ordre. Ils se précipitèrent tous dans sa direction.

*

La colonne de fuyards défilait de nouveau. Ceux qui la composaient avaient marché pendant toute la nuit, et maintenant que la phase de repos était arrivée, ils devaient fuir devant les Allemands. Chacun espérait qu'Henri parviendrait à les attirer dans une autre direction. Sauf Mathilde, que le geste insensé de son compagnon poignardait. Pour ne pas s'effondrer sous le coup de la détresse, elle serrait beaucoup plus fort que nécessaire l'une des mains du garçon unijambiste, posée sur sa béquille. Les images qui lui envahissaient la tête lui gonflaient la poitrine. Cet homme à l'âme trop grande pour la petite taille de son corps sacrifiait sa vie pour préserver la sienne ainsi que celles de toute la troupe.

Leur départ précipité pour mettre de la distance entre eux et l'ennemi avait élevé le niveau de tension chez les meneurs du groupe. Ils s'étaient bien gardés de le laisser voir à ceux qu'ils conduisaient. À l'avant de la colonne, Mathilde ne pouvait s'empêcher d'accompagner Henri par la pensée dans sa fuite. Sa désolation ne tarda pas à la faire déboucher sur des conclusions tragiques. Après avoir rattrapé Henri, les Boches le tortureraient jusqu'à ce qu'il finisse par révéler dans quelle direction le reste de la bande se dirigeait. En dépit des efforts de ces derniers pour s'éloigner au plus vite, la petite troupe serait vite rejointe par ses poursuivants. La conclusion qui en découlait lui enfonçait un poignard dans le cœur. Les Allemands les élimineraient l'un après l'autre, laissant leurs corps mutilés à portée de bec des vautours qui devaient hanter ces solitudes.

Faisant quelques pas de côté pour s'éloigner de son petit mutilé, elle s'abandonna à la douleur. Des larmes et des lamentations jaillirent d'elle. L'une de ses compagnes la rejoignit bientôt.

— Ton petit protégé est tombé, lui annonça cette dernière.

Mathilde se ressaisit à grand-peine. Elle rejoignit la colonne qui s'était immobilisée. Un cercle de femmes et d'enfants s'était formé autour de l'unijambiste effondré sur le sentier. Il geignait. Sa protectrice se fraya un passage pour se pencher sur lui. Quelques instants plus tard, les meneurs de la troupe avaient rejoint le lieu de l'incident. Le guide qui menait l'expédition ne cherchait pas à dissimuler le sentiment de contrariété qui l'envahissait.

— Macarel! Cet éclopé nous met tous en danger.

— Je voudrais bien te voir à sa place! lui opposa Mathilde qui refoulait ses larmes. Il ne marche pas, il sautille. Ça peut devenir très épuisant à la longue.

Le chef du groupe ne porta aucune attention à ce que venait de dire la jeune femme. Il tira la conclusion qui s'imposait à son esprit:

— Je l'ai déjà dit. Nous devons le sacrifier.

Mathilde planta son regard dans le sien.

— Henri risque sa vie pour nous permettre de survivre pendant que toi, tu parles d'abandonner l'un de tes protégés sur le bord du chemin!

— Tu as autre chose à proposer? riposta celui qui commandait.

— S'il le faut, je le porterai sur mon dos.

— Et tu ralentiras tout le monde.

— Personne ne nous court après. Sauf Henri peut-être, quand il se sera débarrassé de ces sauvages. En progressant moins vite, nous lui laissons une chance de nous rattraper.

L'incident avait partagé la troupe en deux camps. Les enfants et les adultes qui les encadraient n'envisageaient évidemment pas d'abandonner l'un des leurs à la dent des loups dans ces solitudes. Pour leur part, ceux qui étaient chargés de les mener en lieu sûr bouclaient leur cœur à double tour afin de laisser parler leur seule raison.

— Tu peux toujours essayer de m'en empêcher ! le défia Mathilde.

Et elle projeta un regard circulaire sur ceux qui l'entouraient. Le bonhomme Cabrier, qui partageait avec elle sa détermination, donna quelques directives. Des femmes entreprirent alors de couper et d'ébrancher deux petits arbres pour en faire les brancards d'une civière. Une autre avait sacrifié sa couverture. À l'aide d'un couteau de poche, elle y pratiqua des incisions aux angles et sur les rebords. Le père Cabrier avait fourni un solide bout de cordage qu'il avait repêché au fond de son sac. En quelques minutes, la pièce de tissu avait été fixée aux longerons.

Le petit unijambiste se retrouva bientôt allongé sur cette civière improvisée, Jérôme Cabrier devant, la fidèle Mathilde derrière. Ils ne progresseraient plus désormais que dans cet équipage.

La colonne s'était remise en marche après que le meneur en eut donné le signal. Dans la tête de Mathilde, Henri s'enfuyait devant les Allemands. Elle courait à ses côtés. Tout en poursuivant sa débandade, son compagnon tournait la tête vers elle pour la féliciter d'avoir su tenir tête à un bourreau d'enfants.

*

Constatant que les Allemands s'étaient bel et bien précipités sur ses traces, un éclair de panique avait transpercé Henri. Il ne s'était jamais trouvé en fuite devant des gens qui n'avaient pas d'autre intention que de lui enlever la vie. Il se lança dans une course éperdue dont il se doutait bien qu'il ne pourrait pas en soutenir le rythme sur une très longue distance.

Un secteur boisé s'ouvrait devant lui. Le sentier s'enfonçait dans un fouillis de troncs et de branches mortes qui ralentissaient sa progression. Il trébucha sur une racine. La peur lui redonna des ailes. Les traits du visage de Mathilde se profilèrent sur sa conscience. Il en tira un regain d'énergie. La détonation d'une carabine le fit sursauter. Il poursuivit sa débandade en courbant le dos.

La panique céda enfin la place à une sourde détermination. Vivre pour tenir à nouveau dans ses bras la femme qui avait redonné tout son sens à son existence. Poursuivre sa progression sur un chemin dont il espérait encore qu'il le mènerait à des recommencements. Aller une bonne fois pour toutes vers un nouveau monde.

Le sentier qui se dessinait devant lui bifurquait sur la gauche. À droite, une pente prononcée, hérissée de branches et de broussailles. Il s'y laissa débouler, heurtant du flanc une souche sur laquelle il s'immobilisa. Meurtri, il eut tout juste le temps de se dissimuler derrière l'obstacle avant d'entendre les pas de la petite troupe qui poursuivait sa course là-haut. Quand il eut cessé d'entendre leur galopade, il se précipita de nouveau dans la côte, qu'il dégringola plus qu'il ne la descendit. Il se retrouva au bas d'un talus escarpé. Le temps de se dissimuler sous des branchages, il se fondit dans la nature environnante, s'accordant tout juste le privilège de respirer.

Le temps avait cessé de couler. Henri craignait d'entendre à tout moment les Allemands revenir sur leurs pas. Pas un son ne lui parvint. Avait-il atterri trop bas pour percevoir le battement de leurs bottes sur la terre du sentier ? Il demeura tapi pendant un temps dont il ne pourrait jamais déterminer la durée.

Il se permit cependant de redonner peu à peu toute son amplitude à sa respiration. Il finit par sentir la vie couler de nouveau dans ses canaux intérieurs. Il s'autorisa à penser qu'il avait échappé à la mort. Cela déclencha des tourbillons d'allégresse dans sa poitrine. Il avait maintenant la plus vive envie de se relever et de partir à la recherche de sa compagne et des autres membres de la troupe. Cette pensée généra cependant en lui une vive inquiétude. Parviendrait-il jamais à retrouver la trace de la bande qui avait continué de progresser en direction de son salut?

Le jour déclinait quand il s'autorisa à sortir de sa cachette pour reprendre pied sur le sentier qui devait le remmener à l'abri de pierres sur la rive du lac. Il ne lui resterait plus alors qu'à marcher sur leurs traces, cherchant à deviner quels détours ils avaient empruntés dans leur débandade.

*

L'épuisement n'avait pas tardé à se manifester parmi les enfants qui composaient la colonne. Les meneurs s'étaient résignés à décréter qu'on ferait halte à l'endroit où l'on se trouvait. On était maintenant en fin d'après-midi.

Les fuyards campaient cette fois sur un plateau qui surplombait une profonde vallée au-delà de laquelle se profilaient des montagnes qui leur paraissaient encore plus escarpées que celles qu'ils venaient de franchir. Cette vision en avait fait frissonner plus d'un. On n'en finirait donc jamais de monter et de descendre en direction d'un ailleurs qui s'éloignait sans cesse! Ils grignotèrent leur pain sec, qu'ils accompagnèrent de restes de fromage. Les enfants ainsi que leurs protecteurs ne tardèrent pas à se recroqueviller pour s'abandonner au sommeil.

À l'écart, les accompagnateurs tinrent un conciliabule. Le meneur anonyme, les trois contrebandiers, Jérôme Cabrier, le patron du château des Étoiles de même que Mathilde Bélanger, qui s'était imposée à leurs côtés. L'absence d'Henri la propulsait aux premiers rangs.

— Nous nous comportons comme des n'importe qui! s'énerva le principal responsable de l'équipée. Sur ces sommets où les arbres sont rares, on peut nous apercevoir à des kilomètres à la ronde! Pour refaire nos forces, nous devrions nous blottir comme des lièvres dans des fourrés. La première règle des gens qui sont dans notre situation demeure de passer inaperçu, pas de se donner en spectacle sur les sommets! Et pour commencer, nous ne devrions jamais nous déplacer en d'autre temps que la nuit.

— Peut-être, mais moi j'allais vous proposer que nous nous attardions un peu ici pour laisser la chance à Henri de nous rejoindre, formula Mathilde. Et d'ailleurs, il ne peut être question de chercher un autre endroit où nous abriter dans l'état où sont les enfants!

— Oublie ton Henri! lui opposa le passeur. À quoi cela peut-il bien servir d'attendre quelqu'un qui n'est probablement déjà plus de ce monde?

— Je vous interdis de dire cela! s'exclama la jeune femme. À plus forte raison de le penser!

Un silence glacial passa sur la petite bande. Le bonhomme Cabrier les lança sur une autre piste:

— Combien de jours nous faut-il encore pour atteindre la frontière?

Lucas Soucarel, le meneur des contrebandiers, n'avait pas eu l'occasion d'affirmer son autorité depuis quelque temps. Il s'empressa de répondre:

— Deux jours, deux jours et demi, avança-t-il.

— Vous voulez dire que l'Espagne se trouve quelque part derrière ces montagnes? s'enquit Mathilde.

— C'est à peu près ça, grommela le passeur, qui ne digérait pas l'altercation qu'il venait d'avoir avec la compagne du disparu.

— Ce ne sera pas une promenade tranquille, fit observer François Maillac. Le pire est devant nous. Ce n'est plus de la marche qui nous attend, mais bien de l'escalade.

Mathilde inclina la tête du côté des enfants qui dormaient.

— Quand ceux-là auront bien refait leurs forces et que le temps sera venu de remettre la colonne en route, je peux déjà vous annoncer que pour ma part j'ai l'intention d'attendre ici le retour d'Henri.

Le vieux Cabrier s'était levé pour venir poser la main sur l'épaule de la jeune femme.

— N'évoque pas le pire, mon enfant. Cela pourrait le provoquer.

— Et moi, prononça le passeur anonyme, je décrète que ces bavardages ne nous mènent nulle part! Pas de meilleure méthode que de fermer l'œil pour nous forcer à nous taire!

Le temps était couvert, un peu frais. Les heures qui les avaient menés là auraient compté pour le double dans une vie normale. Chacun se roula en boule comme il le put, qui dans son manteau, qui sous une couverture. Devant la perspective de l'ascension qui s'annonçait, Mathilde avait plaidé et obtenu qu'on les laisse dormir jusqu'au lendemain matin.

Aux petites heures du jour nouveau, en ouvrant les yeux le premier, le vieux Soucarel poussa une exclamation qui éveilla ceux qui étaient déjà sur le point de le faire.

Henri était assis en bordure de l'espace dégagé qu'ils occupaient. Il fumait tranquillement sa pipe en attendant que la troupe d'enfants et ceux qui les encadraient émergent du sommeil.

*

Ils grignotaient ce qu'il leur restait de pain sec, en cercle autour d'Henri qui leur relatait les circonstances dans lesquelles il était parvenu à échapper à ses poursuivants. Il aurait préféré s'éloigner du groupe en tenant Mathilde par la main pour aller lui raconter à l'écart comment la pensée de la retrouver l'avait porté pendant le trajet du retour. Il était épuisé, mais son émotion prenait le dessus sur sa raison. Il s'attardait au moindre détail de l'épopée qu'il relatait. À ses côtés, Mathilde lui pressait la main encore plus fort au tournant de chacune de ses évocations. Pendant ce temps, ceux qui encadraient la troupe se consacraient à des activités plus pressantes tout en tendant l'oreille.

— Il faut que je te dise, commença Henri en baissant le ton pour s'adresser à sa seule compagne, après avoir échappé aux Chleuhs, je n'ai pas douté un seul instant que je te retrouverais. Pendant que je me précipitais à votre suite, les trois branches disposées en forme de flèche sur le sentier…

— C'était moi! se rengorgea la jeune femme.

— Le mouchoir noué à une petite branche…

— Encore moi!

— Et les pièces de monnaie à un carrefour…

— Qui d'autre que moi? renchérit Mathilde.

Et elle ajouta, avant d'entrouvrir les bras:

— J'avais laissé deux ou trois autres signes que tu n'as pas vus. Cela prouve tout de même que tu t'étais bien mis dans ma peau!

Elle se jeta contre sa poitrine. Le passeur se dressa devant eux.

— Vous croyez vraiment que c'est l'heure des embrassades? Grouillez-vous un peu! Nous ne sommes pas arrivés jusqu'ici pour nous laisser rattraper par ceux qui n'ont qu'une idée en tête, nous expédier en enfer.

— J'y étais déjà! se permit de riposter Mathilde. On m'avait enseigné qu'on ne pouvait jamais en sortir. Et voyez!

Le dénouement de l'incident avait jeté Henri dans un état d'abattement. Mathilde lui tendit la main pour l'aider à se relever, puis elle alla ramasser son sac. Ce faisant, elle se tourna vers son compagnon.

— Et toi, tu les as mises où, tes affaires?

Il haussa les épaules.

— Je les ai laissées là où nous étions quand nous avons aperçu les Allemands.

— Tu aurais pu les reprendre quand tu es repassé par là!

— C'était la nuit et j'avais bien autre chose en tête.

— Mais tu avais des trésors dans ce sac! se désola sa compagne.

— Il me reste toi. Ça me suffira pour recommencer ma vie, conclut-il.

Quelques minutes plus tard, la colonne avait repris sa progression en direction de la vallée au fond de laquelle ils aborderaient le dernier massif qui s'interposait entre leur position présente et la frontière qu'ils devraient franchir avant d'être hors de danger.

Mathilde ne s'était pas repositionnée entre les brancards de la civière improvisée sur laquelle on transportait l'enfant handicapé. Ayant cédé sa place à une remplaçante, elle marchait quelques pas derrière, tenant toujours la main de son compagnon comme si elle avait craint qu'il ne disparaisse de nouveau.

— Tu n'as pas dormi depuis quand? se permit-elle de lui demander.

— Je ne sais plus, répondit-il. Ça n'a pas d'importance. Je fermerai les yeux quand je n'aurai plus rien à craindre de ce qui m'attend au prochain tournant.

— Dans ce cas, je peux t'annoncer que tu dormiras ce soir, lui répliqua-t-elle, puisque tu seras dans mes bras.

La journée n'allait pas se dérouler sans leur opposer d'autres obstacles. Après avoir atteint le fond de la vallée, ils se retrouvèrent devant une falaise qu'ils ne purent aborder autrement qu'en s'y accrochant des mains et des pieds. Rien ne les avait préparés à un tel effort.

Ils étaient déjà à bout de forces. Ceux qui n'ont jamais pratiqué l'ascension d'à-pics prononcés croient naïvement qu'il suffit de mettre un pied devant l'autre comme dans un escalier. La réalité se présente tout autrement. Dans cette forme d'escalade, si on ne s'applique pas à poser la semelle sur une surface solide et plane, on risque de débouler, tête première, vers un palier qui pourrait être fatal. Ceux qui transportaient l'unijambiste sur sa civière peinaient bien davantage que les autres.

Aux endroits où l'inclinaison était la plus prononcée, le corps du garçon glissait. Son unique jambe se retrouvait sur le sol. Le second porteur devait s'arc-bouter sur les mancherons de la civière pour le retenir, pendant que celui de l'avant agrippait le garçon par les épaules pour le ramener sur le brancard. Bien entendu, ce processus ralentissait ceux qui se trouvaient derrière.

Le cours de l'après-midi avançait. On pouvait difficilement évaluer le temps qu'il faudrait pour arriver au sommet. Ils grimpèrent encore pendant deux heures avant que le passeur n'annonce ce que tous attendaient :

— Halte pour la nuit !

Ils avaient atteint un palier légèrement incliné mais assez vaste pour qu'ils puissent tous s'y allonger, la tête sur leur sac. Faute de provisions suffisantes, ils oublièrent de manger. À cette altitude, il faisait franchement froid. Ceux qui n'avaient pas de couverture s'enveloppaient de leurs bras croisés sur leur poitrine. Le meneur de jeu se dressait au-dessus des corps allongés.

— Je vous conseille de dormir à poings fermés si vous voulez avoir suffisamment d'énergie demain pour pousser des cris de joie en apercevant la frontière de l'Espagne.

— Pourvu que les douaniers ne nous fassent pas trop de misères, laissa échapper Mathilde.

— Il n'y a sûrement pas de poste-frontière dans ce nulle part, marmonna Henri, qui avait déjà commencé à descendre vers ses profondeurs.

*

Comme souvent dans l'existence, la conclusion de cette portion de l'aventure fut plus troublante que son début. Une douzaine d'heures avaient coulé depuis qu'ils s'étaient remis en marche. Mathilde et Henri demeuraient à la tête du peloton, derrière le brancard de l'enfant estropié. Ils se trouvaient dans un espace qui descendait en pente relativement douce vers un horizon sur lequel aucune intervention humaine ne se profilait. La terre des commencements du monde avait dû ressembler à ce qui se présentait sous leurs yeux dans une indifférence millénaire.

Mathilde ne s'était pas remise du froid qui l'avait envahie pendant la nuit. Elle gardait les bras croisés en X sur sa poitrine. En milieu de matinée, la colonne s'était arrêtée. La jeune femme avait ouvert son sac pour y prendre un vêtement qu'elle n'y trouva pas. Henri la pressa contre lui pour la réchauffer.

— Tu as froid, ma toute petite, murmura-t-il.

— Si au moins on nous annonçait que nous sommes sur le point d'arriver quelque part ! déplora-t-elle.

Elle se blottit d'encore plus près dans les bras de son compagnon pour tenter de lui dissimuler ses larmes. D'instinct, Henri s'était mis à ronronner quelques paroles qu'il voulait réconfortantes.

— Si le destin a fait que nous nous retrouvions, ce ne peut être que pour nous donner l'occasion de ne plus nous perdre.

Mathilde reniflait. Henri porta la main vers la poche arrière de son pantalon pour en tirer son mouchoir. Ce faisant, il avait levé les yeux sur ce qui se présentait derrière eux.

Plus loin, les enfants étaient regroupés autour des hommes qui les encadraient. Celui qui les commandait leur annonçait quelque chose. Henri prit Mathilde par la taille pour l'entraîner de ce côté. Ils demeurèrent cependant à l'extérieur du cercle qui s'était formé.

— … au fond, là-bas, devant vous, prononçait le meneur anonyme. Après une bonne nuit de repos, quelques heures vous suffiront demain pour atteindre la frontière. Vous ne pourrez pas la manquer. Il y a une borne de pierre sur laquelle des chiffres sont inscrits. Elle indique la latitude ou quelque chose de ce genre.

— Vous parlez comme si vous aviez achevé votre mission ! lui fit observer le commanditaire de l'expédition.

— C'est exact ! répliqua l'autre. Devant vous, de l'autre côté de la frontière, vous serez en sécurité. Du moins vous vous y sentirez moins menacés.

Toute la troupe semblait désemparée. Quelques femmes avaient commencé à rassembler leurs protégés autour d'elles. Jérôme Cabrier ayant levé les yeux sur ceux qui l'entouraient, son regard rencontra celui d'Henri. D'un signe de la tête, il lui signala qu'il souhaitait lui parler. Henri s'avança sans lâcher la main de Mathilde. De l'autre, la jeune femme avait fini par prendre le mouchoir que lui tendait son compagnon pour s'essuyer les yeux.

Henri avait écarté quelques personnes qui s'agglutinaient autour du meneur de l'expédition. Tenant toujours sa compagne en remorque, il s'était insinué dans le cercle des meneurs. Lucas Soucarel, ainsi que ses complices Maillac et Vezins, étaient déjà là. Jérôme Cabrier, le commanditaire de l'entreprise à leurs côtés.

— Vous n'allez tout de même pas nous abandonner en si bon chemin ! objectait ce dernier.

— Vous pourriez au moins nous indiquer vers quoi nous diriger ! renchérit Henri, qui venait de comprendre ce qui se passait.

— La prochaine ville digne de ce nom se nomme Saragosse, annonça le meneur anonyme. Elle doit bien se trouver à quelque trois cents kilomètres devant vous, sinon un peu plus. En temps normal, c'est-à-dire quand il n'y a pas de guerre, ce sont des randonneurs qui usent leurs semelles par ici. Mais dans les circonstances présentes, si vous rencontrez quelqu'un, il ne pourra s'agir que de passeurs de frontière comme vous. Retenez bien ce que je vous dis : poursuivez votre chemin sans engager la conversation avec eux.

— Nous avons donc accompli la portion du périple que nous pouvions faire ensemble ! signala Henri.

— Il vous reste à nous verser le solde de ce que nous avions convenu, fit observer le meneur de la troupe.

Henri tourna la tête vers le patron du château des Étoiles. Le bonhomme Cabrier tapotait la sacoche qui pendait à son épaule.

— Venez donc un peu avec moi à côté, proposa ce dernier au meneur toujours anonyme. Nous allons faire nos comptes.

En l'absence de ces deux-là, Lucas Soucarel avait pris du galon. Il faisait de grands gestes pour donner toute leur importance à ses propos.

— Ne vous mettez surtout pas martel en tête ! À compter de maintenant, vous n'aurez qu'à poursuivre tout droit jusqu'à la mer.

— Plus facile à dire qu'à faire ! lui opposa Henri. Surtout avec un estropié sur les bras !

— Celui-là, riposta Soucarel, vous trouverez bien quelqu'un à qui le confier en cours de route.

— Je commence à en avoir assez de vous entendre dire des choses pareilles ! l'interpella Henri. Je vous interdis non seulement de le dire, mais également de le penser !

— Vous ferez bien comme vous l'entendrez, lui concéda Soucarel. Ce n'est pas moi qui en subirai les conséquences.

Henri haussa les épaules et tourna la tête vers les femmes et les enfants pour mettre un terme à l'altercation. Peu après, le meneur anonyme revenait vers le groupe en compagnie de Jérôme Cabrier. La gravité de la circonstance les incitait à demeurer muets. Pendant quelques instants, ils portèrent le regard sur ce qui s'étalait devant eux.

— Il va bien falloir y aller, hasarda enfin Lucas Soucarel.

— En effet, renchérit le taciturne Gaston Vezins. La nuit ne va pas tarder à tomber.

Chacun se remit le sac sur l'épaule et la bande des passeurs reprit sa course, cette fois en direction du sommet que la troupe avait franchi plus tôt. Pendant un long moment, tous les regards convergèrent sur ceux qui les quittaient.

Chacun mesurait la démesure de la marche que leurs accompagnateurs devraient encore accomplir pour rentrer chez eux. Certains ne tardèrent cependant pas à se tourner vers ce qui les attendait eux-mêmes. Leur propre sort ne leur parut pas plus enviable que celui des autres. Ils ne tardèrent pas à s'installer pour la nuit. Après quoi ils fouillèrent dans leurs sacs pour y recueillir les restes de nourriture qui pouvaient encore s'y trouver.

Le lendemain à l'aube, la troupe se remit en marche. Cette fois, Jérôme Cabrier, Henri Ramier et Mathilde Bélanger en avaient pris la tête. L'Angleterre, qui était le terme de leur expédition, leur semblait toujours une destination improbable.

UN RETOUR EN FORME
DE COMMENCEMENT

Mathilde et Henri se tenaient bien droit sur de larges fauteuils de cuir dans l'antichambre du bureau du Premier ministre à Québec. Les hautes fenêtres de la pièce donnaient sur un automne qui n'avait pas encore oublié l'été. Encore cette fois, une mouche dont l'instinct ne la trompait pas s'était réfugiée à l'intérieur pour chercher fortune dans le bureau de la secrétaire.

Les deux rapatriés étaient arrivés le matin même à Québec. En deux mois, ils avaient parcouru un bon bout de planète, pour une grande part à pied dans des zones ravagées par les conflits. Là où la guerre ne faisait pas rage, le mal était à l'œuvre sous la forme d'une sourde inquiétude qui les avait rongés sans répit.

Cela avait été le cas, entre autres, quand ils s'étaient retrouvés à Gibraltar, territoire britannique d'outre-mer situé au sud de la péninsule Ibérique, en bordure du détroit du même nom qui relie la Méditerranée à l'océan Atlantique. Mathilde et Henri pouvaient s'estimer chanceux que le destin les y ait conduits en septembre de cette année 1944. Six mois plus tôt, le premier gardien de l'ordre qui se serait trouvé sur leur chemin les aurait jetés en prison en attendant qu'on ait trouvé le temps de les interroger sur leurs intentions.

Mathilde et Henri n'avaient donc pas craint de s'adresser en toute liberté à celui qu'on leur avait désigné comme étant le «consul» de France sur ce territoire. Cet usurpateur du titre avait tout de même fini par leur trouver une place à bord d'un cargo qui rapatriait des troupes en direction de l'Angleterre.

À Londres, on s'était montré plutôt réservé à leur égard. On les avait installés dans un hôtel de second ordre où ils étaient plus ou moins assignés à résidence. Un jour sur deux, ils se présentaient devant un attaché de l'ambassade canadienne qui leur assurait qu'on portait la plus grande attention à leur cas. Mathilde avait fini par s'énerver et avait exigé que son interlocuteur téléphone au Canada, en son nom, à un ami personnel de sa famille. La conversation téléphonique avait eu lieu dans un petit bureau où se trouvait un appareil qui pouvait établir des conversations internationales.

Félix Métivier n'en était pas revenu d'entendre la voix lointaine d'Henri. Il le croyait perdu à jamais. L'entrepreneur forestier n'en avait pas été moins bouleversé en apprenant que Mathilde Bélanger se tenait aux côtés de son interlocuteur. Mis au fait de leur situation, entre l'exil et le salut, Métivier s'était spontanément engagé à leur venir en aide.

Dix jours plus tard, ils s'étaient retrouvés à bord d'un navire qui ramenait des troupes dans le port canadien d'Halifax. La traversée n'avait rien eu d'une croisière. Il avait d'abord fallu faire halte de nouveau à Gibraltar pour emplir de combustible les réservoirs du navire. Dans ce domaine, l'Angleterre faisait tout ce qu'elle pouvait pour ménager ses réserves de pétrole.

La situation n'avait pas été plus confortable en haute mer. Des sous-marins allemands menaient toujours la chasse dans l'Atlantique. Un couvre-feu était instauré à bord dès la tombée de la nuit.

Ils avaient touché terre en Amérique dans le port d'Halifax, au Canada. Des convois ferroviaires affligés d'une lenteur accablante les avaient conduits de la Nouvelle-Écosse à la province de Québec. Sitôt arrivés dans la ville du même nom, ils n'avaient pas eu de plus pressante préoccupation que d'aller en personne présenter leurs hommages à celui qui leur avait annoncé, lors de leur conversation téléphonique, l'important changement de situation dont il avait fait l'objet : Félix Métivier était désormais le Premier ministre de la province de Québec.

On les avait d'abord introduits dans une antichambre où une secrétaire d'un âge certain semblait préoccupée par le seul souci d'empêcher les importuns de mettre le pied dans le bureau de son patron. Deux personnes s'y trouvaient déjà en attente, assises sur des chaises alignées le long du mur. Mathilde et Henri firent de même. Un bon moment plus tard, après avoir répondu à un appel téléphonique, la secrétaire se leva pour ouvrir devant eux la porte du bureau de son patron.

Félix Métivier se tenait dans l'embrasure, les épaules légèrement voûtées. Son sourire accentuait les rides de son visage. Une mèche de cheveux lui retombait sur le front. Il avait retiré sa veste et ses bretelles rouges éclataient sur le blanc de sa chemise. Il tendit la main à Henri Ramier, cependant que Mathilde se haussait sur la pointe des pieds pour l'embrasser sur la joue.

— Un beau bec de même, s'exclama le Premier ministre, ça peut faire le bonheur d'un homme au moins pour toute une journée !

Et il les entraîna dans son bureau en refermant la porte derrière eux. C'était une très vaste pièce lambrissée de bois sombre. Les fauteuils de cuir posés sur un épais tapis en imposaient davantage que ceux de l'antichambre. Un cendrier sur pied montait la garde à côté de chacun d'eux. Quelques instants plus tôt, Félix Métivier y avait posé sa cigarette. Il la reprit en invitant ses visiteurs à s'asseoir, demeurant lui-même debout, cigarette au bec, les mains dans les poches.

— Ainsi donc, vous avez fini par sortir de cet enfer-là, et encore tous les deux ensemble ! s'exclama-t-il. C'est un vrai miracle ! Dans mes rêves les plus fous, j'aurais jamais osé imaginer ça !

Il se rengorgea avant d'ajouter :

— Savez-vous que j'ai été obligé de passer un coup de fil à Mackenzie King en personne pour régler votre cas ?

Une pensée lui traversa l'esprit. Henri Ramier, pas davantage que Mathilde Métivier d'ailleurs, ne connaissait les rouages de la politique canadienne.

— Ce Mackenzie King dont je vous parle, c'est le Premier ministre du Canada, expliqua-t-il. Un bon homme! Si ce n'était pas de la conscription, il mènerait le pays extra. Moi, je ne suis que le Premier ministre de la province de Québec, mais je ne laisserai jamais Mackenzie King me dire comment gérer mon royaume, en tout cas!

Et il se dressa de toute sa prestance au milieu de la pièce en allumant une nouvelle cigarette après avoir écrasé le mégot de la précédente dans un cendrier.

— Vous n'avez sûrement pas su que j'ai battu l'ancien Premier ministre Maurice Duplessis à plate couture! enchaîna-t-il en se haussant du col. En 1936, il avait fait élire soixante-seize députés de l'Union nationale. À l'élection suivante, j'ai reviré ça de bord pour soixante-dix libéraux. Hein? Qu'est-ce que vous en dites?

— Que nous sommes particulièrement privilégiés de connaître celui qui occupe une position aussi prestigieuse, prononça le Français. Ainsi donc, vous avez fini par céder à la pression et vous vous êtes jeté dans l'arène politique! Tant mieux pour nous, ça vous aura permis de nous tirer d'embarras!

— Je n'ai fait que mon devoir! lui répliqua le Premier ministre. Comme ça, la France est toujours sur le derrière? On a pas mal de nos petits gars qui ont laissé leur peau en Normandie! Ça n'a pas été un grand succès cette affaire-là! Je me demande à présent ce que Churchill va faire. Paraît qu'il aurait commencé à discuter en secret avec Roosevelt, le président américain. Si les États-Unis décident que la folie a assez duré, ça pourrait virer de bord assez vite!

Henri Ramier bougeait sur son fauteuil.

— Vous me pardonnerez de revenir là-dessus, se permit-il, mais je dois tout de même vous annoncer que nos rapports à tous les deux, Mathilde et moi, sont dix fois plus forts que ce que vous avez connu dans le temps. Il ne faudrait pas que vous en soyez trop surpris…

— Bâdrez-vous donc pas avec ça! l'interrompit son interlocuteur, qui n'avait pas cessé d'aller et venir devant eux. Rappelez-vous ce que je vous ai dit quand on s'est vus pour la dernière fois chez le lieutenant-gouverneur, juste avant votre départ. Qu'après tout, un homme de votre âge avait bien le droit de tomber en amour avec une personne qui pourrait être sa fille, pourvu qu'il soit franc et loyal. Ça m'a tout l'air que vous avez bien suivi mes recommandations! Mais dites-moi, maintenant que vous avez remis le pied chez nous, qu'est-ce que vous avez dans la tête?

Henri consulta sa compagne du regard. Elle hocha la tête.

— Mathilde, encore plus que moi, n'a qu'une pensée : retourner en Mauricie.

Félix Métivier grimaça de bonheur.

— Et là, qu'est-ce que vous avez au programme, tout de suite, à midi?

— Nous n'avons rien prévu, annonça Henri.

— Je vous emmène dîner! décréta le Premier ministre.

Et ils sortirent tous les trois en direction de l'antichambre où les deux visiteurs firent grise mine en constatant que le Premier ministre quittait les lieux.

M. Métivier fit monter ses invités à l'arrière de sa limousine puis il prit place à l'avant aux côtés du chauffeur.

— Comme d'habitude, annonça-t-il à ce dernier.

Quelques minutes plus tard, ils se retrouvaient dans un restaurant chic de la Grande-Allée. Le Premier ministre avait l'habitude d'y amener ses invités. Depuis qu'il occupait ses hautes fonctions, il parlait d'abondance.

— Il faut que vous sachiez une chose : nous autres, les Canadiens-français, on a toujours été contre la guerre, à la première comme à la deuxième. Ah! c'est pas qu'on est des lâches, vous avez pu voir ce que les petits Canayens sont capables de faire dans mes chantiers! Non, voyezvous, comme c'est arrangé là, chaque fois que le feu prend en Europe, le Canada est prêt à aller défendre les vieux

pays, mais, pour la majorité des Canadiens avec un grand
«C», la patrie, c'est l'Angleterre! Puis nous autres, les Canadiens-français, depuis qu'on a perdu la bataille des plaines
d'Abraham, on pense encore que notre mère-patrie, c'est
toujours la France, même si on reste sur notre quant-à-soi.
Comme si elle était morte, notre mère, puis qu'on avait été
adoptés dans une autre famille. Vous comprenez ça?

— Très bien, lui assura Henri.

Et il s'essuya les lèvres dans un coin de sa serviette. Malgré
la fatigue du voyage, Mathilde s'efforçait de montrer qu'elle
portait beaucoup d'intérêt aux propos de son interlocuteur.

— Mackenzie King avait juré qu'il imposerait jamais la
conscription, poursuivit Métivier. Vous avez vu comment ça
a tourné de l'autre bord? L'Angleterre appelait au secours.
Le Premier ministre du Canada a été obligé de se dédire,
puis de demander aux Canadiens de le libérer de sa promesse de pas lancer le Canada dans la bataille. Quatre-vingts
pour cent des Canadiens-anglais ont dit «oui». Soixante-dix
pour cent des Canadiens-français ont dit «non». Moi, ça m'a
mis dans l'eau bouillante, pour la bonne raison que le Premier ministre du Canada et puis moi, on est du même bord
politique. Maurice Duplessis, lui, dans l'opposition, il en a
profité pour fesser dans le tas à tour de bras. Il disait des
libéraux qu'on était juste les torcheux de planchers des fédéraux. C'est gros sans bon sens, mais je ne serais pas surpris
que ça me complique la vie lors des prochaines élections.

Mathilde ne suivait plus la conversation. Le Premier
ministre avait fini par s'en apercevoir.

— Mais là, je vois que vous revenez tous les deux d'un
autre monde. Quant à moi, je m'en retourne par chez nous
demain matin. Je pourrais vous emmener. Qu'est-ce que
vous pensez de ça?

Sans attendre leur réponse, il se tourna vers son garde du
corps qui mangeait à la table voisine:

— Tu diras à Charley de donner une belle chambre avec
une vue sur le fleuve à ces deux personnes-là, puis il mettra
ça sur mon compte comme d'habitude.

Il se leva. Henri l'imita. Mathilde n'avait plus la force de bouger.

— Je viendrai vous prendre à votre hôtel demain matin à neuf heures, enchaîna le Premier ministre. Pour tout de suite, je comprends que vous avez besoin de vous reposer. Et puis moi, j'ai des quémandeurs qui m'attendent. Alors je vais vous demander de m'excuser.

Mathilde avait fini par se mettre debout. Le Premier ministre s'adressa une fois de plus à son chauffeur :

— On va les emmener au Clarendon, puis on retourne au bureau.

Tournant la tête vers ses visiteurs qui avaient de nouveau pris place à l'arrière de la limousine, il s'empressa d'ajouter :

— J'imagine que c'est pareil pour vous, en tout cas moi, quand je retourne en Mauricie, j'ai l'impression d'arriver au paradis.

*

Le retour vers l'éden mauricien s'effectua dans le confort feutré de la limousine du Premier ministre. Comme à son habitude, Félix Métivier avait pris place à l'avant, à côté du chauffeur. Il passa la plus grande partie du voyage à s'entretenir avec ses passagers en se retournant vers la banquette arrière. Henri Ramier répondait aux propos du Premier ministre par des onomatopées qui suffisaient à relancer le monologue de ce dernier. Pour sa part, Mathilde n'entendait rien. Elle était ailleurs.

Elle s'étonna d'abord d'avoir à redécouvrir ce qu'elle croyait déjà bien connaître. Rien n'avait vraiment changé et pourtant les maisons dans les villages, Sainte-Anne-de-la-Pérade, Champlain, Sainte-Marthe-du-Cap, lui paraissaient trop échelonnées le long de la rue principale et en piètre état. Cette perspective dont elle avait oublié la réalité engendrait en elle un sentiment de détresse, comme si les habitants de ces villages se méfiaient les uns des autres au point de ne pas se serrer les coudes.

Elle fut toutefois fort émue en traversant le pont qui enjambe la rivière Saint-Maurice. La ville des Trois-Rivières ne soulevait désormais plus en elle aucun sentiment d'effroi. Ce n'était somme toute qu'une agglomération de taille plutôt moyenne.

La remontée vers le nord lui procura des ravissements délicieux. En cet automne éblouissant, les reflets du soleil sur l'eau lui chatouillaient l'âme. En vue des Piles, elle s'extasia comme si elle mettait le pied dans un livre illustré. La luxueuse résidence de Félix Métivier, que les gens du lieu affublaient toujours du nom de «château», lui causa cependant un malaise. Elle revoyait le Nouveau Monde en conservant dans son for intérieur la perspective de l'Ancien. Ici, le terme «château» n'était que la caricature de ce qu'elle avait vu là-bas.

Chez Félix Métivier, ils furent contraints d'entrer quelques instants avant de poursuivre leur pèlerinage. Ils saluèrent Mme Métivier qui leur imposa des cafés dont ils estimèrent qu'ils n'avaient rien à voir avec ceux qu'ils avaient appréciés là-bas.

— Vous me direz pas qu'on n'est pas plus chez nous par ici que de l'autre bord! leur lança le Premier ministre.

Ni Henri ni Mathilde ne s'autorisèrent à relever cette affirmation. Il leur tardait d'étreindre la nature dans toute sa splendeur. Ils se remirent bientôt en route. Le Premier ministre avait décidé de les accompagner jusqu'à leur destination. Ils firent le détour par le Panier percé.

Le centre vital où l'on administrait l'exploitation de la vaste forêt environnante avait repris son agitation coutumière en cette saison. Des hommes allaient et venaient dans toutes les directions. La nature vibrait de toutes ses couleurs.

C'est à bord de la vieille Packard de Félix Métivier, toujours garée au Panier percé et beaucoup mieux adaptée aux chemins forestiers que la luxueuse limousine, qu'ils effectuèrent la dernière partie du trajet. Le patron les avait laissés entre les mains de son chauffeur, après les avoir pourvus de nourriture pour une semaine.

— Je passerai vous voir demain matin, avait-il annoncé. Ça vous laissera le temps de refaire connaissance avec ceux que vous étiez quand vous êtes partis d'ici.

Le chauffeur coupa enfin le moteur devant la rivière qui entourait l'île où les parents de Mathilde avaient mené une existence heureuse et sereine.

La jeune femme ouvrit la portière et posa le pied sur le sol avec précaution, comme si elle avait craint de déranger le passé. Elle marchait sur une planète étrangère. L'île avait rétréci.

Ils montèrent dans la barque où le chauffeur avait déposé leurs denrées. Après quoi ce dernier leur annonça qu'il entendait les laisser tout entiers à leurs émotions.

— Je reviendrai avec M. Métivier demain, voir si tout est correct avec vous autres.

Henri s'accrocha des deux mains au câble qui permettait d'entraîner l'embarcation vers l'autre rive. Une fois qu'ils furent parvenus à destination, il retint sa compagne d'un geste.

— Tu me croiras si tu le veux, déclara-t-il, en tout cas j'ai besoin de te le dire : je me sens comme si je revenais à la maison.

— Et moi, lui révéla Mathilde, je ne reconnais plus rien.

Ils dénichèrent la clé qui n'était pas dissimulée ailleurs que sous le tapis posé devant l'entrée.

Rien n'avait changé. Quelques ustensiles sur la nappe. La bouilloire sur l'un des ronds du gros poêle à bois. L'air que l'on respirait semblait cependant avoir stagné dans ces lieux abandonnés depuis des mois. Ils laissèrent la porte et quelques fenêtres grandes ouvertes. Mathilde tournait en rond dans la pièce à tout faire.

— Je vais devoir réapprendre à vivre ici, annonça-t-elle dans un soupir.

— Tu y seras encore plus heureuse que par le passé, affirma son compagnon.

— Tu crois vraiment, toi, qu'on avance en revenant en arrière?

— Eh bien moi, lui lança Henri, j'aurais l'impression de me projeter dans la vraie vie en me jetant dans les bras de la nature!

Pendant un moment, elle l'observa comme si elle avait du mal à le reconnaître.

— Pardonne-moi, lui demanda-t-il. Je devrais écouter ce que tu me dis plutôt que de toujours te lancer mes propres idées au visage.

La jeune femme tourna vers lui un regard empreint d'une douce mélancolie avant de l'embrasser.

— Ça ira, lui assura-t-elle. Va prendre un peu l'air pendant que je donne un coup de balai ici dedans.

*

Au beau milieu de l'après-midi, après un petit repas au cours duquel ils avaient entamé les provisions que leur avait laissées le chauffeur, Mathilde entraîna Henri sur le sentier en direction de la cascade. Ils se tenaient par la main et marchaient dans la végétation que la saison relançait. Du haut du promontoire, ils purent contempler la vallée d'en face qui ronronnait sous la lumière à travers les branches des bouleaux parés de fines feuilles vertes.

— Nous en avons traversé, des épreuves, pour nous retrouver ici, se remémora Henri.

Mathilde s'accrochait au bras de son compagnon en descendant la pente raide qui menait à la rivière.

— Je ne suis pas près d'oublier ma dégringolade du premier jour! fit encore observer ce dernier.

Ils étaient parvenus sur la rive.

— Et moi, lui répliqua la jeune femme, je ne peux pas détourner ma pensée de ce qui m'attend ici.

— Tu n'as plus rien à craindre! protesta-t-il.

Mathilde tourna son visage vers celui d'Henri pour saisir son regard.

— Je dois protéger mon ventre, prononça-t-elle.

Henri n'avait plus que ses yeux pour formuler la question qui le renversait.

— Tu veux dire… parvint-il à prononcer.

— Je suis enceinte, oui, annonça Mathilde. C'était ce qui me tourmentait le plus pendant que je m'accrochais aux racines pour continuer de grimper à quatre pattes comme une bête dans les montagnes.

Henri la pressa dans ses bras comme pour la protéger des épreuves passées.

— Mais pourquoi ne m'as-tu pas annoncé ça plus tôt? s'étonna-t-il.

— J'attendais de voir s'il avait encore envie de vivre en arrivant ici.

— Et maintenant que nous y sommes, on dirait que tu ne reconnais plus rien!

— Parce que dorénavant je vois la vie par ses yeux à lui.

Elle posa les deux mains à plat sur son ventre.

— Et il a encore tout à découvrir, cet enfant, ajouta-t-elle.

— Il mettra ses pas dans nos traces! s'exclama Henri. Il découvrira le monde à l'endroit même où nous nous sommes aimés.

— Je lui ai même trouvé un nom, annonça-t-elle.

Les yeux d'Henri n'étaient plus qu'une énorme question trop vaste encore pour être formulée.

— Nous l'appellerons Félix, déclara-t-elle.

Henri hocha la tête.

— En l'honneur de M. Métivier, précisa la jeune mère. C'est lui qui t'a mené à ma rencontre sur les chemins d'un nouveau monde. Sans M. Félix, je ne t'aurais jamais connu et cet enfant n'aurait pas commencé à grandir dans mon ventre.

Le futur père débordait d'émotion. Chagriné, peut-être.

— Si c'est un garçon, hasarda-t-il.

— C'est un garçon, je le sais.

— Nous aurions pu lui donner le prénom de mon père, hasarda Henri. Il est mort sans petit-fils, le pauvre Jean.

Mathilde sourit en laissant couler de petits chatouillis dans sa gorge.

— On pourrait faire d'une pierre deux coups, suggéra-t-elle. Donner à notre enfant le prénom de ton père en même temps que celui de M. Métivier. Il suffirait de l'appeler Jean-Félix.

Nicolet, décembre 2015

TABLE